**SCOTTISH UNIVERSITIES
FRENCH LANGUAGE RESEARCH PROJECT**

# Le français en faculté
## cours de base

*Prepared by:*
*Robin Adamson   Marie-Thérèse Coutin*
*James A. Coleman   Geoffrey E. Hare*
*Margaret Lang   Anthony Lodge*
*Ian Mason   Samuel S. B. Taylor*
*Richard Wakely   Andrew L. Walker*

*Revised by:*
*Robin Adamson   Geoffrey E. Hare*
*Margaret Lang   Anthony Lodge*
*Samuel S. B. Taylor*

Hodder & Stoughton

A MEMBER OF THE HODDER HEADLINE GROUP

# ACKNOWLEDGMENTS

For permission to quote copyright material, the author and publishers would like to thank the following: *Le Point* (No. 66) for 'Français: vous n'êtes pas aimés' by John Ardagh; *Astérix chez les Bretons* © Les Editions Albert René/Goscinny-Uderzo; *Daily Telegraph* (18 May 1974) for 'By Jingo, it's time we liked the French' by Oliver Stewart; Jean Bailhache and Editions du Seuil for the extract from *La Grande-Bretagne*; *Le Nouvel Observateur* for 'Des Etrangers dans la maison' by Josette Alia; *Le Nouvel Observateur* (No. 1051) for 'Il n'y a plus d'innocents' by Jean Daniel; *The Scotsman* (Volume 5, No. 8) for 'When you're young and unemployed . . .' by Isla Dewar; *Télérama* (No. 1808) for articles by Jean Belot and Jean-Claude Raspiengeas; *Le Monde* for 'La Télévision d'aujourd'hui et de demain', 'La Gauche a mal à l'elite' by Philippe Cohen, 'Supérieur: c'est la rentrée' by Serge Bolloch, 'Evolution des effectifs étudiants par discipline' (table); 'Fréquence d'écoute de 22 catégories d'émissions de télévision' © Ministère de la Culture, Service des Etudes et Recherches – Jurisprudence Genérale Dalloz, 1982; Claire Etcherelli and Editions Denoël for the extract from *Elise ou la vrai vie*; Confédération Genérale du Travail for 'Non au Chômage' 1981; Centre for Policy Studies for 'Lessons from Europe' by Max Wilkinson; François Nourissier and Editions Robert Laffont for the extract from *Vive la France* by Henri Cartier-Bresson and François Nourissier; *Marie-Claire* for 'Le Désordre . . . c'est le secret des couples unis' by Paul Andréota; Louis Aragon and Editions Denoël for the extract from *Les Cloches de Bâle*; 'Le Pub fait l'article' from *Les Dossiers du Canard* (mars–avril 1984); Gwynne Hart & Associates Ltd, London for 'Freedom of advertising means freedom of expression'; John Bowen for an extract from *Storyboard*; *Dossiers d'Okapi*, Bayard-Presse, France for 'La Publicité'; J. Marault, J. M. Jivat, C. Geronimi and Editions Casterman for the extract from *Littérature de notre temps*; *Le Nouvel Observateur* for 'Un petit mois de bonheur' by Yvon le Vaillant; R. Frison-Roche and Librairie Arthaud for the extract from *Premier de cordée*; Gallimard for *Actuelles, Chroniques (1944–1948)* by Albert Camus; Union Française d'Impression for 'L'Avenir de Pessac' by Dr J.-C. Dalbos, UFI 33600 Pessac-France; *Le Point* for 'Entrevue entre M. P. Desgraupes and M. G. Trigano, PDG du Club Mediteranée' by M. P. Desgraupes; Punch publications for the cartoon on page 8; Topham Picture Library for the photos on pages 21, 88 and 198; Renault UK Ltd for the photo on page 60; Dargaud Editeur for cartoons on pages 2, 74, 169 and 190; Vidocq Photo Library/Keith Gibson for the photo on page 82; Intermonde-Press for the cartoons on pages 112 and 155; André Deutsch for the photo on page 144; Institut et Musée Voltaire, Geneva for the photo on page 217; Audio-visual Services Unit (Photographic Section) for the photos on pages 41 and 44; and Geoff Hare for photos on pages 51, 126, 175, 182 and 185.

*British Library Cataloguing in Publication Data*

Le Français en faculté.—2nd ed.
  Cours de base
  1. French language—Grammar—1950–
  I. Adamson, Robin  II. Scottish Universities
  French Language Research Project
  428.2′421  PC2112

ISBN 0 340 38946 X

First published 1980
Second edition published 1986
Impression number     17 16 15 14 13 12 11 10 9 8
Year                1999 1998 1997 1996 1995 1994

Typeset by MacMillan India Ltd, Bangalore
Printed in Great Britain for Hodder & Stoughton Educational, a division of Hodder Headline Plc, 338 Euston Road, London NW1 3BH by Thomson Litho Ltd, East Kilbride, Scotland.

# CONTENTS

# PREFACE TO THE REVISED EDITION

Like the original edition of *Le français en faculté*, this revision is the work of a team – a team composed of five of the original authors: Robin Adamson, Geoffrey Hare, Margaret Lang, Anthony Lodge and Samuel Taylor.

Writing *Le français en faculté* was an exciting experience for all of us who were involved in it. Since it first appeared in 1980, our research group has expanded to become the Scottish Universities French Language Research Association, an umbrella organisation whose members are engaged in a number of research projects involving language teaching. Two of these, *Lyon à la Une* (for second year university students) and *En fin de compte . . .* (for final honours students) are the direct result of the close collaboration and team work which produced *Le français en faculté*. They also show very clearly the marked change in foreign language teaching methodology since the seventies, and reflect the notional-functional and communicative approaches which have been gaining ground in recent years.

Why then should we have decided to revise *Le français en faculté*, replacing some of the original texts, but leaving our methodological approach largely unchanged? We are convinced, from the many helpful and perceptive comments we have received from colleagues using the book, that there is still a place at first year university level for a course such as this, which offers a revision of several vital areas of sentence grammar. Perhaps even more than in 1973, when we began our work, students entering university French classes need to re-assess their linguistic competence, and to make sure of the essentials as a basis for more complex and creative language work in subsequent years.

In response to the answers we have received to a questionnaire sent to users of *Le français en faculté*, we have replaced eight of the original texts which had become dated. The greatest changes are in Module VII where *La Publicité* replaces *L'Environnement*, but elsewhere too we have tried to provide a greater variety of stimulating non-literary texts. This reflects not only our current approach to language teaching, but also the fact that school language syllabuses are changing radically. Students arriving in universities in the late eighties will have very different expectations from those who used the first edition of our book.

We express our gratitude to all copyright holders for permission to use the texts and illustrations, and our warm appreciation to the numerous colleagues and students whose cooperation and collaboration have been so vital to our work.

Robin Adamson
University of Dundee

# FRANCE

Lille

NORD

Amiens

HAUTE-
Rouen

PICARDIE

Chalons-
Sur Marne

Metz

Caen

NORMANDIE

Paris

CHAMPAGNE

LORRAINE

Strasbourg

NORMANDIE

ILE DE FRANCE

ALSACE

BRETAGNE

Rennes

Orléans

Dijon

FRANCHE-

PAYS DE LA LOIRE

CENTRE

BOURGOGNE

Besancon

Nantes

COMTE

Poitiers

POITOU-
CHARENTES

Limoges

AUVERGNE

Lyon

LIMOUSIN

Clermont
Ferrand

RHONE- ALPES

Grenoble

Bordeaux

AQUITAINE

PROVENCE-

MIDI-PYRENEES

COTE D'AZUR

Toulouse

Montpellier

Marseille

CORSE

LANGUEDOC

0        150

Kms.

J.Ford 1986

vi

# INTRODUCTION

In preparing this book our aim has been to produce a bank of language-teaching materials suitable for advanced learners of French, that is for students in first year of university with at least five or six years of French behind them. We have sought to combine an inductive, text-based approach with a deductive, grammar-based one. To this end, we selected twelve lexical or stylistic areas — either aspects of contemporary French life or particular varieties of the French language — and wedded them (we hope blissfully) to twelve areas of grammar where, from errors-surveys and from questionnaires to schools, we found first-year Scottish university students to be in need of guidance. The result is twelve units or 'modules', each containing two texts with accompanying exercises, and a grammar section offering a formal description of a problem area.

Since the book offers a bank of materials rather than a course with a strict linear progression, modules are deliberately not arranged in any particular order. Moreover, more material is offered here than can be used in a single academic year — this, at any rate, has been our experience after using it for one hour of seminar-time per week over two trial years. The user, therefore, is invited to exercise the maximum freedom of choice in the selection and ordering of the modules worked on. However, as will be explained, within each module the components are more tightly structured.

## Texts

The selection of suitable texts for a work of this kind is of the first importance and yet it inevitably relies heavily on subjective preferences. The twenty-two we offer here have each had to satisfy a whole range of criteria: their intrinsic interest and accessibility to students at this level, their lexical and grammatical appropriateness for the module in question, and their stylistic variety in view of the need to offer as wide a range of written language styles as practicable. With the occasional exception the authors all belong to the latter half of the twentieth century.

## Aims and Lay-out of Exercises

The fundamental aim of the exercises is to bring the student to teach himself French by imitation and adaptation of the French he reads. He is therefore invited to make a close linguistic study of the vocabulary, grammar and overall meaning of the texts prior to actively re-using linguistic elements encountered there, in a controlled way in individual sentences and in a freer way in sustained passages of French. The apparatus accompanying each text consequently falls into three sections: Preparation, Reinforcement and Exploitation. Let us look at each of these briefly in turn.

# A. PREPARATION DU TEXTE

Everything contained in this section is designed to be done independently by the student before the unit is used as the basis for a language-class. The student is taken through the steps necessary to understand what the text means and how various aspects of its language work.

## Notes

Explanations are offered in French of social, cultural or literary allusions, proper names, etc., as well as of words and phrases whose meaning is not immediately accessible in dictionaries.

## Vocabulaire

In general the amount of help given in the form of lexical glosses is small. It is felt that, laborious as the process may be, the student's own work with dictionaries will give him a fuller and more permanent perception of the value of words newly encountered. It is hoped that students will develop the habit of consulting French-French dictionaries. We regard Larousse's *Dictionnaire du français contemporain*, Paris, 1971, as being particularly suitable, and throughout this book it is referred to as *DFC*.

The vocabulary exercises in this section are designed to draw attention not to all the difficult words and phrases in the text, but mainly to important words and phrases which the student on his own might be inclined not to check in a dictionary.

## Commentaire grammatical

Here notes are given in English on grammatical points encountered in the text. A first section deals with points coming under the heading of the grammar section of the module in question. These may be more detailed explanations than the grammar section can provide, or may deal with them in a different way.

A second section deals with other grammatical structures encountered in the text which may or may not be treated in the grammar sections of other modules but which are known to cause difficulty in students' own production of French.

## Compréhension du texte

As the final section of Part A, comprehension questions are provided to help the student test for himself whether he has grasped the overall meaning of the text. They act both as a self-checking device and as a focus for discussion in class.

# B. EXERCICES DE RENFORCEMENT

The exercises contained in this section are designed to induce the student to re-use, at the level of individual sentences, words and structures he has encountered in the text. These exercises provide a basis for classwork (after preparation by the student) rather than for the major written language assignment of the week. The selection and *dosage* of these exercises are left entirely to the discretion of the user.

### A l'oral

This section contains a group of questions designed to elicit simple responses directly re-using phrases from the text.

### Exercices lexicaux

These are designed to reinforce words from the text which ought in our view to form part of the student's active vocabulary. They include: finding cognates of words, defining or explaining a word in French, showing the meaning of words by composing sentences which include them.

### Exercices grammaticaux et structuraux

The exercises here give practice in using grammatical structures encountered in the text (and often dealt with in the *Commentaire grammatical*). They usually begin with an exercise related to the grammar section of the module. They include: transformation or substitution exercises, completing a sentence from a given opening, constructing a complex sentence from given simple sentences, translating into French a sentence containing a given grammatical difficulty, etc. While the main grammatical points in these exercises are described somewhere in the book, subsidiary points occasionally arise for which reference needs to be made outside.

## C. EXPLOITATION DU TEXTE

This third section is designed to stimulate freer re-use of linguistic material culled from the text in sustained production of French, oral and written.

### A l'oral

Various types of oral exercise have been devised which are linked thematically and lexically with the French text. They include: *Saynète* — role-playing involving an improvised dialogue; *Exposé* — a short talk; *Récit oral* — retelling an incident from the text from a different point of view; *Sujet de discussion* — a controversial topic connected thematically with the text; *Débat* — a more formally organised discussion with prepared speeches.

### A l'écrit

The exercises found here will be familiar to university students and teachers of French, but they all relate closely to a passage of French already studied by the student, and consequently reduce the random element present with traditional essays and proses.

*Résumé:* summary, when properly done, combines the skills of comprehension (of the original text) and of composition. A good *résumé* must contain the principal ideas of the original text, with as much of the supporting illustrative material as the set length will allow. However, this should never be reduced simply to the copying out and patching together of key sentences.

*Rédaction:* two types of *rédaction* are offered. The first (*rédaction dirigée*) includes a fairly detailed plan for the student to follow. This enables him to concentrate more on the language than on the content of his essay. From the teacher's point of view, it makes an essay class easier to organise. The second (*rédaction*) comprises various types of exercise ranging from disguised *résumé* to traditional free composition. However, in most cases an attempt has been made to contextualise the piece of writing the student is asked to produce — it is generally seen as a piece written for a specific purpose in specific circumstances for a specified reader. It is not seen by and large as a verbal exercise in the void.

*Version:* the extracts chosen for translation are those which seem to us to best lend themselves to the exercise, but they can obviously be altered at the teacher's discretion.

*Thème:* the passages for prose translation are mainly confected ones designed to practise lexical and grammatical material from the text, particular emphasis being given to grammatical problems discussed in the grammar section of the module.

## The Grammar Sections

It is clearly beyond the scope of the present volume to provide a reference grammar of French. Several such works are currently in print in English and we refer the student particularly to H. Ferrar, *A French Reference Grammar*, Oxford University Press, 1967. Our aim has been to provide a brief *aperçu* of the main points which cause trouble for British learners at the level of first-year university. Our grammatical approach is not radically different from the traditional one most students are familiar with from school. However, our descriptions seek to be less English-based than the work of Ferrar, Mansion *et al*.

The grammar sections may be worked on with the teacher in class. Alternatively students can study them entirely on their own using the key to the exercises and glossary of grammatical terms at the end of the book.

## Use of the material

Our book offers sufficient material to allow the teacher to make the selection of exercises which seems to him the most profitable for 'official work', and still leaves ample material for students to work at on their own.

Given the concept of a materials' bank, and given the diversity of traditions and conditions existing in the different institutions, it would be inappropriate for us to lay down strict rules about how our material should be used. However, three points need to be made. Firstly, there is no constraint upon the user to work through every text or even, with each text studied, to tackle all the exercises in sections B and C. Consequently the teacher should carefully plan the programme of exercises which in his estimation is the most profitable and varied. Secondly, the exercises in sections B and C lose much if not all of their value unless the student has first made a serious study of the French text and grammar section of the module in question. It is important that suitable ways be found for ensuring this. Thirdly, in our opinion the most suitable vehicle for instruction to students at this level is French, but we recognise that grammatical explanations are often best given in English. This practical expedient accounts for the perhaps disconcerting degree of language-switching in our book.

# *I* Portraits de Pays

## *TEXTE UN:* Ils sont fous ces Gaulois

. . . Comme les premiers voisins que nous rencontrons en sortant de notre île (« les nègres
commencent à Calais») se trouvent être les Français, ceux-ci sont pour l'Anglais moyen les
étrangers par excellence. Ajoutons, qu'à la différence des paisibles Néerlandais, ils ont un
tempérament explosif qui est l'opposé du nôtre. D'où il s'ensuit que tout ce qui est inhabituel                4
(«unbritish»), menaçant et étranger est d'abord français. Je vous le disais: ils sont fous ces
Gaulois . . . Voyons d'abord les extrémistes. D'un côté des francophiles farouches, affligés par
ce que l'on appelle ici « la grippe français » : ils veulent à tout prix aller chercher en France ce
qui, pensent-ils, manque chez nous: la gastronomie, la passion des arts et des idées. A l'autre                8
extrême, on trouve des hommes politiques ou des intellectuels qui ont élevé l'insularité en
dogme. Ainsi l'écrivain socialiste Paul Johnson qui explique dans une lettre récente que tous les
malheurs de la Grande-Bretagne à travers les siècles sont dus à ce qu'elle s'est laissé empêtrer
dans ses relations avec le continent et spécialement avec la France . . .                                       12

Entre ces deux extrêmes, la masse des Anglais moyens qui n'ont jamais visité la France
cultivent encore les vieux préjugés et images d'Epinal. Pour eux le Français vit toujours à
l'heure de la place Pigalle, les Français sont toujours des paysans qui mangent des grenouilles et
puent l'ail, de grands coureurs de filles, charmants mais ni tres travailleurs ni sérieux . . .                16

La politique, évidemment, n'arrange pas les choses. Liée dans cette attitude avec la droite
nationaliste, la gauche britannique se sent bien peu solidaire de la gauche française et se méfie
toujours des nouveaux liens européens. L'inflation, le chômage, le déficit commercial, c'est,
pense-t-elle, la faute du Marché Commun, donc des Français. Une grande partie de l'opinion                      20
croit que le Marché Commun n'est qu'une sorte de complot perfide contre le pauvre Albion, et
que les paysans français tirent un profit inexcusable des malheurs de la ménagère anglaise. On
entend dire ici ou là « Quel dommage que de Gaulle ne soit pas là! Le meilleur service qu'il
nous ait jamais rendu c'était le véto qu'il avait opposé à la Grande-Bretagne».                                 24

Sur le plan culturel, l'intelligentsia francophile a subi ces dernières années de rudes épreuves.
Le roman, le théâtre, la peinture française sont en perte de vitesse, Paris perd de son charme et
devient trop matérialiste. Pour beaucoup de touristes anglais, les Parisiens ont une réputation
de brusquerie, d'égoïsme. Et les Anglais savent bien que les CRS qu'on voit au quartier Latin                  28
ne sont pas nos 'bobbies' . . .

Heureusement il reste la province française. Elle est pour une certaine minorité anglaise, où
je me range avec fierté, le coin le plus civilisé d'Europe. Là, les hommes sont toujours aimables,
les prix abordables, le paysage superbe, la cuisine sans pareil. Là, une douceur de vivre persiste              32
en dépit de tout . . .

La vérité des sentiments britanniques pour la France est en somme ambiguë. Au Moyen Age, les dynasties anglaises et françaises mêlaient couramment amours, mariages et guerres. De même, aujourd'hui, citoyens anglais et français, nous sommes condamnés à nous aimer et à nous détester.

36

J. Ardagh. *Le Point*, No. 66, décembre 1973

# A. PREPARATION DU TEXTE

## Notes

John Ardagh est l'auteur de divers textes sur l'histoire, l'économie, la politique et les institutions de la France contemporaine. Son style amusant et ironique et le sérieux du contenu de ses livres font qu'il est apprécié non seulement en Grande-Bretagne mais aussi en France, ce qui explique la parution de ce passage dans une revue française.

*Gaulois (m) (6):* l'auteur brosse un portrait humoristique des Français en insistant sur le fait qu'ils sont issus de l'ancienne race gauloise.

*Le coq gaulois* est le symbole patriotique de la France, et *l'esprit gaulois* (cp. *les gauloiseries*) est l'humeur gaillarde ou franchement vulgaire qui s'oppose au raffinement considéré comme typiquement français.

L'expression *ils sont fous ces Gaulois* est une citation des livres d'*Astérix le Gaulois* où *Astérix et Obélix*, confrontés une fois de plus aux habitudes bizarres des Romains, répètent souvent «Ils sont fous ces Romains!». Voir la garde de tête des livres d'Astérix par Goscinny et Uderzo, et l'illustration, p. 2.

*hommes politiques (m) (9):* l'expression 'politicien' est péjorative.

*images d'Epinal (f) (14):* imagerie populaire remontant au XVII⁰ siècle, où des images en couleurs représentaient des thèmes populaires, religieux et nationaux, anticipant sur nos bandes dessinées et caricatures actuelles.

*la place Pigalle (15):* sans doute envisagée comme centre de la vie nocturne parisienne fréquenté par les touristes.

*le pauvre Albion (21):* Albion (île blanche) fut le nom latin de nos îles avant l'adoption du nom Britannia par les Romains. Le cliché «perfide Albion» était déjà courant au XVII⁰ siècle outre-Manche.

*les CRS (28):* Compagnies Républicaines de Sécurité, autrement dit les forces de l'ordre chargées de faire face à toute violence collective en France.

*le quartier Latin (28):* quartier de Paris entourant la Sorbonne.

*la Province (30):* l'ensemble de la France par opposition à la capitale.

*le Moyen Age (34–35):* l'époque médiévale, d'où l'adjectif moyenâgeux. L'expression anglaise «middle age» se traduit par «l'âge mur», «middle-aged» par «d'un certain âge» ou «entre deux âges».

---

## Vocabulaire

1. Traduisez en anglais les expressions suivantes:
*la grippe française (7)*
*ont élevé l'insularité en dogme (9–10)*
*à l'heure de la Place Pigalle (15)*
*puent l'ail (16)*
*sur le plan culturel (25)*
*a subi de rudes épreuves (25)*
*en perte de vitesse (26)*
*où je me range avec fierté (30–31)*
*prix abordables (32)*

2. Dans les cas qui suivent, le mot anglais a un sens différent de celui du mot français qui lui ressemble. Trouvez le sens de ces mots dans les deux langues:

| Français | Anglais |
|---|---|
| *relations (2)* | relations |
| *visiter (13)* | to visit |
| *préjugés (14)* | prejudices |
| *paysans (15)* | peasants |
| *province (30)* | province |

## *Commentaire grammatical*

### (i)  Uses of personal pronouns

(a)  Subject pronouns:
*Ils sont fous ces Gaulois* (title, 5–6), *citoyens anglais et français, nous (36):* the personal pronoun subjects *ils* and *nous* are here used to emphasise the subjects *Gaulois* and *citoyens* (GS 10, §3, pp. 187–188).

*il s'ensuit (4)*, *il reste (30):* these are impersonal pronoun subjects. Impersonal *il* is most commonly found in verbal expressions involving natural phenomena (*il neige, il gèle, il pleut, il fait beau*) and in some other set expressions (*il faut, il y a, il est temps*). In the examples from the text, impersonal subject pronouns are used to allow emphasis to be placed on *tout ce qui est inhabituel . . . est . . . français (4–5)* and on *la province française (30)*. Use of impersonal *il* can also provide a passive for verbs with an indirect object (GS 3, §4.4, p. 55): *Il **lui** a été donné de passer toutes ses vacances en France. Il est conseillé **aux passagers** de ne pas quitter leur place pendant le vol.*

*on (9, 22, 28):* in these cases English would use 'we', 'you', 'they' or 'people'. In familiar spoken French *on* is often used with the sense of 'we': *On va au cinéma?; On arrive* (cp. p. 201, **Examples of 'français familier'**).

(b)  Object pronouns:
*Je vous **le** disais (5):* the neutral pronoun object *le* (= it) here replaces a whole clause: *ils sont fous ces Gaulois (5–6)*. There are important differences between the ways in which this type of pronoun is used in English and in French. In French it usually replaces an idea which has already been mentioned: *Vous etes fâché, je **le** sais; Nous allons perdre, je **le** sens.* These instances remind us of American English: 'He's a fool, I know it'. In British English we say simply 'I know'.

*à **nous** aimer et à **nous** détester (36–37):* here the object of the infinitive in these pronominal verbs is **nous**. This is an example of the reciprocal sense ((b), below) which some pronominal verbs are capable of expressing: 'to love one another', 'to detest one another'. Other pronominal verbs (which do not have this reciprocal sense) are *se trouver (2), s'ensuivre (4), se laisser (11), se méfier (18), se ranger (31)*. To which of the categories below does each belong? There are **three** different sorts of pronominal verbs:

### (ii)  Pronominal verbs

(a)  Reflexive verbs:
as in (i) *La femme s'est blessée à la jambe*, where the subject is also the direct object; and in (ii) *La femme s'est cassé la jambe*, where the subject is also the indirect object. There is no agreement of the past participle here, since *jambe*, the direct object, follows the verb.

(b)  Reciprocal verbs:
as in (i) *Encouragez-vous les uns les autres* ('each other'), and (ii) *Les chiens se sont montré les dents* ('to each other').

(c)  Others:
There are many verbs where the action is not felt as reflexive or reciprocal. They fall into three groups:
  (i)  Verbs which are always pronominal — some intransitive:
  e.g. *s'enfuir, s'envoler*;
  some transitive:
  e.g. *se moquer de, se souvenir de, se fier à.*
  (ii)  Active verbs which assume a new meaning in the pronominal form,
  cp. *Il a battu son chien: Il s'est battu courageusement.*
  *Elle attendait sa mère: Elle s'attendait à la voir.*
  (iii)  Active verbs which have a passive meaning in the pronominal form,
  e.g. *Le moulin à café se vend partout.*
  *Cette situation s'explique facilement.*

### (iii) Other grammar points

Agreement of participles:

(a) Present participle:
— as a **noun**: *habitants*, the present participle can take feminine and plural forms.
— as an **adjective**: *menaçant (5)*, *charmants (16)*, it agrees in number and gender with the noun it qualifies.
— as a **verb**: *Montant l'escalier, nous atteignîmes le second étage*, it is invariable.

(b) Past participle:
the past participle marks agreement in four cases:
   (i) as a **noun**: *les mutilés de guerre.*
   (ii) as an **adjective**: *affligés (6)*, *liée (17).*
   (iii) agreeing with the subject with passives and other verbs conjugated with *être*: *sont dus (11)*, *condamnés (36).*
   (iv) agreeing with the preceding direct object with verbs conjugated with *avoir: Tous ceux que j'ai rencontrés en France; La meilleure chose qu'il ait faite.* Note that the past participle does not agree with a preceding **indirect** object: *qu'il **nous** ait jamais rendu (24).* In *Elle s'est laissé empêtrer (11)* the pronoun object *se* (f) is the object of *empêtrer* and not of *laisser.*

Subjunctives:
*Quel dommage que de Gaulle ne **soit** pas là (23);*

*Le meilleur service qu'il nous **ait** jamais rendu (23–24):* these subjunctives are signalled, the first by an expression of regret (GS 4, §3.3, p. 70)

and the second by a superlative adjective (GS 4, §3.6, p. 73). Since de Gaulle was famous for his frequent use of the subjunctive (particularly a pedantic use of the imperfect subjunctive) it is fitting that the two subjunctives in the text should occur at this point.

*pensent-ils (8), pense-t-elle (20):* there is inversion of verb and subject when expressions such as these (*dit-il, avoua-t-il, affirma-t-il*) are inserted into direct quotations. English uses similar inversions: ('said he') far less frequently, and only in relatively formal language. For French use of inversion see GS 7, §1.1, p. 134.

*le plus civilisé d'Europe (31):* the most civilised **in** Europe, cp. *le meilleur étudiant **de** la classe, le meilleur **du** monde* (GS 11, §5.5, p. 207 and cp. p: 195, **Commentaire grammatical (i)**)

*amours, mariages et guerres (35):* here the article is omitted in a list of what was mingled (*mêlaient*) in the Middle Ages (GS 5, §3.4.2, p. 94).

*de rudes épreuves (25):* the article is omitted because the adjective *rudes* precedes the noun.

*en perte de vitesse (26), avec fierté (31):* these are adverbial phrases (GS 5, §3.1.5, p. 93) in which the article is omitted.

*à nous aimer et à nous détester (36–37):* the repetition of the preposition *à* before each infinitive is typical of careful French in which the preposition is repeated before each of a series of words it governs (GS 11, §1.2, p. 203).

---

## Compréhension du texte

1. Pouvez-vous justifier l'emploi de *un tempérament explosif (4)* et *farouches (6)* pour décrire les Français?

2. Résumez les opinions des *francophiles (6)*, des *hommes politiques*, etc. *(9)* et des *Anglais moyens (13)* sur les Français.

3. Quelles sont les réactions de la droite et de la gauche en Grande-Bretagne envers les Français *(17–18)*?

4. Vos propres expériences de la France vous permettent-elles de modifier l'attitude partiale envers la France attribuée par le texte à tous les Britanniques?

# B. EXERCICES DE RENFORCEMENT

## A l'oral

1. Exposés:
(a) Identifiez les différences de caractère entre les Britanniques et les Français indiquées de façon humoristique dans la caricature tirée de Punch (p. 8). Le dessinateur a-t-il vu juste?
(b) Donnez quatre ou cinq exemples de caricatures de différentes nations. Soyez chauvin!

2. Esquissez un portrait satirique ou sérieux des Britanniques vus par un Français.

3. A quel point le Marché Commun a-t-il modifié nos opinions sur nos partenaires de l'Europe nouvelle?

## Exercices lexicaux

4. Employez les mots et expressions suivantes dans des phrases qui en montrent le sens: *moyen (2); Français (2), français (5), francophile (6, 25), francophobe; extrémistes (6), extrême (9); farouche (6); empêtrer (1); la gauche, la droite (17–18); se méfie . . . des (18).*

5. Les *Néerlandais (3)* sont les habitants de quel pays?
Trouvez les noms des habitants des pays et des villes suivants:

le Portugal          la Russie          le Danemark

| Edimbourg | Moscou |
| Londres | Genève |

6. Traduisez en français les expressions suivantes:
French window, French leave, French polish, French toast, French fries.

7. Traduisez en anglais les expressions suivantes: un jardin anglais, la semaine anglaise, le caractère anglais, une clef anglaise, un noeud anglais.

## Exercices grammaticaux et structuraux

8. Remplacez par des pronoms personnels les expressions imprimées en italique.
Par exemple: Il faut donner *cet argent au boulanger* — Il faut le lui donner.
(a) Nous attribuons *au Français un tempérament explosif.*
(b) Je pense souvent *à mon collègue français.*
(c) Il est allé *en France* sans penser aux conséquences *de son action.*
(d) Lui, francophone? Il n'est certainement pas *francophone.*
(e) Je parlerai *à mes amis de vos difficultés.*
(f) Dès que nous arriverons *à Boulogne* nous penserons à faire *ce que vous nous avez demandé.*
(g) J'enverrai *le paquet au Canada.*
(h) Faites venir *votre ami*, et parlez *à cet ami.*

9. Faites accorder le participe imprimé en italique là où il le faut:

Le vieux quartier de la Balance à Avignon est *limité* d'un côté par la rue Saint-Etienne, et de l'autre par la rue Ferruce. Des constructions modestes y voisinent avec quelques beaux hôtels. *Négligé* depuis longtemps, personne ne *voulant* ou ne *pouvant* faire les frais du moindre entretien, *envahi* aujourd'hui par une population en grande partie misérable, la plupart de ces maisons sont *devenu* de véritables taudis. On ne s'étonnera pas que des municipalités, soucieuses d'offrir à une population *croissant* des logements modernes, aient *projeté* de raser le quartier de la Balance et d'y bâtir un ensemble résidentiel. Plusieurs projets avaient *été présenté* à la ville. Finalement, l'accord s'*étant fait* sur l'un d'eux, les autorisations nécessaires *ayant été obtenu*, ainsi que les concours financiers *voulu*, on s'apprêtait à porter le premier coup de pioche lorsque des voix se sont *écrié:* « Arrêtez!».

# C. EXPLOITATION DU TEXTE

## *A l'oral*

1. Exposé: Décrivez les influences qui semblent créer des malentendus entre Français et Anglais et les facteurs qui pourraient contribuer à une entente plus cordiale.

2. Sujet de discussion: Les différences que l'on observe entre les tempéraments français et britanniques.

---

## *A l'écrit*

3. Rédaction dirigée: Les parents de votre correspondant(e) français(e) ont les idées suivantes sur les Britanniques:

Tous les hommes portent un complet et un chapeau melon.
Les femmes britanniques ne s'intéressent pas à la mode.
En Grande-Bretagne on ne mange que du bœuf bouilli et des pommes de terre.

Tous les Britanniques sont des fanatiques du football.
Tous les Britanniques sont fous des chiens.

Ecrivez-leur pour défendre les Britanniques contre ces idées fixes (300 mots).

4. Version: Traduisez en anglais les lignes *17–29*.

5. Thème: Traduisez en français:

Fifty years ago, we and the French used to be able to communicate . . . not always politely, but directly and personally. There was a kind of dialogue between us. But now we hardly ever meet the French face to face. When they do occur, our meetings tend to be fumbling, self-conscious formalities.

Something slightly sinister has come between us and I have not seen any convincing attempts to analyse it. In some fields we seem almost to have walled ourselves in and to have set up an exclusive, English-speaking community. Statistics are lacking, but the evidence is obtainable from direct observation.

No Englishman now speaks French. No Englishman understands French as it is spoken. Radio, television and our popular newspapers are as frightened of French words as of broken bottles on the bathing beach.

Oliver Stewart, *Daily Telegraph*, 18 May 1974

6. Thème: Traduisez en français:

Shortcomings in the British character are responsible for our poor relations with the people of France . . . The visitor to France is no longer a slightly worried, wide-eyed wanderer, clutching his phrase-book, trying to find his way about and to get some sense out of the native. He is a unit in a processed and pre-packaged group, graded, sieved and containerised. The group is pressed in and bolted down and then whirled about over the continent, dumped momentarily here and there at container terminals where tea can be obtained, and finally whisked back to England. 'Having a lovely holiday in France. Wish you were here'.

Good holidays are to be had in herds. And there are immense savings in trouble and money. Besides that, big agencies can always make the bookings better and more cheaply than individuals . . . So group travel is bound to increase. And that means that personal contacts are bound to decrease . . .

12      To improve our relations with the French . . . will demand a powerful effort. And, as I see it, that effort will have to come chiefly from this country.

Oliver Stewart, *Daily Telegraph*, 18 May 1974

Reproduit avec la permission de *Punch*

# TEXTE DEUX: Les agréments de l'Ecosse

L'Ecosse cultive un humour extra-dry, volontiers noir, et laconique, concentrant parfois tout son effet sur un seul mot, le mot final. En voici un exemple qui, d'être tiré du plus humble folklore, n'en est que plus représentatif. Un brave homme d'Aberdeen, exceptionnellement bavard, veut s'offrir, et offrir à sa femme, un baptême de l'air, mais le tarif demandé lui paraît excessif. Le pilote lui accorde de payer moitié prix à condition de ne pas prononcer un mot pendant le vol. Le brave homme tient sa promesse, rien ne lui arrache la moindre exclamation, ni les virages sur l'aile, ni le looping prévu au programme. A peine arrêté, le pilote le félicite de son mutisme héroïque. «Oui, répond-il, mais là où j'ai eu le plus de mal à me retenir, c'est quand la vieille a été éjectée.»

Il est difficile de caractériser l'Ecossais parce qu'il existe deux types nationaux très différenciés, et que les fauteurs de pittoresque ont popularisé des versions également caricaturales de ces deux types, deux images outrées de Jock, ou l'Ecossais de comédie: un homme dur, avare, matérialiste, puritain, froid et inexpressif, le Lowlander; et un homme en kilt, un peu fou, fièrement drapé de son tartan romantique et hanté par une musique de rêve venue du royaume des fées, le Highlander. Les deux images contiennent une part de vérité, mais plus ou moins déformée. La légende de l'Ecossais grippe-sou a été popularisée en grande partie par un comédien écossais génial Harry Lauder. Elle n'est pas complètement injustifiée car un pays pauvre, de longues luttes contre des voisins dangereux (Anglais et Highlanders) et l'empreinte du calvinisme presbytérien se sont combinés pour durcir le Lowlander et lui imposer des vertus d'économie. Et l'Ecosse a tiré de ces circonstances défavorables de très positifs avantages. Habitués à un régime frugal de poissons, laitages, avoine et pommes de terre, et à une vie rude, les fils de ce pays se sont accommodés de tous les climats et conditions de vie possibles. Ils ont fourni à l'Angleterre, à ses colonies et au monde entier des hommes d'action énergiques et particulièrement entreprenants: mercenaires, puis colons ou chefs d'industrie, explorateurs comme Livingstone. Et nombre d'entre eux étaient de naissance modeste. Bien avant que l'instruction fût obligatoire, il arrivait souvent que des petits paysans instruits par le maître d'école de leur village obtinssent une bourse pour une des universités écossaises, où ils arrivaient avec un baril de harengs et un sac de farine — leur nourriture pour un trimestre. On ne peut guère qualifier de matérialiste pareille soif de culture chez les êtres les plus humbles.

Jean Bailhache, *La Grande-Bretagne*, Seuil, 1960

# A. PREPARATION DU TEXTE

## Notes

*Un brave homme d'Aberdeen (3):* les habitants d'Aberdeen jouissent, parmi les Ecossais, de la réputation accordée par le reste du monde à tous les Ecossais — ils sont réputés très grippe-sou: réputation qu'ils entretiennent eux-mêmes. Parmi les Français, les Auvergnats et les Normands sont censés être les plus avares.

*un baptême de l'air (4):* le premier vol de sa vie.

*les fauteurs (m) de pittoresque (11):* ceux qui favorisent le pittoresque au point de fausser l'image de l'Ecosse qu'ils présentent.

*un baril de harengs et un sac de farine (28–29):* les étudiants pauvres arrivaient à la rentrée avec un baril de harengs conservés dans du sel et un sac d'avoine (et non pas de *farine*), leur seule nourriture pour tout le trimestre.

## Vocabulaire

1. Traduisez en anglais les expressions suivantes dans leur contexte:
*veut s'offrir (4), prévu au programme (7), deux images outrées (12), génial (17), l'empreinte du calvinisme (19), un régime frugal (21), laitages (21), de naissance modeste (26).*

2. En vous servant d'un dictionnaire, expliquez en français la différence entre les paires de mots ci-dessous:

| | |
|---|---|
| *un brave homme (3)* | *différencier (11)* |
| *un homme brave* | *différer* |
| *accommoder (22)* | *le colon (25)* |
| *raccommoder* | *la colonne* |

## Commentaire grammatical

### (i) Uses of personal pronouns

*Il est difficile de caractériser l'Ecossais (10):* this is a case where a choice must be made between *C'est* and *Il est*, i.e. where the meaning is 'it is', and there is a following adjective. In such cases:

(a) Use *Il est* if the adjective is followed by an infinitive with an object: *Il est difficile de caractériser l'Ecossais* or if the adjective is followed by *que* and a clause: *Il est vrai que le Lowlander est grippe-sou* or if the adjective is followed by the infinitive of an intransitive verb: *Il est difficile de rester.*

(b) Use *C'est* if the adjective is the last word in a clause or sentence: *C'est vrai* or if the adjective is followed by a transitive infinitive without an object: *C'est difficile à prononcer.* See also GS 1, §2.3, pp. 15–16; GS 9, §3.4.1, p. 168; and p. 158.

*nombre d'entre eux (25–26):* in expressions of number or quantity, personal pronouns (e.g. *eux*) are not usually preceded by *de* but by **d'entre**. Thus *nombre d'Ecossais* becomes *nombre d'entre eux.*

### (ii) Other grammar points

*qui, d'être tiré du plus humble folklore, n'en est que plus représentatif (2–3):* 'which, for all that it is taken from the humblest folklore, is by this very fact all the more typical'. Note this construction where *de*+infinitive has the force of a concessive ('although').

*mercenaires, colons, chefs d'industrie, explorateurs (24–25):* this is an example of the omission of the article in a list of nouns (here all plural). See GS 5, §3.4.2, p. 94.

*obtinssent une bourse (28):* the subjunctive is used here in response to the verb signal *il arrivait que*, which expresses an element of unpredictability. The normal subjunctive sequence of tenses is followed. See GS 4, §4, pp. 73–74.

## Compréhension du texte

1. Pouvez-vous justifier l'emploi des adjectifs *noir* et *laconique (1)* pour décrire l'humour des Ecossais dans ce texte?

2. Quelle importance le brave homme d'Aberdeen accorde-t-il à sa femme?

3. Ce texte fait ressortir certains aspects caricaturaux de l'Ecossais. Lesquels?

4. Comment l'auteur explique-t-il l'avarice des Ecossais?

5. Qu'est-ce que l'auteur cherche à nous démontrer par ce qu'il dit sur l'éducation en Ecosse?

# B. EXERCICES DE RENFORCEMENT

## A l'oral

1. Préparez des réponses orales aux questions suivantes:

(a) Quelles sont les conditions imposées par le pilote?

(b) Pourquoi l'homme d'Aberdeen accepte-t-il ces conditions?

(c) Selon l'auteur, qu'est-ce qui distingue le Lowlander du Highlander?

(d) Quels sont les *avantages (21)* de *ces circonstances défavorables (20–21)*?

## Exercices lexicaux

2. Complétez le tableau suivant:

| substantif | adjectif |
|---|---|
| caricature | caricatural (12) |
| exception | |
| | excessif (5) |
| calvinisme (19) | |
| énergie | |
| | obligatoire (26) |

3. Trouvez à l'aide d'un dictionnaire un mot qui exprimerait le contraire du sens des mots suivants dans leur contexte:
*final (2), bavard (4), avare (13), puritain (13), vérité (16), durcir (19), frugal (21), modeste (26), obligatoire (26), humbles (30).*

## Exercices grammaticaux et structuraux

4. (a) Identifiez le substantif que remplacent les pronoms:
*en (2), lui (5, 5, 6), eux (26).*
(b) Copiez les phrases où se trouvent ces pronoms personnels en les remplaçant par le substantif qui convient. Ajoutez une préposition là où c'est nécessaire.

5. Complétez les phrases suivantes:

(a) Voici un Ecossais qui, d'être . . ., n'en est que plus . . . *(2–3)*.
(b) Rien n'arrache la moindre plainte aux Français, ni . . ., ni . . . *(6–7)*.
(c) Là où j'ai eu le plus de mal à vous comprendre, c'est quand . . . *(8–9)*.
(d) Bien avant l'entrée de la Grande-Bretagne dans le Marché Commun, il arrivait souvent que . . . *(26–27)*.
(e) On ne peut guère qualifier d'agréable pareil(le) . . . chez . . . *(29–30)*.

6. Employez *C'est* ou *Il est* selon le contexte pour remplir les blancs:

(a) . . . interdit de cracher par terre.
(b) Voler est immoral, . . . évident.
(c) Immoral, oui, mais . . . difficile à éviter.
(d) A mon avis, . . . impossible de vivre tranquillement à Paris.
(e) . . . sept heures et demie, et . . . certain que Jean-Pierre ne viendra pas.
(f) . . . avant le mariage qu'il faut penser à la pilule.
(g) Tu connais Durand? . . . un chirurgien de réputation mondiale.
(h) Tiens, voilà Jacques! . . . un ami. . . . professeur à Dijon.

# C. EXPLOITATION DU TEXTE

## A l'oral

1. Saynète: Imaginez la discussion qui a eu lieu entre le pilote, l'homme et sa femme avant le vol. Présentez cette discussion sous forme d'une scène que vous jouerez devant la classe.

2.

(a) Quelles sont les différences de caractère entre les Anglais, les Ecossais, les Gallois et les Irlandais?
(b) Essayez de trouver une seule phrase pour décrire: les Allemands; les Suédois; les Américains; les Russes.

3. Récit oral: Vous êtes la femme du brave homme d'Aberdeen. Décrivez à une amie ce qui vous est arrivé après votre éjection de l'avion.

4. Sujets de discussion:

(a) Tout pays est source d'humour pour ses voisins.
(b) La pauvreté engendre l'initiative.

## A l'écrit

5. Résumé: Faites un résumé en 100 mots des caractéristiques les plus saillantes du Lowlander telles qu'elles sont présentées dans ce texte.

6. Rédaction dirigée: Ecrivez une description du Français tel que l'homme de la rue l'imagine chez vous (250 mots). Modèle à suivre:

– Deux caricatures: le petit homme en béret qui mange des escargots et fume des Gauloises; et le séducteur élégant.

– Examinez chaque caricature: popularisée par qui? Pourquoi? Correspond-elle à la réalité?

– Où se situe la vérité? Pourquoi existe-t-il dans chaque pays des idées stéréotypées sur les étrangers?

7. Rédaction: L'Ecosse et l'Angleterre: deux nations ou deux régions de la Grande-Bretagne?

8. Version: Traduisez en anglais les lignes *1–9*.

9. Thème: Traduisez en français en vous servant le plus possible d'expressions tirées du texte:

Wherever you go you will be told that the Scots are tight-fisted: anecdotes such as 'In Scotland a taxi crashes into a tree: thirty-nine dead' circulate in all languages. Now there may be a grain of truth in this caricature, but in my view we are dealing principally with a myth. Speaking as someone from Auvergne, I can say that some of the most generous people I     4 know are Scots. For example, let us take my friends in Tomintoul, who are small farmers and pretty poor, but who are used to putting up with others' selfishness. Every July they welcome acquaintances from all over the world, but it often happens that people (particularly the French) take unfair advantage of[1] this hospitality, making no effort to leave before Morag     8 has gently reminded them that they go on holiday themselves on the third of August. Most of them take the hint[2] and since they do feel some remorse, their expressions of gratitude are all the more fervent. Thus, while I do not deny that some Scots are too economical, it is probable that all the jokes about Scotsmen were made up by foreigners who have never     12 treated themselves to a trip to Scotland.

Notes: [1] *abuser de*     [2] *ne se font pas prier.*

# GRAMMAR SECTION 1: *Personal Pronouns*

**§1. Introduction**
**§2. Personal Pronoun Subjects**
**§3. Personal Pronoun Objects**
**§4. *Le, Y, En***

## §1. Introduction

The personal pronouns (*je, me, moi; tu, te, toi,* etc.) are so called because they help indicate the 'person' of the verb. See the table below. In addition, *il* is used in 'impersonal' verb constructions like *il y a, il pleut, il faut.*

The personal pronouns have subject and object forms, stressed and unstressed forms.

## §2. Personal Pronoun Subjects

|          |            | Unstressed | Stressed |
|----------|------------|------------|----------|
| Singular | 1st person | *je*       | *moi*    |
|          | 2nd person | *tu*       | *toi*    |
|          | 3rd person | *il*       | *lui*    |
|          |            | *elle*     | *elle*   |
|          |            | *on*       | *soi*    |
| Plural   | 1st person | *nous*     | *nous*   |
|          | 2nd person | *vous*     | *vous*   |
|          | 3rd person | *ils*      | *eux*    |
|          |            | *elles*    | *elles*  |

## 2.1 Unstressed subject pronouns

Three points to note:

– These pronouns cannot be separated from their verb, except by *ne* and the unstressed object pronouns (see §3.2),
e.g. *Je ne le vois pas.*

– They can refer not only to humans but also to animals, non-living things, etc.,
e.g. *Elle (la porte) est fermée.*

– *On* is frequently used in French where English uses 'one', 'you' or 'we'. In informal French *on* is preferred to *nous*. See p. 201.
The object form of *on* is usually *nous* or *vous*, depending upon who is included in it,
e.g. *On monte dans le car et le receveur **vous** donne **votre** ticket.*
*On sort de l'immeuble et le gardien **nous** regarde de près.*

## 2.2 Stressed subject pronouns

Two points to note:

– Unlike the unstressed pronouns, these may be separated from their verb and so are sometimes called 'disjunctive (or detachable) pronouns'.

– They normally refer only to human beings.

There are six situations in which the stressed form of the personal pronoun subject is used:
1. for emphasis (cp. GS 7 and 10): *Toi, je veux que tu t'en ailles. J'y vais moi-même.*
2. after *C'est/C'était: C'est toi qui as tort. Qui est là? C'est moi.*
3. before the relative pronoun *qui: Eux, qui viennent d'arriver, ils ne savent rien.*
4. where the verb is omitted: *Moi, intelligent? Tu plaisantes!*
5. with *ni . . . ni . . .: Ni lui ni moi ne nous y attendions.*

6. where there is a multiple subject (of which any or all may be personal pronouns): *Mon frère et moi viendrons ce soir.*

EXERCISE A: Complete the following sentences with a personal pronoun in the stressed form:

(a) Et _____! Qu'est-ce qu'il pourrait faire?
(b) Elles ne sont certes pas belles, ni _____ ni sa sœur.
(c) Je lui ai dit: 'C'est _____ qui devrais faire le discours'.
(d) _____, qui venez d'arriver, qu'est-ce que cela peut vous faire?
(e) 'Ma sœur est très élégante, tu sais.' '_____, élégante! Quelle idée!'
(f) Nous sommes allés au cinéma, mon père et _____.

## 2.3 C'est/Il est

Apart from those cases where the construction *C'est . . . que . . .* is used to highlight or emphasise an idea (see GS 10, §4.2, p. 189), *C'est* and *Il est* have to be distinguished in the following three contexts.

**2.3.1** In sentences where 'it is' is followed by an adjective, or adverbial phrase,
– *il est* (or *elle est* as the gender demands) is used if it stands for a specific noun,
e.g. *(Son projet)   Il est impossible.*
*(Mon chien)   Il est méchant.*
*(Son mari)   Il est en Auvergne.*

– *c'est* is used if 'it' is indefinite, i.e. does not stand for a specific noun but sums up a previous idea under the general heading 'this thing',
e.g. *(Ce qu'il veut faire)   C'est impossible.*
*(Il viendra)   C'est probable.*

**2.3.2** In sentences where 'it is' is followed by an adjective + an infinitive or clause,
– *c'est* is used to refer **back** to an idea already expressed,
e.g. *(La cuisine . . .)   C'est difficile à faire.*
*(Leur maison . . .)   C'est impossible à trouver.*

In these examples *ce* does not replace a specific noun but sums up the previous idea under a vague heading 'this thing'.

– *il est* is used to refer **forward** to an idea expressed later in the sentence,
e.g. *Il est difficile de* **faire la cuisine.**
  *Il est impossible de* **rester.**
  *Il est probable* **qu'il viendra.**
Notice how the change from *C'est* to *Il est* alters the preposition governing the infinitive from *à* to *de*.

This table gives you a guide to usage in careful French:

| (a) previously mentioned | |
|---|---|
| *La cuisine . . .* | **C'est** *difficile* **à** *faire.* (It's difficult to do.) |
| *Il viendra.* | **C'est** *probable.* (It's likely.) |

| | (b) mentioned later |
|---|---|
| **Il est** *difficile* **de** (It's difficult | *faire la cuisine.* to do the cooking.) |
| **Il est** *probable qu'* (It's likely that | *il viendra.* he'll come.) |

In informal French *C'est* tends to be used in both these situations:
*C'est difficile de préparer les cuisses de grenouille.*
*C'est probable que je l'épouserai.*

N.B. with verbs other than *être* the indefinite 'it' is expressed not by *ce* but by *cela*, in both formal and informal French,
e.g. **Cela me gêne de la voir pleurer.**

**2.3.3**  In sentences where 'He is' or 'It is' is followed by a noun, often indicating a profession or job:

– *il est* is used if the noun denotes a general class and is **not** qualified by a determiner (see GS 5, §3.2, p. 93),
e.g. *Il est professeur.*
  *Elle est médecin.*

– *c'est* is used if the noun denotes a specific individual or individuals, and is qualified by a determiner and/or adjective,
e.g. *C'est un (bon) professeur.*
  *C'est notre médecin.*
In these cases if the noun is plural, careful French uses *ce sont* rather than *c'est*,
e.g. *Ce sont nos enfants.*

EXERCISE B: This exercise gives practice in choosing between *C'est* and *Il est*. As you do it, explain to yourself why you are making the choice and refer back to the examples.

Complete the following sentences with *C'est/Ce sont* or *Il est/Ils sont*:
(a) _____ mon père.
(b) _____ ingénieur agronome. Ne l'appelle surtout pas un fermier!
(c) _____ l'étudiant le plus bête de la classe.
(d) Mon fiancé? _____ aux Etats-Unis.
(e) J'ai défendu à ma fille d'aller au cinéma. _____ bête! Elle y va quand même.
(f) _____ incroyable! Les Ecossais ont gagné au Parc des Princes!
(g) _____ impossible d'apprendre à parler anglais en Ecosse.
(h) 'Nous pourrons bientôt traverser la Manche par le tunnel.' '_____ possible, mais _____ impossible d'en être certain.'

# §3.  Personal Pronoun Objects

Make sure that you are able to distinguish direct from indirect objects, both in English and in French. Test your ability to make the distinction in the following exercise.

EXERCISE C: For each of the italicised words in the following sentences say whether it is (in English)

  (i) direct object of a verb
  (ii) object of the preposition 'to' (indirect object)
  (iii) object of another preposition

(a) Why did she give *him* the prize? He doesn't deserve *it*.

(b) Where did you get *it*? She gave *it* to *me*.

(c) If you look at *it* carefully you'll understand *it* better.

(d) They wouldn't show *us* the house but they showed *it* to Tom.

(e) We have been looking for *them*. Tell *them* that.

Now translate the sentences into French. Which of the objects belong to a different group in French from the group in which you put them in English?

---

## 3.1  Unstressed object pronouns

The following table sets out the order of object pronouns before the verb.

| 1 | 2 | 3 | 4 | 5 |
|---|---|---|---|---|
| *me* *te* *se* *nous* *vous* | *le* *la* *les* | *lui* *leur* | *y* | *en* |

Two points to note:

– These pronouns immediately precede the verb in all cases except in affirmative imperative sentences,
e.g. *Faites-**le**.*

– Where a direct object pronoun precedes a verb in a compound tense, the past participle agrees with it,
e.g. *Je **les** ai vus.*

---

**3.2**  Object pronouns normally occur **before** the verb,
e.g. *Je **le** donne. Je ne **le** donne pas. L'attendez-vous? L'ayant vu moi-même, je suis d'accord avec vous.*

Difficulties are encountered only when there are two verbs in the sentence, as with the compound tenses and with verb and infinitive constructions.

In compound tenses object pronouns precede the auxiliary verb,
e.g. *Je **la lui** ai donnée.*
*Il ne **me** l'a pas donné.*

In verb and infinitive constructions object pronouns precede the infinitive of which they are the object,
e.g. *Je vais **le** voir.   Il a voulu **me** parler. Nous préférons **y** aller.   Tu ne dois pas **lui en** parler.*
N.B. *Je viens **de le** voir.   Elle m'a invité **à le** goûter.*

However, in constructions involving *faire/ laisser/entendre/sentir/voir*+infinitive, object pronouns precede these verbs and *not* the dependent infinitive,
e.g. *Je **la** fais construire.*
*Il **me** laisse parler.*
*Tu **nous** entends venir.*
*Nous voulons **la** faire taire.*
See also GS 9, §§3.1.4 and 5, pp. 166–167.

**3.3**    Personal pronouns occur **after** the verb of which they are the object (joined to it and to one another by hyphens) only in **affirmative imperative** sentences,

e.g. *Faites-**le** venir!    Parlez-**lui**!    Ecoutez-**nous** chanter!    Laissez-**les** faire!*
Cp. *Ne **le** faites pas venir!    Ne **lui** parlez pas!* etc.

Two points to note:

– *me* and *te* change to *moi* and *toi* (except before *y* and *en*),
e.g. *Emmenez-**moi**!    Tais-**toi**!*
Cp. *Donnez **m'en**!*

– when there are two object pronouns, the direct precedes the indirect,
e.g. *Donne-**le-moi**!*

Cp. the negative imperative
*Ne **me le** donne pas!*

EXERCISE D: Replace the italicised words by pronouns. Pay particular attention to order where more than one object is used and to those cases where the pronoun object follows the verb:

(a) Tu devrais donner *le couteau à ta mère.*
(b) Elle a fait construire *la maison* mais elle ne permet pas *à son père* de voir *sa maison.*
(c) Puisque Pierre a offert *ce cadeau à son amie,* elle devrait parler *à Pierre du cadeau.*
(d) Est-ce que M. et Mme Taupet préfèrent envoyer *le billet à Paris?*
(e) Je pourrais envoyer *le billet à M. et Mme Taupet.*
(f) Donnez *le vin à votre père* et ne parlez plus *du vin.*

## 3.4    *Stressed object pronouns*

The forms of the stressed object pronouns are the same as for the stressed subject pronouns (see §§2 and 2.2). The main situations where the stressed form of the personal pronoun object is used are:

1. where there are two pronoun objects (both human) from the same column (see §3.1 above): *Il s'adressa à **nous**.    Vous devriez vous fier à **moi**.*
2. where there are two pronoun objects (both human) one from Column 1 and one from Column 3 (see §3.1 above): *Tu me présenteras à **lui**.    Nous nous sommes rendus à **eux**.*
3. for indirect (human) pronoun objects after verbs of motion such as *aller* and *venir*: *Il vient à **moi**.    Allez à **eux**.*
4. to clarify a plural pronoun object: *Je vous donne ces bonbons, à **toi** et à ton frère.*
5. after prepositions: *Elle est venue avec **moi**. Entre **nous**, je ne le crois pas.*
6. after *ne . . . que . . .*: *Il n'a vu qu'**eux**.*
7. after *comme* and *que* in comparative statements: *Comme **moi**, il passe ses vacances à*

*Paris.    Elle est plus intelligente que **lui**.*
8. for emphasis: ***Toi**, je veux te voir.*

***Soi*** is the stressed form of the third person object pronoun *se*. It is normally used to denote only indefinite entities and generalities. As such it can refer both to humans and to non-humans.

**(i)    Human:** *soi* is normally used in conjunction with the indefinite pronouns *on, chacun, aucun, nul, tout* etc. and in impersonal statements,
e.g. *On est toujours mieux chez **soi**.*
*Chacun ne songe qu'à **soi**.*
*Nul n'est prophète chez **soi**.*
*N'aimer que **soi**, c'est malheureux.*

**(ii)    Non-human:** *soi* exists only in the singular,
e.g. *Un bienfait porte en **soi** sa récompense.*

In the plural it is replaced by *eux* or *elles*,
e.g. *Les bienfaits portent en **eux** leur récompense.*

# §4. Special Uses of *Le, Y* and *En*

## 4.1 *le*

The Personal Pronoun *le* is used in formal French to recall a noun, adjective or whole clause in circumstances where in English the verb stands alone,

e.g. *Lui, le directeur! Il ne l'est certes pas.*
*Il n'est pas riche. Je le sais.*

Conversely, *le* is sometimes not present in French where 'it' is present in English,

e.g. *Je trouve difficile de travailler.*
I find **it** difficult to work.
*Je juge nécessaire de partir.*
I deem **it** necessary to leave.

---

## 4.2 *y, en*

*Y* stands for a French prepositional phrase introduced by *à, dans, en, sur*, etc. It is never used for humans,

e.g. *Nous sommes allés à Paris et nous y sommes restés (à Paris).*
*Je les ai mis dans cette boîte. Ils y sont toujours (dans cette boîte).*

*En* stands for a French prepositional phrase introduced by *de*. It may refer to humans,

e.g. *Cette affaire est délicate; le succès en est douteux (de cette affaire).*
*Cette pomme n'a pas de goût; donnez-m'en une autre (de ces pommes).*
*J'ai vu Jean-Paul; nous en avons parlé récemment (de Jean-Paul).*

Since *y* and *en* are indirect objects they do **not** affect past participle agreement,

e.g. *Parce que j'aime beaucoup ces pommes, elle m'en a donné une douzaine.*

Je leur demande : « Pourquoi faut-il que je mange ce que je n'aime pas ? »

Ils me disent : « C'est pour ton bien. »

Et je leur demande : « Pourquoi faut-il que j'aille en classe si je n'aime pas ça »

Et ils me répondent : « C'est pour ton bien! »

Quand je leur demande : « Pourquoi faut-il que j'aille à des réunions que je n'aime pas ? »

Ils me disent : « C'est pour ton bien. »

Et quand je leur demande : « Pourquoi est-ce que vous fumez, que vous buvez et que vous regardez tout le temps la télé ? »

Ils me répondent : « Parce que nous avons eu une enfance malheureuse. »

# *II* La Jeunesse

## *TEXTE UN:* Des étrangers dans la maison

Jamais sans doute la communication entre générations ne fut si difficile. On ne lance plus de pavés: c'était tout de même un langage. La porte de la contestation, la porte du discours sont maintenant fermées. La route du voyage tourne court: aujourd'hui on fuit en restant là,

4   apathique et morne, dans une fausse et lointaine indolence, une passivité qui devient vite — si l'on s'approche trop près — agressive. Alors les adultes, même de bonne volonté, ne savent plus «par quel bout les prendre». Ceux-là même qui avaient le «contact» l'ont perdu. Depuis deux ans, trop de démagogues ont travaillé «dans la jeunesse» pour l'exploiter ou la

8   récupérer: leurs passages éléphantesques ont fini par briser les ponts. Pour savoir qui ils sont, ce qu'ils veulent, il faut beaucoup de patience, de prudence, d'attention, de modestie. Question de disponibilité, question de cœur et d'oreille. De chance, aussi.

Quelquefois, quelqu'un y réussit. C'est le cas par exemple de Marie Cardinal, une grande

12  femme puissante et généreuse qui avait trois enfants à rendre heureux, donc à comprendre, et une éducation coloniale bourgeoise à se pardonner à elle-même. Grande entreprise, qui démarre mine de rien: les enfants sont petits, leur mère travaille, ils ramènent des copains en rentrant du lycée. Pour simplifier les choses, elle laisse finalement la clef sur la porte, comme

16  on faisait chez elle, à Alger. «Il fallait être une Méditerranéenne folingue comme moi pour ne pas voir où ça allait me mener.» D'abord ce sont les cartables empilés dans l'entrée. Puis les enfants qui viennent de tout le quartier. Ils grandissent.

L'appartement devient grotte, refuge. Ils sont quinze, vingt, trente, ils arrivent de

20  partout. Ils jettent des coussins par terre, accrochent des tentures aux murs, empilent des disques, vident le réfrigérateur, amènent leur sac de couchage, passent la nuit dans un coin comme des chats roulés en boule. Ils s'affalent sur les canapés, ils entrent, sortent. (Quand résonne, incongrue, la sonnette, tout le monde s'inquiète: «Qui peut bien sonner?»). La clef

24  est toujours sur la porte. Ils discutent, écoutent leurs disques, discutent, écoutent leurs disques, discutent . . . Marie s'épuise, perd peu à peu son argenterie et ses préjugés, voit s'écrouler ses chaises et fléchir toutes ses certitudes. Elle ne veut pas être la mère qui recueille, la dame des chats perdus. (Pourtant, combien d'entre eux sont des enfants

28  perdus.) Parce que ce monde clos des adolescents la fascine et l'étouffe, parce qu'elle pense qu'il faut expliquer au monde — ou peut-être à elle-même —, elle noircit des cahiers, raconte, écrit un livre: «La Clé sur la porte». Un livre? Non, un récit sans morale, ni exemplaire ni prêcheur. Les adultes anxieux ne trouveront pas de réponse toute faite à leurs

32  questions de parents déroutés. Et c'est bien mieux ainsi.

Josette Alia, Le Nouvel Observateur, 4 décembre 1972

# A. PREPARATION DU TEXTE

## Notes

*On ne lance plus de pavés (1–2): On,* c'est-à-dire les jeunes; lors des événements de mai 1968 à Paris, les manifestants, suivant la tradition des révolutionnaires français, lançaient des pavés sur les policiers.

*la récupérer (7–8):* c'est-à-dire, la faire rentrer dans les normes, la socialiser.

*éducation coloniale (13):* cp. 16. Rentrés en France après l'accession à l'indépendance de l'Algérie, les colons ont mis longtemps à s'adapter à la vie française.

*mine de rien (14):* (style familier) 'as if it was nothing special'.

*'Il fallait être . . . pour . . .' (16):* 'You had to be . . . to . . .' ou 'Only a . . . would . . .'

*folingue (16):* (style familier) 'crazy' = *fol + dingue (?).*

*noircit des cahiers (29):* écrit beaucoup — et rapidement, à la hâte.

---

## Vocabulaire

1. Trouvez le sens des mots suivants:
*morne (4), puissante (12), tentures (20), recueille (27), étouffe (28).*

2. Traduisez en anglais, selon le contexte, les expressions suivantes:
*La porte de la contestation (2)*
*passages éléphantesques (8)*
*briser les ponts (8)*
*Question de disponibilité (10)*
*Ils sont quinze (19)*
*Qui peut bien sonner? (23)*
*perd peu à peu son argenterie et ses préjugés (25)*
*la dame des chats perdus (27)*
*ni exemplaire ni prêcheur (30–31)*

3. Trouvez des quasi-synonymes pour remplacer dans le contexte les termes suivants:
*indolence (4), démarre (14), canapés (22), déroutés (32).*

4. Quelle différence de sens y a-t-il entre: *s'affaler (22), s'écrouler (26), fléchir (26)?*

5. A qui ou à quoi se réfèrent les pronoms en caractères gras dans les phrases suivantes?
*aujourd'hui* **on** *fuit en restant là (3)*
*si l'***on** *s'approche trop près (5)*
*Pour savoir qui* **ils** *sont, ce qu'***ils** *veulent (8–9)*
*quelqu'un* **y** *réussit (11)*

## Commentaire grammatical

### (i) Uses of tenses

*Jamais . . . la communication entre générations ne fut si difficile (1):* 'never was communication between generations so difficult.' In modern French journalistic writing like this the present tense is the main tense used, even for events which occurred in the past (see GS 2, §2, p. 31). Consequently, when a journalist uses the past historic, as here, it has a special effect, placing the action or event firmly in the past and contrasting it sharply with the situation now.

*avaient . . . ont perdu (6):* the imperfect refers back to a state of affairs in the past, while the perfect describes an event completed by the time of writing. See GS 2, §3.3, p. 34.

*Depuis deux ans, trop de démagogues ont travaillé 'dans la jeunesse' (7):* 'too many demagogues have worked (and have subsequently stopped working) 'in youth'.' Cp. *Depuis deux ans, trop de démagogues travaillent* which would imply that they have been working and still are. See GS 2, §§4.1 and 4.2, p. 35.

### (ii) Other grammar points

*tourne court (3):* 'comes to a dead end'. Cp. *chanter faux* 'sing out of tune', *parler bas* 'speak in a low voice', *sentir bon* 'smell good', *voir clair* 'see clearly', *aller tout droit* 'to go straight on'. With the exception of *tout* (see below), adjectives used as adverbs do not agree in gender or number.

*Marie Cardinal, une grande femme . . . (11–12):* *femme* is in apposition to *Marie Cardinal,* but as it is particularised by the adjectives and the *qui* clause, an article is required. See GS 5, §3.3, p. 93.

*une éducation . . . à se pardonner à elle-même (13):* the second *à* is needed since the construction is *pardonner qch à qn. Elle* is used rather than *soi* since the latter occurs only in conjunction with indefinites like *on, aucun, chacun,* e.g. *On pardonne cela à soi-même.* See GS 1, §3.4, p. 18.

*sur la porte (15):* on laisse une clef **sur** la porte mais **dans** la serrure.

*sans morale, ni exemplaire ni prêcheur (30–31):* after *sans* articles are frequently absent, see GS 5, §3.1.6, p. 93. *Ni . . . ni . . .* generally occur in conjunction with another negative expression, here *sans,* but very frequently *ne. . . .* Note the word order of the following sentences with *ne . . . ni . . . ni. . . . Ce n'est **ni** un chien **ni** un loup. Il n'a **ni** mangé **ni** bu. Nous n'avons parlé **ni** au patron **ni** même à sa secrétaire. **Ni** Jean **ni** Pierre **n'est (ne sont)** parti(s).*

*toute faite (31): tout* as an adverb meaning 'completely' or 'quite' is normally invariable, *tout entière, tout prêts,* but does agree with a feminine adjective beginning with a consonant, *toute belle,* or with an aspirate 'h', *toutes honteuses.*

---

## Compréhension du texte

1. En quoi, d'après l'auteur, l'attitude des jeunes a-t-elle changé depuis quelques années?

2. Quelle a été l'erreur des *démagogues (7)*?

3. Quels changements matériels l'appartement de Marie Cardinal a-t-il subis depuis qu'elle laisse la clef sur la porte?

4. Quelle a été la *grande entreprise (13)* de Marie Cardinal?

5. Qu'est-ce qu'elle a à se pardonner en ce qui concerne son *éducation coloniale bourgeoise (13)*?

6. Pourquoi s'inquiète-t-on lorsqu'on entend la sonnette *(23)*?

# B. EXERCICES DE RENFORCEMENT

## A l'oral

1. Donnez des réponses orales aux questions suivantes:
(a) Comment l'appartement de Marie Cardinal est-il devenu un *refuge (19)*?
(b) Qu'est-ce qu'une *dame des chats perdus (27)*?
(c) Qu'est-ce que Marie Cardinal cherche à éviter en écrivant son livre?

---

## Exercices lexicaux

2. Groupez par paires ceux des adjectifs suivants qui présentent une parenté de sens:
(a) hautain, placide, arrogant, inconstant, apathique, poseur, versatile, flegmatique, prétentieux, indifférent.
(b) clairvoyant, obligeant, débauché, perspicace, triste, morose, serviable, dépravé, renfrogné, confus, penaud, morne.

3. Le développement d'une amitié. Etablissez dans les termes ci-dessous un ordre qui vous semble approprié. Commencez par *rencontre* et terminez par *rupture*:
familiarité, camaraderie, brouille, refroidissement, sympathie, intimité, fraternité, fâcherie.

4. Composez des phrases en français afin de faire ressortir la différence de sens entre les termes suivants:
*la langue — le langage (2)*;
*la morale (30) — le moral*.

5. Complétez le tableau suivant en donnant le sens des termes dérivés. Par exemple,
*argent — argenterie* (silverware) *(25)*
le bijou —          le couteau —
le papier —          le bois —

---

## Exercices grammaticaux et structuraux

6. Récrivez le texte de la bande dessinée (p. 19) en discours indirect ('indirect speech'), voir GS 2, §3.2.5, p. 33.
Commencez: *Elle leur a demandé ...*

7. Récrivez le texte suivant, en mettant les verbes imprimés en italique au passé. N'employez pas le passé composé:

En attendant le jour, je *demeurer* étendu tout habillé sur le lit de maman. Elle *revenir* une fois pour me dire que Marie Duberc *être* occupée à repasser mon linge et que rien ne me manquerait. Je n'*avoir* qu'à rassembler mes livres et mes paperasses, comme elle *appeler* tout ce que j'*écrire*. Je m'*assoupir*. J'*entendre* les roues de la carriole de Duberc dans un demi-sommeil. Marie *entrer* avec un plateau. Depuis la fuite de Simon, maman ne *parler* plus aux Duberc que pour leur donner des ordres. Marie m'*assurer* que Laurent *reposer* maintenant, que maman ne le *quitter* plus. (D'après François Mauriac)

8. Récrivez à la forme négative en vous servant de *ne ... ni ... (ni)*. Voir le Commentaire grammatical p. 22.
(a) Cela est agréable et pour le fils et pour le père.
(b) Ils partent et reviennent aux mêmes heures.
(c) J'ai pris des huîtres et Hélène aussi.
(d) Il consent à réparer la moto et à la louer.
(e) Elle a été reçue à l'écrit et à l'oral.

# C. EXPLOITATION DU TEXTE

## A l'oral

1. Récit oral: Assumez le rôle de Marie Cardinal et racontez ce que vous avez fait pour essayer de comprendre la jeune génération.

2. Sujet de discussion: Que pensez-vous de la génération de vos parents?

---

## A l'écrit

3. Résumé: Résumez ce texte en 150 mots. Faites-en ressortir, dans un français simple, les idées principales.

4. Rédaction dirigée: Un parent d'élève critique l'attitude de Marie Cardinal, qu'il qualifie d'irresponsable. Développez son argument selon le plan suivant (250 mots):

– Clef sur la porte — manque de sécurité, irréaliste à Paris.

– Attire les enfants chez elle, les prive de vie de famille, encourage le désordre.

– Enfants arrivent de partout, parmi eux certains 'individus' peu recommandables, aucun respect pour la propriété, vol, bruit.

– Mme Cardinal entraîne nos enfants à se conduire mal, elle s'en vante.

5. Rédaction: 'Jamais la communication entre les parents et leurs enfants n'a été aussi difficile.' Commentez ce jugement (300 mots).

6. Version: Traduisez en anglais les lignes *19–32*.

7. Thème: Traduisez en français le passage suivant en vous servant d'expressions tirées du texte. N'employez pas le passé simple ('past historic'):

On the way home from school yesterday, we went to Marc Cardinal's house. Until then I hadn't realised how tolerant his mother was and what a good atmosphere they have created. My brother and I cycled home to fetch our records and came back to Marc's at eight o'clock
4    with our sleeping bags. After all, it's so boring to stay at home watching television. At Marc's house we could talk and listen to records. There must have been[1] about thirty people and I think they came[2] from all over this part of town. At one point I saw someone filling his pockets with Mme Cardinal's silverware. I suppose I ought to have[1] said something but I
8    didn't. I just felt slightly disgusted that someone was taking advantage of Mme Cardinal's generosity.
Then, suddenly, the doorbell rang. Who could it be? They had left the key in the door as usual so none of Marc's friends would have bothered to ring. I was astonished to find that my
12    father was standing at the door, looking black as thunder. On the other hand, I might have expected[1] it; ever since I started going out in the evenings, he hasn't stopped trying to discover who my friends are and where we meet.

Notes: [1] Voir GS 8, §§5.1 et 5.2, pp. 154–155.    [2] Voir GS 2, §3.4.2, p. 35.

# *TEXTE DEUX:* Il n'y a plus d'innocents

Ce que nous pouvons souhaiter de mieux pour l'avenir, c'est un ressaisissement des hommes devant tout ce que représente un crime comme celui qui a endeuillé l'Italie à la veille de Noël. Imaginez en effet ces gens dévorés par une même passion: détruire, tuer, faire souffrir. Donnons un visage à chacun. Ce ne sont pas des excités. Ils ne jouent pas *Orange mécanique.* Ils    4
étudient, ils spéculent, ils organisent, ils mettent au point. Au mieux, l'objectif, c'est de faire disparaître une société qui ne leur réserve pas de place, de changer un monde qui les exclut. Mais la méthode au départ consiste à choisir le spectaculaire dans l'horreur, le grand guignol dans l'atrocité. Comment créer le bang irréparable: c'est leur obsession froide.    8

Des monstres? Oui, au sens précis du mot, c'est-à-dire étranger à l'humain. Mais continuons de les imaginer, puisque nous en avons connu d'autres. Ils ont les traits de tout le monde et même le regard de n'importe qui. Ni hallucinés, ni convulsifs. Ce sont nos enfants. Ils ont été sans doute élevés comme les autres, dans la démocratie la plus séduisante d'Europe, le pays où    12
chacun vient apprécier le vrai charme de la vie quotidienne. Donc ils se réunissent avec l'idée de frapper le plus fort et le plus aveuglément possible. Imaginons, imaginons. L'un d'entre eux propose les fêtes de Noël comme date de l'exploit. Faire en sorte que les cérémonies les plus familiales, peut-être à ses yeux les plus bourgeoises, où la religion prend le visage angélique et    16
naïf du pardon, de la bonne nouvelle, oui, s'arranger pour que tout cela soit couvert de sang, des crucifix rougis comme dans les films de Buñuel. Un autre comploteur s'avise que le jour de Noël il y a peu de monde dans les rues, dans les véhicules. Juste observation! On choisira la veille de Noël et un train.    20

Et puis, c'est là que le sadisme devient méticuleux, il importe que personne n'en réchappe, qu'il n'y ait pas seulement la mort et le sang mais aussi l'enfer. Alors on prend la décision de régler la bombe de telle manière qu'elle explose quand le train passera dans un tunnel. C'est la trouvaille. L'horreur des horreurs dans les ténèbres. Ces «possédés» ont l'impression de    24
découvrir la prison noire dans laquelle ils tiendront les individus indistincts et anonymes qui doivent payer pour toute la société qu'ils abhorrent. Il ne reste plus qu'à mettre le projet à exécution.

Quand la bombe explosera, une surprise attend le groupe des tueurs. Séduites par l'audace    28
de la performance du siècle, onze organisations, on a bien lu onze, vont revendiquer d'en avoir été l'auteur. Imaginons toujours. Non seulement les terroristes ne se voient pas désavoués par les autres terroristes mais ils sont si enviés qu'on veut leur dérober leur gloire. Que leur reste-t-il, privés de leur orgueil d'auteurs? Une seule organisation a décliné toute responsabilité, celle    32
des Brigades rouges. Mais onze veulent exploiter l'affaire, en tirer parti, affirmer leur existence et leur éventuelle puissance.

36  Quand le monde n'est pas un spectacle qu'il faut regarder avec mépris, il devient une jungle où il faut être le plus fort. Cela n'a pas vraiment de précédent dans l'histoire du terrorisme. Jadis, on se préoccupait de n'atteindre que des cibles symboliques: cela faisait l'objet du catéchisme des nihilistes russes. Aujourd'hui, on se soucie avant tout de démythifier l'innocence par le meurtre. Il n'y a plus d'innocents. Où nos jeunes gens ont-ils puisé

40  l'inspiration de leur délire? C'est un long cheminement. Il faut le parcourir pour en refuser, rejeter, combattre chaque étape. C'est plus important que tous les clivages entre la droite et la gauche. Le seul espoir pour l'avenir, c'est qu'on comprenne bien cela.

Jean Daniel, *Le Nouvel Observateur*, 28 décembre 1984

# A. PREPARATION DU TEXTE

## Notes

*Orange mécanique (4):* roman (en anglais) d'Anthony Burgess, publié en 1962 et dont on a fait ensuite un film. Le roman décrit un monde où tous sont à la merci de jeunes terroristes sadiques.

*le grand guignol (7):* à l'origine, théâtre de marionnettes, où Guignol est le héros, semblable aux farces de Punch et Judy; maintenant, toute farce exagérée où le théâtralisme est poussé à l'excès.

*le pardon (17):* fête religieuse bretonne, souvent un pèlerinage à un lieu saint, d'où le sens qui lui est attribué ici: quelque chose de très pur et très simple.

*les films de Buñuel (18):* Luis Buñuel, né en Espagne en 1900, directeur de films surréalistes (e.g. *Un Chien andalou* avec Salvador Dali, 1928) et de films anti-bourgeois et anti-cléricaux, dont les scènes de violence et de brutalité gratuites ont beaucoup choqué.

*revendiquer (29):* assumer pleinement une responsabilité. Dans d'autres contextes (surtout dans celui des confrontations entre syndicats et patronat) ce mot a le sens de réclamer, demander.

*cibles symboliques (f) (37):* les cibles d'une société qu'on veut détruire; par exemple, on détruit une usine fabriquant des armements, le siège central d'une compagnie sud-africaine, le patron d'une compagnie libanaise.

*les nihilistes russes (m) (38):* les nihilistes sont ceux qui nient toute valeur à la contrainte exercée par la société sur l'individu, et recherchent la liberté totale. Les nihilistes russes, dont l'influence fut grande de 1880 jusqu'à la guerre de 14–18 avaient souvent recours à la violence et au terrorisme dans différents pays de l'Europe, y compris la France.

*le catéchisme des nihilistes (38):* les articles de foi du groupe.

*démythifier (38):* supprimer en tant que mythe; en français moderne, s'attaquer aux valeurs consacrées de la société, par l'argument philosophique ou politique, ou par la violence.

## Vocabulaire

1. Relevez dans le texte 10 mots qui appartiennent au vocabulaire du terrorisme et de la violence.

2. Expliquez le sens de *possédés (24)*, et trouvez tous les substantifs employés dans le texte pour en parler. Votre liste vous permet-elle de faire le portrait des possédés?

3. Expliquez le sens des expressions suivantes: *obsession froide (8), sadisme méticuleux (21), dans les ténèbres (24), leur éventuelle puissance (34), démythifier l'innocence par le meurtre (38–39)*.

## *Commentaire grammatical*

### (i) Uses of tenses

Most of the verbs are in the present tense, and this gives particular prominence to the past tenses, particularly the small number of perfect tenses.

Present tense:

*jouent (4), étudient (5), spéculent (5), organisent (5):* these are verbs which express habitual actions which have occurred in the past, are occurring now and will occur in the future. The present tense here expresses this range of time.

*donnons (4), continuons (9), imaginons (14, 30):* the author is addressing the readers directly, and exploiting both the effect of the imperative (1st person plural, 'let us' . . .), and of repetition, to involve his readers.

*réunissent (13), devient (21), importe (21), prend (22), ont (24), reste (26):* this is a series of verbs in the historic present (GS 2, §2, p. 31) which gives immediacy to past events.

Imperfect tense:

*préoccupait (37), faisait (37):* the contrast between these two imperfect tenses and the two present tenses: *soucie (38), a (39),* emphasises the change that has taken place in terrorist tactics.

Perfect tense:

Two of the three perfect tenses in the passage: *ont été élevés (11–12)* and *ont-ils puisé (39)* emphasise the fact that the author is concerned with the reasons why young people turn to terrorism. The perfect tense, which connects past events to present time, is particularly well suited to express his concern.

Future tense:

*ils tiendront (25), explosera (28):* the future is used here to express a past event (GS 8, §2.3, p. 151) which had not occurred at the time we are speaking of, i.e. during the planning of the explosion.

### (ii) Other grammar points

*Ce que . . . , c'est (1):* the word order (GS 10,

§4.2, p. 189) here has been deliberately manipulated by a framing structure around *nous pouvons souhaiter de mieux.* This allows the author to emphasise the underlying pessimism of the text, by implying that, in his view, even the best (*mieux*) we can hope for is not very good.

This framing structure is very common in modern French, allowing emphasis to be placed on an element to which the author, for stylistic reasons, wishes to give additional emphasis.

*Au mieux, l'objectif, c'est de . . . (5–6); Comment créer le bang irréparable: c'est leur obsession froide (8):* these are similar manipulations of word order. See GS 10, §2, pp. 186–187 and cp. line *37.*

*Des monstres? (9); Ni hallucinés, ni convulsifs (11); L'horreur des horreurs dans les ténèbres (24):* these sentences without verbs are typical of a type of journalism which seeks to involve its readers and to reproduce some of the structures of informal spoken French. Cp. *Que leur reste-t-il . . . ? (31–32); Où nos jeunes gens . . . ? (39–40)* where the use of a question also involves the reader.

*Faire (16), s'arranger (17):* the use of these infinitives underlines the effect of *Imaginons, imaginons (14).* The author is trying to recreate the atmosphere of the planning meeting, where various suggestions are incorporated into the final plan. We can imagine *faire* and *s'arranger* preceded by *Qu'il serait bon/amusant de, On pourrait* or other ways of presenting a suggestion.

*pour que tout cela soit couvert de sang (17); il importe que . . . (21):* these are different types of subjunctive (GS 4). The first *soit* and the third *explose* are signalled by conjunctions of purpose *pour que* and *de telle manière que* (GS 4, §3.5, p. 72). The second is signalled by the impersonal expression *il importe que* (GS 4, §3.4, p. 71). All of these underline the strong sense of purpose felt by the young terrorists.

# B. EXERCICES DE RENFORCEMENT

## A l'oral

1. Préparez des réponses orales aux questions suivantes:

(a) Qu'est-ce qui *possède* les jeunes terroristes?

(b) Expliquez pourquoi *le tunnel (23)* est *la trouvaille (23–24)*.

(c) Pourquoi onze organisations revendiquent-elles *(29)* l'attentat?

(d) Pouvez-vous tracer le *cheminement (40)* dont parle l'auteur?

---

## Exercices lexicaux

2. Complétez le tableau suivant et vérifiez le genre et le sens de chaque mot dans votre dictionnaire.

| mot de base | le mouvement | membre du mouvement |
|---|---|---|
| la terreur | le terrorisme | le terroriste |
| la séparation | | |
| le travail | | |
| le centre | | |
| l'inflation | | |
| l'activité | | |

3. Trouvez pour chacun des mots suivants au moins deux mots qui ont la même dérivation (appartiennent à la même famille de mots) et vérifiez dans le dictionnaire le sens de chaque mot:

par exemple: mécanique: le mécanisme
mécaniser
la mécanisation

*ressaisissement (1)*, *régler (23)*, *trouvaille (24)*, *terroristes (30)*, *cheminement (40)*.

---

## Exercices grammaticaux et structuraux

4. Réécrivez les lignes *21–27*
(a) au passé composé + imparfait.
(b) au passé simple + imparfait.

5. Inventez trois phrases qui expriment le contraste entre le passé et le présent.
Suivez le modèle:
Jadis, on se préoccupait d'atteindre les cibles symboliques; aujourd'hui, on se soucie de démythifier l'innocence *(37–39)*.

6. Mettez chacun des verbes imprimés en italique soit au passé simple soit à l'imparfait:

Comme le train *traverser* à toute vitesse la gare de Chalon, Michel *regarder* sa montre. Il *être* 4 h 30 et cela *faire* plus de trois heures qu'il *être* dans le train. Il *voyager* souvent, mais ce voyage-ci lui *porter* sur les nerfs. Il *se rendre compte* qu'il aurait beaucoup de choses à régler chez lui. A cette pensée il *soupirer*; son appartement *être* sans doute en désordre. Plus il y *penser*, plus il *sentir* qu'il ferait bien de se marier. Mais, tout de suite, les paroles de sa mère lui *revenir* en mémoire: Ne te marie pas pour te procurer une femme de ménage! D'ailleurs, il *avoir* une femme de ménage qui, malgré son âge, lui *rendre* de loyaux services depuis des années. Elle aurait du mal à trouver un autre emploi s'il *se marier*. Ces idées confuses le *faire* réfléchir et hésiter. Il *décider* de ne rien faire pour le moment. Ensuite il *rester* pendant quelques minutes en silence à regarder par la fenêtre, et puis *se replonger* dans son roman.

7. Réécrivez les phrases suivantes, en employant la structure: Ce que/ce qui . . . , c'est/c'était . . . *(1)*.
Par exemple: les jeunes gens sont dévorés par une même passion *(3)* →

*Ce qui* dévore ces jeunes gens, *c'est* une même passion.

*Il importe que personne n'en réchappe (21)*

*Une surprise attend le groupe des tueurs (28)*

*On veut dérober* aux jeunes terroristes *leur gloire (31)*

8. (a) Relevez toutes les phrases dans le texte où le mot *mais* est employé.

   (b) Complétez les phrases suivantes d'après le modèle:

*Non seulement les terroristes ne se voient pas désavoués, mais ils sont enviés (30–31).*

Non seulement les jeunes ne m'intéressent pas, mais . . .

Non seulement mes amis ne me parlent plus, mais . . .

Non seulement les études ne me disent rien, mais . . .

# C. EXPLOITATION DU TEXTE

## *A l'oral*

1. Vous êtes les jeunes terroristes. Essayez de recréer la réunion où ils mettent au point leur projet *(13–27)*.

2. Vous êtes journaliste. Après l'explosion vous recevez un coup de téléphone d'un des terroristes qui revendiquent l'attentat. Que lui dites-vous?

## *A l'écrit*

3. Rédaction dirigée: Vous venez d'être identifié(e) comme un(e) des jeunes responsables de l'explosion en Italie. De la prison vous écrivez une lettre (250 mots) à vos parents pour leur expliquer pourquoi vous êtes devenu(e) terroriste. Suivez le modèle:
   – votre jeunesse;
   – ce qui dans la vie de vos parents vous dégoûte;
   – la rencontre avec d'autres qui pensent comme vous;
   – les raisons pour l'action à la suite de laquelle vous avez été appréhendé(e);
   – ce que vous demandez à vos parents.

4. Rédaction: Expliquez pourquoi le terroisme n'est pas une solution aux problemes des jeunes (300 mots).

5. Version: Traduisez en anglais les lignes *21–33*.

6. Thème: Traduisez en français:

When you are young and unemployed and getting just enough from your Giro to exist, stealing's what you do to get your share of life's fripperies. They take things that adverts on TV and in glossy magazines (easily nicked from bookstalls) tell them they deserve — shampoos, perfumes, anything digital, food, but mostly they take clothes. They steal in groups and rarely    4
take more than they need.

Often it is girls who will shoplift for themselves and their boyfriends. 'Well,' an anorexically pale, bedenimed girl told me, 'time y've saved out of your Giro for somethin' really trendy, it's gone out of fashion'.    8

Immoral though it may be, and a bane on the lives of the security guards and police, these

kids have maintained a certain morale by establishing their own culture. And it is kids who fall within this hierarchy, and not within the one established by teachers and parents, who are
12    likely to succumb to glue . . . and who are exposed to addiction to other more horrifying and expensive drugs. Heroin is terrifyingly available. I didn't speak to a single teenager who wasn't aware of its street price and some knew where you could get a snort for £5.

Against all that it is hardly surprising that rock'n'roll has lost all its outrage and become little
16    more than a catchy hum in the background. As far as the charts are concerned, unemployment's been. We've had the Specials' *Ghost Town* and Wham's *Rap* — an open invitation to enjoy life on the dole. And I met a surprising amount of kids who had given up work to do just that. They had quit good apprenticeships to make swift, if irregular, money on
20    building sites. They were into songs of the holocaust, charting well at the moment. They didn't see the point of preparing for the future when there wasn't going to be a future.

Adapted from *The Scotsman Magazine*, November 1984

# GRAMMAR SECTION 2: Tenses: Present and Past

§1. **Introduction**
§2. **The Present Tense**
§3. **The Past Tenses**
§4. **Tenses following *depuis***

## §1.   Introduction

When a verb evokes an event, it states when that event took place in relation either to the moment of speech (or writing) or to some other event. Generally in French, events which are centred upon or include the moment of speech (or writing) are evoked by the **present** tense (*je fais*); past events are narrated in the **past historic** (*je fis*), **imperfect** (*je faisais*) or **perfect** (*j'ai fait*) tenses.

## §2.   The Present Tense

The present tense is used in French as in English except that:

– French has only one present tense form where English has three:

       I think
*Je pense* = I do think
       I am thinking

– the 'historic present' is commonly used in French to narrate past events,

e.g. *Maigret fumait, le front dur. Dès le premier interrogatoire, Le Clinche **ment, parle** d'un homme en souliers jaunes qui a tué Fallut . . .* (Simenon)

For the use of tenses with *depuis, il y a,* etc. see §4 below.

# §3.  The Past Tenses

*The Past Historic and the Imperfect*
It is important to understand the fundamental distinction between these two past tenses:

> THE PAST HISTORIC EMBRACES THE WHOLE OF A PAST EVENT, FROM ITS INCEPTION TO ITS COMPLETION.
>
> THE IMPERFECT DESCRIBES AN EVENT AS BEING IN PROGRESS AT A GIVEN MOMENT OF PAST TIME, WITHOUT REGARD TO THE BEGINNING OR END OF THE PROCESS.

The two tenses correspond to two different conceptions of past events. The narrator may recall a past event as a **complete** entity:
*Il **fit** chaud cet été-là.*

Alternatively, he may recall it as an **ongoing** or **recurrent** event, perhaps the background situation to some other event:
*Il **faisait** chaud cet été-là.*

EXERCISE A: Make a list of the finite verbs in the following passage and explain the tense usage in terms of the distinction made above:

Il se déshabilla, se glissa dans le lit chaud. Au lieu de s'endormir, il continua à penser à la jeune morte de la place Vintimille. Il entendait, dehors, Paris s'éveiller petit à petit, des bruits isolés, plus ou moins lointains, espacés d'abord puis finissant par former une sorte de symphonie familière. Les concierges commençaient à traîner les poubelles au bord des trottoirs. Dans l'escalier résonnèrent les pas de la petite bonne du crémier qui allait poser les bouteilles de lait devant les portes.   (Simenon)

## 3.1  The Past Historic

This tense is used only in formal or literary style (see §3.3). If you are uncertain about its formation, you should consult H. Ferrar, *A French Reference Grammar*, Oxford, 1967, pp. 48–66, or *DFC* pp. VIII–XVIII.

The past historic views an event as **a complete entity**, but this event may be of any duration, ranging from a mere point in time:
*Il **mourut** le 5 décembre*

to a period of many years:
*Il **vécut** cent ans.*
*L'âge de pierre **dura** bien des siècles.*

Consequently this tense is ideally suited to relating the successive events in a narrative. This is the role it commonly performs in novels and journalism:

*Je les **entendis** traverser l'antichambre, les pas de l'Allemand **résonnèrent** dans le couloir, alternativement forts et faibles, une porte **s'ouvrit**, puis **se referma**. Ma nièce **revint**. Elle **reprit** sa tasse et **continua** de boire son café. J'**allumai** une pipe. Nous **restâmes** silencieux quelques minutes.* (Vercors)

## 3.2  The Imperfect

This tense recalls an event as being **in progress** in past time without regard to the beginning or end of the event.

**3.2.1**  It is used for describing accompanying circumstances and descriptive details and for relating an event which was **in progress** when another event occurred. In this context, it often occurs in conjunction with and in contrast to the past historic:
*Je **dormais** quand tout à coup le téléphone **sonna**.*
'I was sleeping/asleep when . . .'
*Ils n'**avaient** plus faim ni l'un ni l'autre, mais ils **s'attablèrent** néanmoins dans une brasserie.* (Simenon)

**3.2.2** It is also used for relating events which occurred **habitually** in the past (when there is no indication of when the 'habit' started or when it ended):

*Il **lisait** tous les jours le même journal.*
*Quand Vincent allait au café, il **prenait** toujours un vin blanc.*

**3.2.3** As in the case of the past historic, events narrated in the imperfect may be of any duration, from a matter of a few seconds to a period of years:

*Je **traversais** la rue quand il me héla.*
*Autrefois, les enfants **travaillaient** dans les mines.*

**3.2.4** In the case of certain verbs, use of the imperfect rather than the past historic modifies the meaning of the verb. In each case, the past historic conveys a sense of **accomplishment** or **finality** not present when the imperfect is used:

*Il **mourait** de faim.* 'He was starving.'
*Il **mourut** de faim.* 'He died of hunger.'

*Il **pouvait** se sauver mais préféra rester avec les autres.*
*Il **put** se sauver, abandonnant les autres à leur sort.* (i.e. he actually managed to escape)

*Il **voulait** parler mais décida qu'il valait mieux se taire.*
*Il **voulut** parler mais n'arriva pas à articuler une seule syllabe.* (i.e. he actually tried to speak)

*Le 29 juin, on ne **savait** pas encore que le chef était mort.*
*Le lendemain, dès l'arrivée de Paul, on le **sut**.* (i.e. we found out)

*Jean-Luc **devait** la revoir le lendemain.* 'Jean-Luc was to see her again the next day.'
*Jean-Luc **dut** la revoir le lendemain.* 'Jean-Luc had to (i.e. was obliged to) see her again the next day.'

See also GS 8, §§5.1 and 5.2, pp. 154–155.

**3.2.5** The imperfect is commonly used in **Indirect Speech** (see GS 8, §2.4, p. 151). A present tense in direct speech becomes an imperfect in indirect speech (*style indirect*)

following a verb of saying/thinking in the past, e.g. *J'en **ai** assez — Il déclara qu'il en **avait** assez.*

In literary style, the verb of saying/thinking is often omitted while the speech remains indirect. This is known as *style indirect libre*:

*Selon lui, l'imagination **reculait** devant cet atroce attentat. Il **osait** espérer que la justice des hommes punirait sans faiblesse. Mais, il ne **craignait** pas de le dire, l'horreur que lui **inspirait** ce crime le **cédait** presque à celle qu'il **ressentait** devant mon insensibilité.* (Camus)

The original direct speech would have been:

*'L'imagination **recule** devant cet atroce attentat. J'**ose** espérer que la justice des hommes punira sans faiblesse. Mais, je ne **crains** pas de le dire, l'horreur que m'**inspire** ce crime le **cède** presque à celle que je **ressens** devant son insensibilité.'*

**3.2.6** The imperfect is one of the tenses used to express conditions after *si*,
e.g. *Si seulement je **pouvais** lui parler, je pourrais encore le persuader.*
See GS 8, §4.1, pp. 152–153.

**3.2.7** It is also used in combination with *depuis*, *il y a*, etc. See §4 below.

EXERCISE B: Translate into French (with reference to §§3.2.4 and 3.2.5):

(a) He managed (use *pouvoir*) to meet his sister during her stay in London.
(b) When we saw his face, we knew that the news was bad.
(c) He declared that he was a communist and that he was not afraid to say so.
(d) Marie-Louise tried (use *vouloir*) to convince them but no-one was listening.
(e) Jean admitted that he was wrong.
(f) He said that he hoped she would not be punished.
(g) We already knew what Thérèse wanted to tell us.

EXERCISE C: Transpose the following passage into past time:

Tout est noir aux alentours. La rue est déserte. Wallas ouvre tranquillement la porte. Une fois entré, il la repousse avec précaution. Il est inutile d'attirer, en faisant du bruit, l'attention d'un promeneur éventuel attardé sur le boulevard. Pour éviter le crissement des graviers, Wallas marche sur le gazon. Il contourne la maison sur la droite. Dans la nuit, on distingue juste l'allée plus claire entre les deux plates-bandes. Un volet de bois protège à présent les vitres de la petite porte. Dans la serrure, la clef joue avec facilité. (Robbe-Grillet)

---

## 3.3  The Perfect and the Past Historic

Whereas the imperfect described an event as being in progress at some point in past time, the perfect and the past historic both treat past events as completed. In formal or literary French, however, the perfect and the past historic tenses can occur in the same text, but each has its own value,

e.g. *Mais si l'amitié de Mme de Chevreuse **a été** dangereuse à M. de Lorraine, elle ne le **fut** pas moins à la Reine dans la suite.* (La Rochefoucauld)

This distinction, which is not unlike that between 'he has done something' and 'he did something' in English, has been lost in informal French where the perfect covers both usages.

**3.3.1  In formal French** the past historic places a completed action squarely in the past,

e.g. *Il **signa** un contrat en 1976 et se mit tout de suite au travail.*

The perfect on the other hand links up the completed action with the speaker's present,

e.g. *Il **a signé** un contrat et il faut maintenant qu'il se mette au travail.*

The perfect tends to be used to narrate events which were completed in the recent past, but this is not always the case. It can evoke events completed a long time ago if the speaker wishes to indicate that their repercussions are still being felt,

e.g. *La conférence de Yalta (en 1945) **a divisé** l'Europe en deux blocs.*

N.B. if the event concerned is not completed and is still in progress, the present tense is used (see §4 below).

In a passage where the main narrative tense is the present, the perfect is used to narrate an event which takes place prior to an event in the present,

e.g. *Quand elle **a vendu** tous ses œufs elle quitte le marché et rentre à la ferme.*

**3.3.2  In informal French** the distinction between past historic and perfect outlined above has been lost: the perfect has taken over all the uses of the past historic. Informal French includes all spoken French (except for oratory, careful style in broadcasting, etc.) and relaxed writing (e.g. personal correspondence),

e.g. *Quand j'avais dix ans, mes parents m'**ont emmené** à Dakar. Nous **sommes revenus** trois ans plus tard et j'**ai retrouvé** mes anciens camarades.*

The perfect is increasingly used in this manner in newspapers and creative writing,

e.g. *Puis Raymond **a porté** la main à sa poche revolver, mais l'autre n'**a** pas **bougé** et ils se regardaient toujours.* (Camus)

## 3.4 The Pluperfect and the Past Anterior

**3.4.1** The pluperfect is used in French, as in English, to relate an event which took place prior to another event in the past,

e.g. *En pénétrant dans l'appartement je constatai que Paul **était arrivé** avant moi.*

**3.4.2** However, French is sometimes more precise than English in establishing the order of events, and the use of a pluperfect may be necessary where a simple past tense is sufficient in English:

*Le patron voulait savoir à quelle heure **j'étais arrivé**.*

'. . . at what time I arrived'

*On marqua d'une plaque l'endroit précis où le soldat **était tombé**.*

'. . . where the soldier fell'

**3.4.3** The past anterior is used only in formal French, in passages where the main narrative tense is the past historic. It is formed by the past historic of *avoir* or *être* followed by the past participle, e.g. *il eut fait, il fut parti.*

Its main use is to replace the pluperfect in time clauses after *quand, lorsque, aussitôt que, à peine . . . que, après que, dès que,*

e.g. *Lorsqu'il **eut terminé** son discours, il quitta la salle.*

*Dès que son ami **fut revenu**, elle lui apprit la nouvelle.*

*A peine en **eut-il bu** une gorgée qu'il tomba raide mort.*

It occasionally occurs in main clauses to stress the completion of an action after phrases expressing rapidity,

e.g. *En trois jours, il **eut terminé** son ouvrage.*

*En l'espace d'une seconde, il **eut compris** la situation.*

# §4. Tenses following *depuis*

## 4.1 Continuing event

In contrast to English usage, the **present** tense is used with *depuis* to express an event or process begun in the past but still continuing in the present,

e.g. *J'**habite** Paris depuis un an.*

'I **have been living** in Paris **for** a year.'

The **imperfect** is used to express an event or process begun in the remoter past but still in progress at the past time referred to,

e.g. *J'**habitais** Paris depuis un an lorsque mon père est mort.*

'I **had been living** in Paris **for** a year when my father died.'

## 4.2 Completed event

As in English, when the event or process is seen as completed during the time referred to, the **compound** tenses are used,

e.g. *Il **a beaucoup changé** depuis un an.*

'He **has changed** a lot in the last year.'

*Il **avait beaucoup changé** depuis un an.*

'He **had changed** a lot in the last year.'

N.B. A negative action with *ne . . . pas* may be considered as a completed action,

e.g. *Je ne l'**ai pas vu** depuis un an.*

**4.3**   In sentences where a *depuis que* clause is used, the tenses follow a similar pattern but attention must be paid to the tense of two verbs,
e.g. *Depuis qu'il est à l'hôpital* (continuing), *il* **mange** *deux fois plus* (continuing).
*Depuis qu'il* **était** *à l'hôpital* (continuing), *il* **mangeait** *deux fois plus* (continuing).

The tense of one verb does not depend on that of the other. The tense of each depends upon whether the event it denotes is continuing or whether it is completed. Thus:
*Depuis qu'il s'est cassé la jambe* (completed), *il* **mange** *deux fois plus* (continuing).
*Depuis qu'il est à l'hôpital* (continuing), *il* **a grossi** (completed).

---

**4.4**   Note the following similar constructions:

*Il y a/avait*
*Cela fait/faisait*    *un an qu'il est/était*
*Voici/voilà*            *à l'hôpital . . .*

He has/had been in hospital for a year . . .

For the use of *pendant/pour* as translations of English 'for'+expression of time, see GS 11, §3.1, p. 205.

EXERCISE D: Select the appropriate tense form for the verbs between parentheses in the sentences below:

(a) Il (*dormir*) depuis vingt minutes lorsqu'on sonna à la porte.
(b) Cela fait six mois que je (*conduire*) une voiture et je commence à m'y habituer.
(c) Depuis que Gérard (*obtenir*) son permis, il conduisait comme un fou.
(d) Il (*neiger*) depuis ma dernière visite mais, sous le soleil brillant, la neige fondait rapidement.
(e) Depuis qu'on me (*expliquer*) le système, je l'exploite à mon profit.

EXERCISE F: Translate into French:

(a) For three days he has been ill.
(b) He had been going out with Julie for six months.
(c) I haven't seen Doris since her arrival.
(d) Since he killed two mice, my cat has been very proud of himself.
(e) I had been in my bath for only five minutes when the doorbell rang.

# III Télévision et journaux

## TEXTE UN: Canal Plus

# Les programmes d'ouverture

C'est donc *L'As des as* du tandem à succès Oury-Belmondo qui a été retenu pour ouvrir symboliquement la nouvelle antenne de Canal Plus, le dimanche 4 novembre à 11 h. D'entrée de jeu, on l'aura compris, la quatrième chaîne privée ratisse large. L'enjeu est à la hauteur des ambitions affichées: faire venir à soi des téléspectateurs payants et, par effet d'entraînement, tenter d'aérer les vieilles structures du service public.

Canal Plus ne manque pas d'atouts. Peu de contraintes, l'attrait de la nouveauté, le phénomène de mode, une antenne ouverte jour et nuit et des films. Beaucoup de films: 320 par an, inédits ou récents, 6 par semaine, rediffusés six fois en quinze jours.

Mais il y a mieux. Canal Plus se doit d'être digne de son nom et de sa raison sociale. Le «plus», c'est quoi exactement? Une programmation 20 heures sur 24 du lundi au jeudi, et 24 heures sur 24 du vendredi au lundi, la multidiffusion; du football américain et australien en alternance — une saison chasse l'autre — tous les lundis à 22 h 30. Et surtout 25 matches du championnat de France de football en direct le vendredi soir à 20 h 30 (alors que TF1 pavoise avec seulement 10 retransmissions . . . ).

Les responsables de la quatrième chaîne entendent aussi se démarquer de leurs homologues étrangers. Ils ne veulent pas se contenter du rôle peu glorieux de simple «transporteur d'images», de «diffuseur», mais prétendent se distinguer comme «producteur». Le samedi, à 22 h 30, un «talk-show», comme on dit en bon français, très attendu avec, à la barre, le terrible vicomte Olivier de Kersauzon, le célèbre navigateur misanthrope à qui

les requins de toutes sortes n'ont jamais fait peur. Le dimanche à 19 h, Canal Plus retransmettra en direct *Le Club de la Presse* d'Europe 1. Cette station, qu'on disait prête à se lancer dans l'aventure d'une TV privée, place ses billes dans cette première expérience. Non seulement, elle s'associe à certaines opérations — le hit-parade tous les soirs, par exemple — mais le directeur des variétés de Canal Plus n'est autre que celui . . . d'Europe 1, Albert Amsellem.

Nous serions incomplets si nous ne parlions pas d'une innovation qui risque de prendre de vitesse les chaînes du service public: la TV du matin. Début, tous les jours en fanfare avec *7-9*, la tranche d'information animée par Michel Denisot avec une animatrice «à l'américaine», paraît-il, et dirigée par l'ex-trio de *7/7*, Jean-Louis Burgat, Erik Gilbert et Frédéric Boulay. Directement inspirée du modèle des radios à la même heure, mais à la sauce TV, on trouvera un clip tous les quarts d'heure, des infos toutes les demi-heures, une chronique économique, une revue de presse, un invité, l'horoscope, de la gym, des dessins animés, des bandes annonces, de la promotion maison. Le tout dans un décor copié sur celui des salles de rédaction américaines où la caméra vient littéralement chercher l'information sur le bureau du journaliste. Et une vingtaine de flashes dans la journée, commandés par l'arrivée des images d'actualité.

Personne ne sera oublié: les amateurs de cinéma auront bientôt leur magazine, les publiphiles aussi.

Les jeunes amateurs de rock et d'images branchées seront servis tous les soirs de 18 h à 18 h 45 avec Antoine de Caunes dans une émission en direct et en public, le samedi à 20 h 30 avec des

retransmissions de concerts et un peu partout sur la chaîne, à tout moment. Même les enfants auront leurs programmes.

Il ne sera pas nécessaire de s'abonner pour apercevoir Canal Plus. Chaque soir de 19 h 15 à 20 h 30, tout téléspectateur situé dans la zone de diffusion et disposant d'une antenne en bonne et due forme pourra capter gratuitement les images de la quatrième chaîne.

Autre atout: pas de pub. Et un nouveau monopole: le sponsoring, réduit à une présence maximum de 20 secondes concédées à l'annonceur avec la seule mention de la marque qui parraine.

**Jean-Claude Raspiengeas**

Et le prix, au fait? Non pas le prix du lancement de Canal Plus, on ne le connaîtra sans doute jamais, tradition française oblige; mais ce qu'il en coûtera réellement à l'abonné. 120 F par mois, et bientôt 150, pour un abonnement minimum de six mois, on sait. Plus le décodeur. Plus l'antenne. Plus un équipement spécial si votre récepteur date d'avant 1981. Plus, ne l'oublions pas celle-là, la redevance TV habituelle. Plus le câble un jour . . .

**Jean Belot**

TELERAMA N° 1808 — 5 SEPTEMBRE 1984

# A. PREPARATION DU TEXTE

## Notes

(Voir aussi l'organigramme de l'audiovisuel, p. 45)

*Canal Plus* (titre): la 4<sup>e</sup> chaîne de télévision française, créée au mois de novembre 1984 sur des bases financières expérimentales.

*le tandem...Oury-Belmondo (2–3):* le metteur-en-scène Gérard Oury et l'acteur Jean-Paul Belmondo ont collaboré avec succès dans plusieurs films, dont *L'As des as*.

*la multidiffusion (27):* chaque film est diffusé six fois en quinze jours (voir *20*).

*TF1 (33):* la première chaîne de télévision française; les autres sont: Antenne 2 et FR3.

*Europe 1 (50):* radio privée commerciale, dite périphérique puisqu'elle émet du Saar.

*les chaînes du service public (62–63):* les trois chaînes nationales (et donc non privées).

*branchées (90):* 'with it' (sens argotique); littéralement, *brancher* = 'to plug in' (brancher le poste).

---

## Vocabulaire

1. Cherchez dans un dictionnaire français la signification, dans leur contexte, des mots et expressions suivantes:
*D'entrée de jeu (6–7), ratisser large (8), inédits (18), raison sociale (22–23), pavoise (33), homologues étrangers (37), à la barre (44), place ses billes (52), prendre de vitesse (62), en fanfare (64), la promotion maison (78), s'abonner (98), parrainer (111), lancement (113).*

2. Cherchez dans le texte une douzaine de mots ou expressions qui se rapportent à la télévision, et notez-en les équivalents en anglais.

3. Identifiez dans le texte deux sens différents du mot *antenne*, et expliquez-les.

---

## Commentaire grammatical

### (i) The passive

*« L'As des as» ... a été retenu (1–3):* ' ... has been booked': passives formed with the perfect tense of *être* + past participle (or with the past historic: *fut retenu*) refer to a single action or event in the past. The imperfect tense of *être* + past participle indicates **either** an habitual action in the past (*le poste était allumé tous les jours à 7 h du matin*), **or** a state of affairs (*Pour tous, sauf quelques initiés, Canal Plus était entouré de mystère*). See GS 3, §2, pp. 53–54.

*Personne ne sera oublié (86), les jeunes amateurs de rock ... seront servis tous les soirs (89–91).* The future passive may express a recurrent action (as *tous les soirs* shows in the second example), a single action or event, or a state of affairs in the future (first example).

*Cette station qu'on disait prête à (50–51):* ' ... that was said to be ready to'.

Only transitive verbs in French can form the passive (i.e. verbs which take a direct object in the active, e.g. *envoyer une lettre: la lettre a été envoyée à 120 personnes*). The direct object of the active sentence 'becomes' the subject of the passive sentence.

You should note that in French it is *not* possible for the **in**direct object of an active sentence to 'become' the subject of a passive sentence. English is more flexible: 'It was given **to me** as a present' and 'I was given it as a present' are both possible. So the English equivalent of 'I like being told stories' would be: '*J'aime qu'on me* *raconte des histoires*'. There is no passive equivalent in French because the construction is *raconter qch à qn*, i.e. *me* is an **indirect** object. See GS 3, §2, pp. 52–53.

*on l'aura compris (7):* 'it will be appreciated/it will not have escaped your notice'. The passive in French occurs less in everyday usage and more frequently in official administrative texts, where it serves to depersonalise the sentence by avoiding mentioning the 'subject'.

*Beaucoup de films: . . . six par semaine, rediffusés six fois en quinze jours (18–20):*
Past participles are either verbal or adjectival. In verbs of event (as above) they tend to be verbal and are more concise forms than a full relative clause in the passive: *. . . qui seront rediffusés six fois . . .*

Other past participle passives in the text are: *la tranche d'information . . . animée . . . et dirigée par . . . (65–67).* In verbs of state, the past participle tends to be adjectival, as in *un 'talk show' . . . très attendu (43–44).*

*Directement inspirée du modèle des radios . . . , on trouvera un clip . . . , des infos . . . , une chronique . . . (70–74):*
This is technically an ungrammatical construction. The writer begins the sentence with a feminine past participle passive (*inspirée*), with the idea of *la tranche d'information (65)* or perhaps *la télévision du matin (63)* in mind as the logical subject of the sentence, but by the time he arrives at the main clause, he plumps for the construction *on trouvera*, thus leaving the past participle construction with nothing in the sentence to depend on or agree with.

### (ii) Other grammar points

*Peu de contraintes (15), Beaucoup de films (18), une vingtaine de flashes (83)* are instances of an expression of quantity + *de* + noun (indefinite), so no article is needed. See also GS 5, §3.12, p. 92.

*du lundi au jeudi (25), le vendredi soir (32), le samedi (42)* show how the definite article used with a day of the week means 'every . . . ', or 'on . . . days'; alternative ways of expressing the same thing are: *tous les lundis (29), tous les soirs (90–91), chaque soir (99–100).* Note other expressions of frequency: *320 par an (18):* '320 per year': *6 par semaine (19):* 'six per week'; *six fois en quinze jours (20):* 'six times a fortnight'; *20 heures sur 24 (25):* '20 hours out of 24'; *24 heures sur 24 (25):* 'around the clock'; *7/7 (68)* «*sept sur sept*»: 'seven out of seven (marks)'; *tous les quarts d'heure (72), toutes les demi-heures (73):* 'every quarter/half hour'.

Note too how the definite article is used differently in expressing the date when the day of the week is also mentioned: *le dimanche 4 novembre:* 'on Sunday the 4th of November'.

*publiphile (88):* many French words are formed from Greek or Latin roots, prefixes and suffixes. Here a Greek suffix, *-phile*, from the Greek for 'love', is combined with part of the word *publicité* to create a new word meaning 'a person who loves/is interested in advertising'. Cf. the suffix *-philie*, as in *bibliophilie:* 'the love of books'.

*Plus le décodeur. Plus l'antenne. Plus un équipement spécial . . . Plus le câble (119–123):* 'Plus the decoder . . . '.

In speech the final *s* of *plus* meaning 'plus' is pronounced, as in *Canal Plus*. This usage should not be confused with *plus (de)*, as in *le boulanger est parti, alors plus de pain:* ' . . . no more bread', or *plus une minute à perdre:* 'not a minute to lose'. These are negatives, without a *ne* since there is no verb. In the negative meaning the final *s* is not pronounced.

---

### Compréhension du texte

1. Enumérez les différents genres d'émission proposés par Canal Plus.

2. Pourquoi le choix du film *L'As des as* pour inaugurer Canal Plus est-il symbolique?

3. D'après J. C. Raspiengeas, quel effet l'existence de Canal Plus pourrait-elle avoir sur la télévision nationale?

4. Quels sont les atouts de Canal Plus?

5. Quelle est la différence entre le rôle de diffuseur *(40)* et de producteur, et entre la publicité traditionnelle à la télévision et le sponsoring *(107)* ?

# B. EXERCICES DE RENFORCEMENT

## *A l'oral*

1. Préparez des réponses orales aux questions suivantes:

(a) Voyez-vous un avantage à la multidiffusion *(27)* ? (Voir **Notes**).
(b) Préférez-vous suivre une rencontre sportive à la télévision en direct ou en différé, et pourquoi?
(c) Regardez-vous la télévision du matin? Qu'en pensez-vous, surtout du «menu»? Et du «menu» proposé sur Canal Plus?

(d) Il existe plusieurs façons de financer les chaînes de télévision: subvention directe du gouvernement, redevance, publicité commerciale, sponsoring, abonnement. . . . Voyez-vous des avantages à telle ou telle méthode?
(e) A partir de la liste des émissions de Canal Plus que vous avez dressée en réponse à la question A.1 (*Compréhension du texte*, p. 39), dites lesquelles vous intéressent le plus et pourquoi.

## *Exercices lexicaux*

2. Trouvez dans le texte des verbes pronominaux (*se* + verbe) pour compléter ces phrases:

(a) Comme il _____, Canal Plus offre un plus grand choix de films récents.
(b) Bernard Pivot _____ de tous les autres animateurs de «talk-shows» par son professionnalisme et la force de sa personnalité.
(c) Canal Plus a dû _____ lors de son inauguration, de quelques 200.000 clients payants; il en faudra un million pour que l'opération soit rentable.

(d) Mlle Adie _____ comme journaliste dès son premier reportage.
(e) Aucun producteur de jeux télévisés ne _____ dans des dépenses inconsidérées.
(f) Le magnat de la presse écrite, Robert Hersant, voulait _____ à une entreprise de télévision privée comme Canal Plus.
(g) Le rédacteur en chef du journal télévisé ne _____ pas au *Monde* cette année; de préférence il achète un quotidien différent chaque matin.

## *Exercices grammaticaux et structuraux*

3. Identifiez dans le texte tous les exemples de participes passés susceptibles d'être transformés en passifs au sein d'une phrase relative sur le modèle: *une antenne ouverte jour et nuit (17); une antenne qui sera ouverte jour et nuit.* Attention au temps du verbe.

4. Reprenez la phrase qui commerce *Directement inspirée . . . (70–78)*, en la rédigeant de

manière à ce qu'elle corresponde mieux aux règles de la grammaire conventionnelle. Voir le *Commentaire grammatical* ci-dessus. Commencez, par exemple, par *La télévision du matin*, + *qui* ou *dont*.

5. Le temps au passif: mettre le verbe *être* au temps passé approprié dans les phrases suivantes:

(a) L'année dernière mon récepteur _____ équipé d'une nouvelle antenne pour capter Canal Plus.

(b) Un journaliste a constaté il y a 15 ans que, à la frontière franco-belge, sur les toits, les antennes _____ systématiquement tournées vers la Belgique.

(c) Une grande série sur la guerre d'Algérie _____ réalisée en 1984 par la quatrième chaîne britannique.

(d) L'auteur du rapport trouvait que les grandes rencontres sportives _____ rediffusées en direct bien trop rarement par les chaînes nationales.

(e) Le jour de la finale de la Coupe d'Europe de football tous les récepteurs de Strasbourg _____ branchés sur une chaîne allemande.

6. Traduisez en français

(a) Current affairs in France are not adequately covered by British stations.

(b) I was given that television by my parents in 1985.

(c) We were told on the news that subscriptions to Canal Plus are increasing only slowly.

(d) He was allowed out once a week last year.

(e) Colour televisions are being sold at half price from Monday to Thursday of next week.

(f) M. Rousselet was asked to justify the live coverage of Australian-rules football on Sundays.

(g) It was at the time when the French second channel news was being compered by Christine Ockrent.

(h) Michèle Cotta, chairperson (*Présidente*) of the *Haute Autorité*, could see the state channels being overtaken by commercial television as regards innovations in programming.

## C. EXPLOITATION DU TEXTE

### A l'oral

1. En en discutant par groupes de 4 ou 5, remplissez la grille ci-dessous par rapport à votre télévision nationale.

2. Discussion: quelles sortes d'émission de télévision préférez-vous, et pourquoi?

# La télévision d'aujourd'hui et de demain

A votre avis, parmi les besoins suivants, quels sont ceux que la télévision d'aujourd'hui remplit de manière satisfaisante? Pour chacun de ces besoins, notez ce que vous pensez de la situation actuelle, et comment vous souhaiteriez personnellement la voir évoluer.

Il vous suffit, pour répondre au questionnaire, de mettre une croix dans la case correspondante à ce que vous pensez.

| BESOINS REMPLIS PAR LA TELEVISION | LA TELEVISION D'AUJOURD'HUI | | | LA TELEVISION DE DEMAIN | | |
|---|---|---|---|---|---|---|
| | TROP | JUSTE ASSEZ | TROP PEU | PLUS | AUTANT | MOINS |
| 1. UNE TELEVISION QUI *ETONNE* (films, journaux, magazines, reportages) | | | | | | |
| 2. UNE TELEVISION QUI FAIT *PARTICIPER* LE PUBLIC (magazines, jeux, émissions où on intervient) | | | | | | |
| 3. UNE TELEVISION QUI *DISTRAIT* (films, jeux, variétés, sports, feuilletons, dessins animés, séries). | | | | | | |
| 4. UNE TELEVISION QUI *ENRICHIT* L'ES-PRIT (arts, sciences, certains jeux, émissions religieuses, films, débats). | | | | | | |
| 5. UNE TELEVISION QUI DONNE DES *IN-FORMATIONS PRATIQUES* (météo, bourse, publicité, petites annonces, bricolage). | | | | | | |
| 6. UNE TELEVISION QUI FAIT *REVER* (films, reportages, feuilletons légers, documentaires d'images, films érotiques). | | | | | | |
| 7. UNE TELEVISION QUI *INSTRUIT* (émissions éducatives, scientifiques, médicales). | | | | | | |
| 8. UNE TELEVISION LOCALE QUI PARLE DE *CHOSES* ET DE *GENS* QUE L'ON CONNAIT *PERSONNELLEMENT* (nouvelles locales, résultats sportifs, informations scolaires, foires et marchés, débats). | | | | | | |

*Le Monde dimanche*, 19 juin 1983, p. XI

3. Voici des résultats d'un sondage montrant les catégories d'émission que préféraient les Français en 1973 et en 1981. Faites un mini-sondage parmi vos camarades, et comparez-en les résultats avec les résultats pour la France. Pour chaque catégorie, posez la question: Est-ce qu'il vous arrive de regarder (1) souvent, (2) de temps en temps, ou (3) presque jamais/rarement des émissions de la catégorie x?:

### FRÉQUENCE D'ÉCOUTE DE 22 CATÉGORIES D'ÉMISSIONS DE TÉLÉVISION

| Regardent "souvent" ou "de temps en temps" les émissions suivantes à la télévision: | Ensemble des téléspectateurs (1) | |
|---|---|---|
| | 1981 | 1973 |
| | % | % |
| ● Films de cinéma | 87,4 | 88,7 |
| ● Emissions sur la nature ou la vie des animaux | 83,5 | 87,8 |
| ● Music-hall, variétés | 71,2 | 79,4 |
| ● Emissions sur la vie dans d'autres pays | 59,5 | 59,0 |
| ● Dramatiques et téléfilms | 58,6 | |
| ● Emissions médicales | 58,4 | 64,5 |
| ● Cirque | 53,9 | 63,1 |
| ● Emissions sportives | 49,4 | 47,9 |
| ● Emissions sur la vie quotidienne des Français | 49,3 | 50,2 |
| ● Débats, face-à-face de personnalités politiques | 47,5 | 51,3 |
| ● Reportages sur des problèmes politiques, économiques et sociaux | 47,0 | 48,0 |
| ● Pièces de théâtre | 44,9 | 68,9 |
| ● Autres émissions scientifiques | 43,3 | 42,9 |
| ● Emissions sur l'histoire | 39,6 | 51,2 |
| ● Emissions sur la littérature ou sur les écrivains | 38,8 | 30,0 |
| ● Emissions sur des métiers d'art tels que poterie, ébénisterie, orfèvrerie | 27,9 | 29,2 |
| ● Opérette | 27,3 | 34,7 |
| ● Concert de musique classique | 22,3 | 23,5 |
| ● Ballet classique ou moderne | 21,2 | 27,7 |
| ● Emissions sur la peinture, la sculpture, l'architecture, les monuments | 20,0 | 21,2 |
| ● Concert de musique pop, folk, de rock ou de jazz | 17,1 | 16,2 |
| ● Opéra | 11,5 | 16,4 |

(1) En 1973, les résultats ont été calculés sur la base des possesseurs d'un récepteur; en 1981 sur celle des téléspectateurs regardant la télévision au moins un jour par semaine.

Source: Ministère de la Culture, *Les Pratiques culturelles des Français*, 1982.

## A *l'écrit*

4. Faites la comparaison entre le « menu » offert par la BBC et celui des chaînes commerciales britanniques, ou bien, si vous avez accès à la liste des programmes de la télévision française (par exemple dans la presse française ou dans *Télérama*), comparez le programme français au programme britannique.

5. Un satellite de télévision directe diffuse à des abonnés européens un choix d'émissions de la télévision française. Ecrivez une lettre de la part de votre Université ou 'Polytechnic', au directeur de TV5 pour lui expliquer que vous envisagez un abonnement éventuel. Voir aussi les informations ci-dessous dans le thème (Exercice 8). (Pour les formules de la lettre en français, voir pp. 212–215). Modèle à suivre:

– formules d'introduction, qui vous êtes, objet de la lettre;
– nécessité d'enregistrer pour l'enseignement: autorisation possible?
– prix maximum possible pour vous abonner;
– demande de précisions: antenne, décodeur etc.;
– genres d'émission qui vous intéressent et pourquoi; seront-elles programmées?
– ce que vous ne souhaitez pas regarder;
– conclusion, formule de politesse.

6. Rédaction (500 mots): ce que j'attends de la télévision.

7. Version: traduisez en anglais les lignes *1–34* (les trois premiers paragraphes.)

7. Thème: traduisez en français:

Variety shows, drama, sport, music, films but also news and current affairs programmes: TV5, French-language television by satellite, is being publicised as an extra entertainment channel. First on the bill, inaugurating the service on Monday 2nd January 1984, came Michel

4    Drucker from France's second channel. SSR (French-speaking Swiss television) took over the following evening, then France's first channel on Wednesday and RTBF (Belgian TV), with a selection of the best videos of 1983 on Saturday.

Every evening from 7 until 10 (French time) European and North African cable networks,

8    with the right reception equipment, can receive this new programme, which is made up of selections from the five French language channels. In Britain one London hotel is thought to have tuned in to the first broadcasts, and enquires were made by at least one University French department.

12    In France the first TV5 programmes were received by the Méridien Hotel in Paris (which is equipped to receive Rupert Murdoch's Sky Channel), Biarritz's experimental cable network and the town hall in Paris's XIIIth district (where a demonstration of cable TV programmes was held in January 1984). The networks in Nice, Metz, Grenoble and Munster were hoping to

16    become subscribers and install the appropriate reception aerial and little black box to unscramble the signal.

Adapted from *Le Monde Dossiers et Documents n° spécial* 1984

# Organigramme de la télévision et de la radio en France

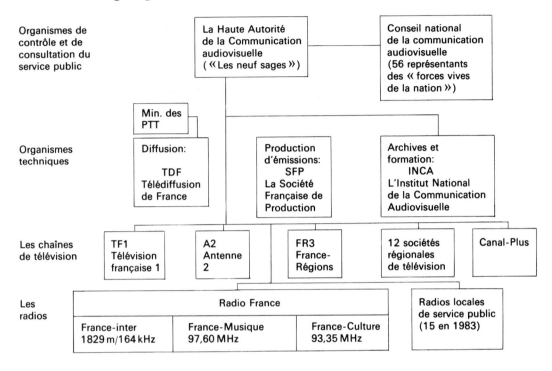

**Organismes de contrôle et de consultation du service public**

La Haute Autorité de la Communication audiovisuelle (« Les neuf sages »)

Conseil national de la communication audiovisuelle (56 représentants des « forces vives de la nation »)

**Organismes techniques**

Min. des PTT

Diffusion: TDF Télédiffusion de France

Production d'émissions: SFP La Société Française de Production

Archives et formation: INCA L'Institut National de la Communication Audiovisuelle

**Les chaînes de télévision**

TF1 Télévision française 1

A2 Antenne 2

FR3 France-Régions

12 sociétés régionales de télévision

Canal-Plus

**Les radios**

Radio France

France-inter 1829 m/164 kHz

France-Musique 97,60 MHz

France-Culture 93,35 MHz

Radios locales de service public (15 en 1983)

**Les radios 'périphériques' ou commerciales privées**

RTL (Radio-Télévision Luxembourg) 1271 m/236 kHz

Europe 1 (Saar) 1648 m/182 kHz

RMC (Radio Monte Carlo) 1376 m/218 kHz

Sud-Radio (Andorre) 366 m/819 kHz

**Les radios locales privées**

1100 « radios libres » (en 1984) émettent sur la bande FM sur un rayon de 30 km, autorisées par la Haute Autorité depuis 1982

**La télévision par satellite et par câble et la télévision privée**

TV5 Télévision francophone par satellite

Le satellite français TDF-1 devra diffuser à partir de 1986

La télévision par câble: 12 réseaux pilotes sont prévus, comme à Biarritz

Les télévisions privées sont prévues à la fin des années 1980, une première chaîne commerciale étant annoncée pour 1986

# *TEXTE DEUX:* Les métamorphoses d'une citrouille

PERIGUEUX (AFP) — M. Joseph
Millevin, cultivateur à Castelnau
(Dordogne), a récolté une citrouille
phénomène qui ne pèse pas moins de
150 kilos.

4

Comment les journaux peuvent-ils être différents puisqu'ils reçoivent les mêmes informations des agences de presse? En réponse à cette question, Maurice Herr se livre ici à un petit
8   exercice de style. Il a imaginé que l'agence France-Presse ait transmis aux journaux la dépêche ci-dessus.

    Voici comment, avec leurs préoccupations particulières, chaque journal pourrait présenter ce fait:

12  **Le journal local:** Sensation au petit village de Castelnau, près de Bergerac, où M. Joseph Millevin a récolté dans son champ une citrouille de 150 kg. M. Millevin, qui est très fier de son exploit, est le beau-frère de notre sympathique dépositaire de Castelnau. Nos félicitations.

16  **L'Aurore:** Un cultivateur de la Dordogne a récolté une citrouille phénomène, pesant 150 kg. Les services du ministère de l'Agriculture pourraient en prendre de la graine. Car la France, qui importe des citrouilles de Grèce, pourrait largement satisfaire ses besoins si l'administration n'entravait pas les efforts des producteurs. Qu'attend le gouvernement pour
20  prendre les mesures qui s'imposent?

    **L'Humanité:** Un petit cultivateur de Castelnau (Dordogne), a réussi, à force de travail et de courage, à faire pousser une citrouille de 150 kg. Sans doute serait-il heureux et pourrait-il nourrir convenablement sa petite famille si la loi inique sur le métayage ne l'obligeait à
24  partager avec son propriétaire, un gros industriel de Périgueux, le fruit admirable de son travail. Mais, grâce à l'action des élus communistes et aux efforts de tous les travailleurs unis derrière notre parti, la loi sur le métayage sera bientôt abolie.

    **Le Monde:** Une citrouille pesant 150 kg. a été récoltée par M. Joseph Millevin, cultivateur à
28  Castelnau (Dordogne). A l'heure où la France prend place dans le Marché Commun, et au moment où s'ouvre devant son agriculture un avenir incertain, une récolte de ce genre est de nature à faire mesurer aux cultivateurs français les possibilités qui leur sont offertes, en

même temps que le chemin qui leur reste à parcourir, après un demi-siècle de malthusianisme, pour que leurs productions deviennent compétitives. 32

**France-Soir:** M. Joseph Millevin, cultivateur à Castelnau (Dordogne), a récolté une citrouille phénomène de 150 kg. Interrogé par notre envoyé spécial permanent à Bergerac, M. Millevin a déclaré: «J'ai envie d'offrir cette citrouille à la princesse Margaret à l'occasion de son prochain mariage avec le colonel Townsend.» 36

**Le Parisien Libéré:** A Castelnau, petit village de la Dordogne, situé à 17 km. de Bergerac, sur la route nationale n° 618, M. Joseph Millevin, 54 ans, père de cinq enfants, a récolté une citrouille phénomène. Celle-ci pèse 150 kg. et mesure 1,12 m. de circonférence.

**Le Figaro:** Brantôme en fût tombé en pâmoison. Dans son Périgord natal, à Castelnau, un 40 cultivateur a récolté une citrouille phénomène de 150 kg. Notre éminent collaborateur, J. de la Bretelle, de l'Académie d'agriculture, nous précise que «citrouille» est le nom vulgaire de la courge, laquelle appartient à la famille des cucurbitacées.

*Presse-Actualité*, décembre 1959

# A. PREPARATION DU TEXTE

## *Notes*

*Périgueux (1), Périgord (40):* Périgueux est le chef-lieu du département de la Dordogne, dans le sud-ouest de la France, et un centre gastronomique. Le Périgord (adjectif: *périgourdin*) est la région qui l'entoure.

*AFP (1):* Agence France–Presse, l'une des plus grandes agences de presse internationales. Indépendante de l'état français depuis 1975, elle est tenue de fournir des informations exactes et impartiales à tous ses clients.

*le métayage (23):* système où l'agriculteur remet au propriétaire une certaine proportion des récoltes plutôt qu'une somme d'argent fixe.

*malthusianisme (32):* T. R. Malthus (1766–1834), économiste anglais qui préconisait la restriction volontaire des naissances. Il s'agit ici de malthusianisme économique: limitation volontaire de la production agricole afin de maintenir un niveau élevé des prix en ne satisfaisant jamais complètement la demande.

*la princesse Margaret . . . le colonel Townsend (35–36):* vers la fin des années '50 la possibilité d'un mariage entre la princesse et Peter Townsend et puis leur rupture ont fait couler beaucoup d'encre, surtout dans la presse populaire française. *Colonel (d'aviation)* = 'group captain'.

*1,12 m. (39):* 1 mètre 12 (centimètres). Notez l'emploi de la virgule dans le système décimal français. Voir aussi p. 194.

*Brantôme (40):* Pierre de Bourdeilles, seigneur de Brantôme en Périgord et auteur de *Mémoires*, (1538–1614).

*en fût tombé en pâmoison (40):* 'would have swooned', 'you could have knocked him down with a feather'. Expression archaïque, devenue familière et ironique donnant un effet de burlesque. Voir aussi GS 8, §4.2, p. 153.

*J. de la Bretelle (41–42):* personnage fictif dont le nom ressemble étrangement à celui de Jacques de Lacretelle, écrivain français du XXe siècle.
*Bretelles (f. pl.)* = 'braces'.

Voir aussi le dossier sur la presse française aux pp. 50–51.

## Vocabulaire

1. Traduisez en anglais les mots et expressions suivants:

*récolté (3), se livre ... à (7), dépêche (9), administration (19), entravait (19), s'imposent (20), à force de (21), convenablement (23), inique (23), faire mesurer aux cultivateurs français les possibilités ... (30), précise (42).*

2. Définissez en français et dans le contexte ce que font:

*un cultivateur (2), un dépositaire (14), un élu (25), un collaborateur (41).*

3. Dressez une liste de huit mots tirés du texte qui se rapportent à l'agriculture et expliquez-en le sens en français.

## Commentaire grammatical

### (i) The Passive

*la loi ... sera bientôt abolie (26):* with 'verbs of event' the future tense of *être*+past participle can express either a state of affairs or an action (see GS 3, §§3.2.1 and 3.2.2, pp. 53–54). However, the presence of a complement *bientôt* indicates that here we are probably dealing with an action, i.e. the act of abolition.

*Une citrouille ... a été récoltée par M. Joseph Millevin (27):* no such ambiguity exists with the perfect tense of *être*+past participle — this expresses an action rather than a state of affairs, particularly when accompanied by a complement, *par M. Joseph Millevin.*

*les possibilités qui leur sont offertes (30):* 'the possibilities that are open to them'. The present tense of *être*+past participle expresses only a state of affairs and not an action when the verb is not accompanied by a complement.

*au moment où s'ouvre devant son agriculture un avenir incertain (28–29):* 'just when an uncertain future is being opened up to its/her agriculture'. In order to distinguish 'is open' (a state) from 'is being opened' (an action) French often uses constructions other than the passive. Here the reflexive is used. See GS 3, §4, p. 54.

### (ii) Other grammar points

*M. Joseph Millevin, cultivateur à Castelnau (1–2):* the noun *cultivateur* appears here in apposition to the preceding noun phrase. It places M. Millevin in a broad and permanent professional category. In this way *cultivateur* is almost adjectival, so no article is required. Cp. *son propriétaire, un gros industriel de Périgueux (24):* here the phrase *gros industriel* is not a broad and permanent category — thanks to the restriction brought by *gros*; the phrase then is not adjectival so an article is inserted. See GS 5, §3.3, p. 93.

*une citrouille phénomène (3–4): phénomène,* a noun, is used here adjectivally. In such cases there is usually no agreement, e.g. *des industries clef.* Exceptions include some nouns with feminine forms, *une amie actrice,* and also some nouns describing professions and used in the plural, *des femmes professeurs.*

*Comment les journaux peuvent-ils être différents ...? (6), Qu'attend le gouvernement ...? (19):* these are two typical examples of direct questions involving noun subjects. Note how 'simple' inversion is used after *Que* (see GS 7, §3.2.2, p. 137) and 'complex' inversion after *Comment* (see GS 7, §3.3, p. 137). In both cases, the insertion of *est-ce que* would avoid the need to invert, e.g. *Qu'est-ce que le gouvernement attend?*

*si la loi ... ne l'obligeait (23): ne* can be used alone (without *pas*) after *si,* especially in formal style.

*le nom vulgaire de la courge, laquelle appartient (42–43):* a consciously archaic or pedantic use of *laquelle* rather than *qui.* It serves to make it clear that the relative refers to *courge* (f) and not to *nom* (m).

# B. EXERCICES DE RENFORCEMENT

## *Exercices lexicaux*

1. Complétez le tableau suivant:

| producteur | production |
|---|---|
| cultivateur (2) | |
| | information (6–7) |
| dépositaire (14) | |
| | administration (19) |
| propriétaire (24) | |
| travailleur (25) | |
| collaborateur (41) | |
| | agriculture (42) |

2. Trouvez des mots ou expressions pour remplacer les expressions suivantes, sans changer le sens du texte:
*se livre à (7)*
*ait transmis (8)*
*à force de (21)*
*élus (25)*
*A l'heure où (28)*
*prend place dans (28)*
*au moment où (28–29)*
*est de nature à (29–30)*
*en même temps que (30–31)*
*à l'occasion de (35–36)*
*précise (42).*

## *Exercices grammaticaux et structuraux*

3. Récrivez les phrases du texte identifiées ci-dessous en mettant au passif les verbes indiqués. Effectuez les autres changements entraînés par cette transformation: accord, ordre des mots, etc.
Exemple *(3): a récolté. Une citrouille phénomène qui ne pèse pas moins de 150 kilos a été récoltée par M. Joseph Millevin.*

(a) *(8): ait transmis*
(b) *(13): a récolté*
(c) *(18–19): pourrait satisfaire, entravait*
(d) *(23): obligeait*

4. Le passif. Traduisez en français en utilisant un passif là où vous le pouvez:

(a) Pumpkins are being sold for one-and-a-half francs a kilo.
(b) The despatch is being opened this very minute.
(c) I'm watching the new Pompidou Centre at Beaubourg being officially opened.
(d) Traffic is held up every day in the Rue Alphonse Daudet by badly parked cars.
(e) Small farmers are faced by a bleak future.
(f) They are asked to take the necessary measures to make their produce competitive.
(g) Their children are not getting fed properly.
(h) We've only got one pumpkin left, all the others are sold.
(i) Strawberries are often grown here.
(j) Sales of fruit are held up every year by wet weather.

# C. EXPLOITATION DU TEXTE

## *A l'oral*

1. Exposé: Quelles sont les préoccupations particulières de chaque journal telles qu'elles apparaissent dans la présentation imaginaire de ce fait divers? Pour guider votre analyse, voici quelques questions:

(a) Le cultivateur est-il nommé par le journal, ou reste-t-il un représentant anonyme de sa profession?

(b) Quels autres détails personnels sont donnés par le journal? Et dans quel but?

(c) Qu'est-ce qui est dit de sa profession?

(d) Quels journaux donnent le plus de place aux faits bruts? Et aux commentaires ou à l'interprétation de l'incident?

(e) Quelle signification politique est accordée à ce fait divers?

(f) Quel genre de lecteur semble visé par chaque journal (ses caractéristiques socio-économiques, politiques ou socio-culturelles)?

## A l'écrit

2. Rédaction: Après avoir analysé les préoccupations de chaque journal telles qu'elles apparaissent dans leur traitement imaginaire du fait divers, essayez vous-même de récrire cet autre fait divers dans le style de ces deux journaux: le journal local, *L'Humanité*.

'**Montélimar** (AFP) — Mme Honorine Létourdi, 43 ans, boulangère à St Alban–sous–Sampzon (Ardèche), vient d'accoucher de quadruplés. Les Létourdi ont maintenant 13 enfants, dont trois autres paires de jumeaux.' (150 mots)

3. Rédaction: Prenez deux journaux (français ou britanniques) de la même date. Cherchez dans chacun un article traitant du même sujet et comparez ces deux articles du point de vue de leur contenu et de leur style. Vous pourriez aussi faire mention du format, de la place donnée aux photos et aux gros titres, etc. A votre avis, quel public est visé par chacun des deux journaux? Expliquez pourquoi. (Minimum 300 mots)

4. Version: Traduisez en anglais les articles attribués à *L'Aurore (16–20)* et au *Monde (27–32)*.

## Dossier: La presse française

On parle beaucoup dans les années 1980 de crise de la presse. Cette crise touche surtout les quotidiens édités à Paris, beaucoup moins la presse régionale, et très peu les périodiques. Ce sont surtout les journaux populaires qui se sont effondrés devant la concurrence des magazines et de l'audiovisuel.

**(a) Les quotidiens nationaux** (ou parisiens):

*France-Soir* (diffusion 419.000): sa diffusion a baissé de plus de moitié depuis 20 ans, mais il reste l'un des journaux populaires français les plus lus. On y trouve des nouvelles à sensation, de gros titres et beaucoup de photos.

*Le Monde* (385.000): malgré ses difficultés financières il demeure le quotidien français le plus influent, le plus objectif et le plus sérieux. Passé à gauche dans les années 70, il est lu par l'élite socio-professionnelle et socio-culturelle des villes.

*Le Figaro* (361.000): le plus ancien des quotidiens, il «défend traditionnellement les intérêts de la bourgeoisie libérale». Il a longtemps cultivé un style élégant, voire littéraire dans certains articles de ses «éminents collaborateurs». Comme *France-Soir,* faisant partie du groupe Hersant, *Le Figaro* a absorbé *l'Aurore* en 1978.

*Le Parisien Libéré* (341.000): ce journal populaire du matin, de droite, consacré aux informations générales, au sport, et dont la diffusion ne s'est jamais remise de la grande grève des ouvriers du Livre en 1975, se renouvelle et adopte un ton plus modéré.

*Le Matin de Paris* (172.000): né en 1977, ce journal de tendance socialiste a vu son audience diminuer après la croissance de 1981. Il veut «etre sérieux et gai».

*L'Humanité* (120.000): fondé en 1904 par J. Jaurès, ce quotidien est devenu l'organe officiel du PCF (Parti Communiste Français), et souffre moins de la baisse générale de la diffusion.

*La Croix* (114.000): d'abord l'organe officiel du catholicisme, ce journal fait depuis 1944 des efforts pour attirer un public plus large, se vendant surtout par abonnement.

*Libération* (95.000): journal gauchiste d'après mai 68, il a été reconstitué en 1981 pour devenir **le** journal de gauche non-communiste. Il «concurrence» *Le Monde* pour son influence politique, et poursuit son ascension sous son directeur Serge July.

*Le Quotidien de Paris* (75.000): journal de droite d'informations générales et politiques, paru pour la première fois en 1981.

*L'Equipe* (235.401): grand quotidien qui se consacre exclusivement au sport national et international.

### (b) Les quotidiens de province

Les journaux locaux se développèrent beaucoup sous l'Occupation à cause des problèmes de distribution nationale (le pays était divisé en zone occupée et zone libre). Ils tendent à donner la primauté à l'information locale et dépendent beaucoup de la publicité. Les journaux régionaux résistent à la crise, demeurant en relative « bonne santé». Les pouvoirs publics s'inquiètent pourtant de la concentration des journaux en groupes de presse. En 1983, le groupe Hersant contrôlait 19 quotidiens.

Voici quelques-uns des plus importants journaux de province, par ordre d'importance selon leur diffusion (de 700.000 à 200.000 en 1983): *Ouest-France* (Rennes), *Le Progrès* (Lyon), *La Voix du Nord* (Lille), *Le Dauphiné libéré* (Grenoble), *Le Provençal* (Marseille), *Sud-Ouest* (Bordeaux), *La Nouvelle République du Centre-Ouest* (Tours), *La Montagne* (Clermont-Ferrand), *La Dépêche du Midi* (Toulouse), *L'Est Républicain* (Nancy), *Nice-Matin* (Nice), *Dernières Nouvelles d'Alsace* (Strasbourg).

### (c) La presse périodique

Le succès des « news magazines», hebdomadaires d'information générale, qui apparaissent comme le complément naturel de l'information audiovisuelle, est probablement à l'origine du recul des quotidiens depuis 20 ans. Les plus grands sont: *L'Express* (500.000), *Le Nouvel Observateur* (380.000), *Le Point* (330.000), *Valeurs actuelles* (110.000), *VSD* (350.000).

N'oublions pas l'hebdomadaire politique satirique *Le Canard enchaîné* (470.000), ni *Télé-7 jours* (2,7 millions), le journal le plus vendu de la presse française toutes catégories, ni les périodiques féminins (mensuels) *Marie-Claire* et *Marie-France* (500.000), *Modes et Travaux* (1,3 millions), et le reste de la presse spécialisée (économique, informatique, sportive, pour jeunes et adolescents, etc.).

(Ces chiffres se rapportent à 1982–1983, et sont tirés de Y. Agnes *et al*, « La Révolution des médias», n° spécial des *Dossiers et Documents du Monde*, octobre 1984.)

# GRAMMAR SECTION 3: Expression of the Passive

**§1.  Preliminaries**
**§2.  Direct and Indirect Objects**
**§3.  Verbs of State and Verbs of Event**
**§4.  Alternatives to the Passive form**
**§5.  The Expression of the Agent**

## §1.  Preliminaries

The passive voice can be used only with verbs which take a direct object: transitive verbs. The construction with a transitive verb involves three factors: agent/action/patient,

e.g. | *Paul* | *frappa* | *Pierre* .
---|---|---|---
 | agent | action | patient

As we can see from this example, when a transitive verb like *frapper* is used in the active, the agent (*Paul*) is expressed as the subject, and the patient (*Pierre*) as the direct object. When the same idea is expressed in the passive,

e.g. | *Pierre* | *fut frappé* | *par Paul*
---|---|---|---
 | patient | action | agent

the patient (*Pierre*) 'becomes' the subject, and the agent (*Paul*) follows the verb, introduced by the preposition *par*. Thus the order of ideas in the sentence is reversed as we move from active to passive. This change in order of agent/action/patient shifts the focus of attention from one of the three elements to another. Indeed, the agent can be left out entirely in the passive construction, e.g. *Pierre fut frappé.*

---

***1.1***  In French the passive voice is used much less widely than the active. When it **is** used, it shifts the focus of attention very distinctly. It is used in French significantly less than in English and the aim of much of what follows is to explain when the passive form (*être*+past participle) may or may not be used.

---

## §2.  Direct and Indirect Objects

In English both direct and indirect objects of an active sentence can become the subject of a passive sentence, e.g. 'The lady showed the boy (indirect object) the book (direct object)': **either** 'The book was shown to the boy by the lady' **or** 'The boy was shown the book by the lady'. In French **only the direct object** of an active sentence can become the subject of a passive sentence. Thus *La dame montra le livre au garçon: Le livre fut montré au garçon par la dame* **but not** *\*Le garçon fut montré le livre* . . . Alternative constructions may have to be used in French to give the desired focus to the sentence. See §4 below.

EXERCISE A: Translate the following sentences

into French using the passive voice where possible:

(a) M. Sauvat was given a present by his employees.
(b) The criminal was arrested by a detective.
(c) He was told the news by his wife.
(d) The prisoner was allowed no luxury.
(e) The student was asked for his card.

# §3. Verbs of State and Verbs of Event

In using the passive in French it is helpful to distinguish between the meanings of two classes of verbs:

– verbs of **state**, e.g. *aimer, observer, parler.* These verbs involve processes that can go on indefinitely.

– verbs of **event**, e.g. *ouvrir, tuer, dire.* These verbs involve processes which presuppose their ultimate completion. For example, the act of killing someone (*tuer*) cannot go on indefinitely.

## 3.1 Verbs of state

With these verbs the passive poses no problem for English speakers. All tenses can be formed by use of the relevant tense of *être*+past participle,

e.g. *J(e)* $\begin{cases} serai \\ suis \\ étais \\ ai\ été/fus \\ avais\ été \end{cases}$ *aimé.*

The past participle agrees with the subject in gender and number,
e.g. *Elles sont aimées.*

## 3.2 Verbs of event

With verbs of event, in contrast to verbs of state, use of the construction *être*+past participle is restricted. Restrictions affect its use mainly in the present and imperfect tenses. Much depends on whether the verb is accompanied by a complement or not. The complements which concern us here are: the agent and adverbial expressions of time.

**3.2.1** If the verb of event has a complement, all tenses of the construction *être*+past participle can be used in the same way as with verbs

of state. This is because the complement shows clearly that the construction is a verb and not *être*+an adjectival participle.

e.g. *La porte* $\begin{cases} sera \\ est \\ était \\ a\ été/fut \\ avait\ été \end{cases}$ *ouverte* $\begin{cases} par\ le\ gardien. \\ (agent) \\ tous\ les\ jours. \\ (adverbial \\ complement \\ of\ time) \end{cases}$

**But** it is important to be aware of distinctions of meaning between the imperfect and perfect tenses of *être* in these constructions: *La porte était ouverte par le gardien* implies that the opening of the door took place habitually. *La porte a été/fut ouverte par le gardien* indicates one specific occasion on which the door was opened.

EXERCISE B: Insert either *étai(en)t* or *fut (furent)* in the blank spaces:

M. Dupont sortit à 7h. Il ＿＿ invité par Leclerc dont la femme était sa maîtresse. Il se hâta de traverser le jardin public dont les portes ＿＿ fermées tous les jours par le gardien à 7h.15. Il héla un taxi et ＿＿ remarqué par le chauffeur qui devait en témoigner par la suite. Il arriva devant la porte des Leclerc à 7h.30 et c'est là qu'il ＿＿ assassiné par son hôte jaloux.

**3.2.2**   If the verb of event is **not** accompanied by a complement, there are important tense restrictions on the use of *être*+past participle:

– the future tense of *être*+past participle expresses either a state of affairs or an action,
e.g. *La porte sera ouverte.* ('will be open'/'will be opened')
– the perfect, past historic and pluperfect of *être*+past participle generally express an action rather than a state of affairs,
e.g.

*La porte* $\begin{cases} a\ \acute{e}t\acute{e} \\ fut \\ avait\ \acute{e}t\acute{e} \end{cases}$ *ouverte.* ('was etc. opened')

– the present and imperfect tenses of *être*+past participle express only a state of affairs, **not an action**,
e.g.

*La porte* $\begin{cases} est \\ \acute{e}tait \end{cases}$ *ouverte.*

('is/was open' **not** 'is being/was being opened')

## §4.   Alternatives to the Passive form

To overcome the restrictions in the use of the passive form outlined in the preceding paragraphs — on verbs which take an indirect object (§2) and on verbs of event in tenses expressing 'is being –/was being –' (§3.2.2) — French uses alternative means of expression. However, these alternatives are not reserved solely for the cases just mentioned.

**4.1**   A device which stresses the duration of the process is *être en train d'être*+past participle, e.g. *La porte est en train d'être ouverte.* However, this construction is not recommended because of the rather unwieldy repetition of the verb *être*.

**4.2**   Use of *on*+active verb, e.g. *On ouvre la porte.* Here, it should be noticed that *on* can only be used when the action is performed by a human: *on* derives from the Latin *homo* ('a man').

**4.3**   Pronominal ('reflexive') usage, e.g. *La porte s'ouvre.* Here two points need to be made. Firstly, this construction cannot be used when the agent is expressed, e.g. *La porte s'ouvre par le gardien* is **not** acceptable. Secondly, the subject of a 'pronominal passive' can only be non-human. *La femme se vendit* means 'she sold herself' not 'she was sold'. This second restriction on the use of the pronominal passive is circumvented in contemporary French by using the construction *se voir*+infinitive,
e.g. *Le commissaire Dides **se voit reprocher** (= is reproached) de ne pas avoir rendu compte de ces activités (Le Monde).*

*Il s'est vu demander* (= was asked) *. . . par un jeune homme fort poli s'il était . . .* (Daninos).
Other constructions similar to this one are: *se*

*faire*+infinitive and *se laisser*+infinitive, e.g. *Il s'est fait tuer.* 'He got killed.'
    *Il s'est laissé tromper.* 'He got tricked.'

---

**4.4** A verb taking an indirect object, e.g. *permettre à quelqu'un de faire quelque chose,* can be used in the passive by introducing impersonal *il* as its subject: *Il lui fut permis de . . .* 'He was allowed to . . .'.

---

**4.5** French frequently uses an abstract noun where an English speaker might be tempted to use a passive:
'They watch it being built/destroyed/demolished': *Ils en regardent la construction/destruction/démolition.*
'They are waiting for it to be published': *Ils en attendent la publication.*

EXERCISE C: Translate into French:

(a) This book is published by Gallimard.
(b) French is spoken in Canada.
(c) He nearly got run over.
(d) The theatre was closed by the police.
(e) I am waiting for it to be re-opened.

---

## §5.  Expression of the Agent

In passive sentences the agent is preceded usually by *par*, but occasionally by *de*. *De* occurs in certain fixed phrases and elsewhere, mainly after verbs of state:
*être bien vu **de** tous, être couronné **de** succès, il est craint/respecté/aimé **de** tout le monde.*

# IV L'Ouvrier et l'industrie

## TEXTE UN: Une ouvrière dans une usine d'automobiles

*Le roman de Claire Etcherelli d'où est tiré ce texte fit remporter à son auteur le prestigieux Prix Femina. L'auteur fut elle-même ouvrière avant de devenir écrivain et portraitiste de la situation sociale des ouvriers. Ce texte raconte une partie de la première journée d'Elise à l'usine, où elle est «l'élève» de Daubat. Le frère d'Elise l'avait recommandée à Gilles, le contremaître de l'atelier où elle travaille.*

Rien n'était prévu pour s'asseoir. Je me tassai entre deux petits fûts d'essence. Là, je ne gênerais personne. La fatigue me coupait des autres et de ce qui se passait autour de moi. Les moteurs de la chaîne grondaient sur quatre temps, comme une musique. Le plus aigu était le
4 troisième. Il pénétrait par les tempes telle une aiguille, montait jusqu'au cerveau où il éclatait. Et ses éclats vous retombaient en gerbes au-dessus des sourcils, et, à l'arrière, sur la nuque.

— Mademoiselle? A vous.
8 Daubat me tendit sa plaque.

— Allez-y, je reviens. Attention aux pare-soleil.

Grimper, enjamber, m'accroupir, regarder à droite, à gauche, derrière, au-dessus, voir du premier coup d'œil ce qui n'est pas conforme, examiner attentivement les contours, les
12 angles, les creux, passer la main sur les bourrelets des portières, écrire, poser la feuille, enjamber, descendre, courir, grimper, enjamber, m'accroupir dans la voiture suivante, recommencer sept fois par heure.

Je laissai filer beaucoup de voitures. Daubat me dit que cela ne faisait rien puisqu'il était
16 avec moi pour deux ou trois jours. Gilles le lui avait confirmé.

— Ensuite, dit Daubat, ils me mettront à la fabrication.

Sur son poignet, je voyais les aiguilles de sa grosse montre. Encore une heure et demie . . .

Quand il resta moins d'une heure à travailler, je retrouvai des forces et je contrôlai très
20 bien deux voitures à la suite. Mais l'élan se brisa à la troisième. Au dernier quart d'heure, je n'arrivais plus à articuler les mots pour signaler à Daubat ce qui me paraissait non conforme. Certains ouvriers nettoyaient leurs mains au fût d'essence qui se trouvait là.

— Ceux-là, me dit Daubat, ils arrêtent toujours avant l'heure.
24 Je les enviai.

Nous contrôlâmes jusqu'à la fin et, quand la sonnerie se fit entendre, Daubat rangea posément nos plaques dans un casier, près de la fenêtre.

Une joie intense me posséda. C'était fini. Je me mis à poser des questions à Daubat, sans
28 même prêter attention à ce qu'il me répondait. Je voulais surtout quitter l'atelier en sa compagnie, j'avais peur de passer seule au milieu de tous les hommes.

Dans le vestiaire, les femmes étaient déjà prêtes. Elles parlaient fort, et, dans ma joie de sortir, je leur fis à toutes de larges sourires.

Claire Etcherelli, *Elise ou la vraie vie*, Denoël, 1967

# A. PREPARATION DU TEXTE

## Notes

*fût(s) (m) d'essence (1):* 'drum of petrol'.

*sur quatre temps (3):* 'four beats to the bar'.

*musique (f) (3):* 'band'.

*en gerbes (5):* l'auteur compare la sensation d'une explosion sonore à l'intérieur de son cerveau à une sensation visuelle — celle de l'éclatement d'un feu d'artifice dont les éclats prennent en tombant la forme d'une gerbe ('sheaf').

*plaque(s) (f) (8, 26):* 'clip-board'.

*enjamber (10, 13):* 'step over'.

*conforme (11, 21):* 'up to standard'.

*bourrelets (m) (12):* 'sealing strips'.

## Vocabulaire

1. Trouvez le sens des mots et expressions suivants:
*prévu (1), Je me tassai (1), gênerais (2), grondaient (3), Grimper (10), m'accroupir (10), contrôlai (19), élan (20), rangea posément (25–26).*

2. Traduisez en anglais:
*Je laissai filer beauçoup de voitures (15)*
*ils me mettront à la fabrication (17)*
*ils arrêtent toujours avant l'heure (23)*
*la sonnerie se fit entendre (25)*

## Commentaire grammatical

### (i) Subjunctive, avoidance of

*sans même prêter attention . . . (27–28), Je voulais surtout quitter . . . (28), j'avais peur de passer seule . . . (29):* in these cases the subjunctive is not needed, since the (understood) subject of the infinitive is the same as that of the first (finite) verb. If the subjects were different, the subjunctive would be obligatory after the constructions used, cp. *sans qu'il prêtât attention . . ., je voulais qu'il quittât . . ., j'avais peur qu'il ne passât seul . . .* For sequence of tenses see GS 4, §4, pp. 73–74).

### (ii) Other grammar points

*Je me tassai (1):* the past historic is used throughout this passage. This is still common in literary narrative, even in the first person. It is not found incongruous that this 'literary' tense should occur side by side with colloquial and even vulgar expressions in the dialogue, cp. text on pp. 199–200. See also GS 2, §3.1, p. 32.

*Là, je ne gênerais personne (1–2):* this sentence is in the *style indirect libre.* Cp. *Là, je ne gênerai personne* (style direct) and *Je me suis dit que, là, je ne gênerais personne* (style indirect 'normal'). See GS 2, §3.2.5, p. 33.

*Il pénétrait . . . telle une aiguille (4): telle* here is used with the same sense as *comme,* which it may replace in more formal style.

*Grimper, etc. (10):* the infinitives are used here to present a series of ideas. In these circumstances English would probably use a present participle. Cp. GS 9, §2.1, p. 165.

*il était avec moi pour deux ou trois jours (15–16): pour* is used for intended periods of time as opposed to actual ones. Cp. GS 11, §3.1, p. 205.

*Quand il resta moins d'une heure (19):* '. . . there remained'. The *il* here is impersonal, as it is in *il pleut, il faut*, etc. See also p. 4.

*Je leur fis à toutes de larges sourires (31):* 'I gave them all broad smiles.' Note that in French the words for 'them' and 'all' are separated by the verb (*fis*) and that both are presented as indirect objects: *leur* and *à toutes*.

---

## Compréhension du texte

1. Quels sont les éléments du texte qui font croire qu'Elise est à l'usine depuis peu de temps?

2. Comment l'auteur nous fait-il comprendre la fatigue d'Elise? Citez les passages du texte.

3. Décrivez le rôle et le personnage de Daubat dans cet extrait.

---

# B. EXERCICES DE RENFORCEMENT

## A l'oral

1. Préparez des réponses orales aux questions suivantes:

(a) En quoi consistait le travail d'Elise dans la chaîne de production?

(b) A quel point la fatigue empêcha-t-elle Elise d'effectuer son travail?
(c) Quelle réaction la fin du travail provoqua-t-elle chez Elise?

---

## Exercices lexicaux

2. L'expression *Elles parlaient fort (30)* offre l'exemple d'un adjectif (*fort*) faisant fonction d'adverbe. Complétez les phrases suivantes en utilisant d'autres adjectifs:

(a) *Elles parlaient* . . . (in a low voice).
(b) *Il chante* . . . (out of tune).
(c) *La fleur sentait* . . . (sweet).
(d) *Le tricot a coûté* . . . (dear).
(e) *Je vois* . . . (clearly).
(f) *Marchez* . . . (straight ahead).

3. Décrivez dans un français simple les choses désignées par les mots suivants: *pare-soleil (9), angles (12), creux (12), portières (12), casier (26)*.

4. *Pare-soleil (9)* est un substantif composé du verbe *parer* et du substantif *soleil*. Donnez cinq mots français composés de la même façon et notez-en le genre.

5. *Au-dessus (5, 10), à l'arrière (5), derrière (10).* Consultez le *DFC* à *arrière, dessous* et *devant*, ainsi que GS 11, §2.2, p. 204 et ensuite traduisez en français les expressions suivantes:

(a) To reverse a car.
(b) To take a step back.
(c) At the back of the car.
(d) Behind the car.
(e) The people (neighbours) upstairs.
(f) Arm in arm.
(g) To lay hands on something.

6. Trouvez une expression française qui pourrait remplacer chacun des mots suivants dans son contexte, sans en changer le sens: *prévu (1), gênerais (2), élan (20), posément (26)*.

## Exercices grammaticaux et structuraux

7. Dans chacune des phrases suivantes mettez le verbe entre parenthèses au temps approprié de l'indicatif *ou* du subjonctif. Faites le choix entre le présent et l'imparfait du subjonctif, etc., compte tenu de GS 4, §4, pp. 73–74:

(a) Je me tassai là, bien que rien n(e) (*être*) prévu pour s'asseoir.
(b) Il était probable que tout le monde (*voir*) que je venais d'arriver.
(c) Il était bien temps que Daubat me (*tendre*) sa plaque.
(d) Il est bien possible qu'il le (*faire*) demain.
(e) Je craignais fort que M. Gilles ne (*rentrer*) me surveiller.
(f) Je croyais que le patron me (*congédier*) le lendemain.
(g) Je cherchais un employeur qui (*accepter*) mon peu d'expérience.

8. Traduisez en français en employant le subjonctif ou l'indicatif, suivant le cas:

(a) I want you to go and Susan to come.
(b) I am so glad we have arrived.
(c) It surprises no one that he has left.
(d) I believe that Napoleon was a great man.
(e) I don't believe that we have paid.
(f) Stay there till I come back.
(g) I won't tell you until John has said yes.
(h) Find me someone who can cook without spoiling the food.
(i) They certainly hope that you will help them.
(j) I very much doubt if he will sell it.

9. Récrivez chacune des phrases suivantes de façon à éviter l'emploi du subjonctif (voir le Commentaire grammatical, p. 57).
Par exemple: Je voudrais que l'on *me donne l'ordre* de partir.
Je voudrais *recevoir l'ordre* de partir.

(a) Je regrette fort que je vous aie créé des ennuis.
(b) A moins que l'on ne vous choisisse, vous ne partirez pas.
(c) Il est parti sans qu'il ait reçu nos lettres.
(d) Je l'ai fait afin que je puisse la retrouver.
(e) En attendant qu'elle y consente, il n'y a rien à faire.

---

# C. EXPLOITATION DU TEXTE

## A l'oral

1. Récit oral: Elise raconte à une amie sa première journée à l'usine.

2. Sujets de discussion:

(a) Comparez les effets de la fatigue physique d'Elise à ceux de la fatigue ressentie par une étudiante ou une employée de bureau.
(b) 'Le travail à la chaîne convient aux hommes mais non aux femmes.' Etes-vous d'accord?

---

## A l'écrit

3. Résumé: Racontez la journée d'Elise comme si elle écrivait dans son journal intime (150 mots).

4. Rédaction dirigée: Vous êtes le responsable syndical. Vous expliquez dans un rapport adressé au patron pourquoi les travailleurs à la chaîne demandent une réduction des heures de travail (200–300 mots). Modèle à suivre:

– Introduction expliquant le but du rapport.

– Les heures de travail actuelles, heures

d'ouverture des magasins, écoles, etc., problèmes concernant les transports en commun, la fatigue qui en résulte.

– Les conditions physiques du travail, mouvements physiques, concentration.

– Les conséquences de la fatigue et de l'attention interrompue: accidents, produits endommagés.

– Vos demandes précises. Vous dites qu'une réponse négative n'est plus acceptable et vous demandez une réunion pour décider des détails.

5. Rédaction: En vous servant du dossier (p. 67), écrivez un article pour votre journal syndical où vous décrivez un incident qui arrive pendant le travail et qui oppose le patron à ses ouvriers, aboutissant ainsi à une grève (200–300 mots).

6. Version: Traduisez en anglais les lignes *1–7* et *19–23.*

7. Thème: Traduisez en français en puisant le plus possible d'expressions dans le texte:

Every morning the workers hung up their coats, picked their tools up again and started the motors on the production line. Nothing was provided for our physical comfort although for years we had pointed out to the management what we needed to make the working day more

4    bearable. The manager was the best I had ever known, but however competent he was, it was never sure that he saw things from the workers' point of view. At nine o'clock precisely his bald head would appear round the office door and he would shake hands with the nearest worker and ask the foreman questions that he couldn't possibly hear unless there were some

8    break in the noise. Hearing was normally impossible and in any case no one believed that what he said was more than his way of saying 'Good morning'. Yet for all that, the men worked to support their families until they reached retirement age. It was important that they should remain in good health for as long as possible and that they should not kill

12    themselves by working under impossible conditions, when those conditions could themselves be improved.

# *TEXTE DEUX:* Non au chômage

## C.G.T. RENAULT – BILLANCOURT                                   f.s.m.

### Nous sommes des travailleurs de la Régie Renault Billancourt,
### NOUS NOUS ADRESSONS A VOUS

---
## non au chômage                                                            4
---

La direction et le pouvoir imposent un chômage de 5 jours à 9.000 travailleurs de Billancourt ainsi qu'à 60.000 travailleurs des autres usines du groupe Renault qui ont déjà été touchées par le chômage depuis Noël, ce qui entraîne une perte de ressources de 300 frs à 500 frs.

---
## NON LE CHÔMAGE NE SE JUSTIFIE PAS                                         8
---

### *LA VERITÉ LA VOILÀ:*

L'équipe dirigeante de la Régie, alignée complètement sur Giscard et la politique décidée à Bruxelles, montre sa volonté de sacrifier notre emploi, de porter un coup à Billancourt, de renforcer l'exploitation et opère pour servir les intérêts des hommes du pouvoir et du     12
C.N.P.F., une orientation dangereuse et contraire à la nationalisation de la Régie.

Il faut savoir que la direction organise le chômage alors qu'il faut plusieurs semaines, voire plusieurs mois pour obtenir la livraison d'un véhicule pour la clientèle alors que pendant ce temps, les modèles étrangers progressent fortement en France.                              16

D'autre part, ils ont décidé le transfert d'⅓ de la fabrication de la R.4 en Belgique et la fabrication de la R.14 en Espagne.

Ils ont décidé de développer la sous-traitance et la fabrication des outils, des robots en Espagne, en Argentine, aux U.S.A., au Japon, au Mexique, au détriment de l'emploi en          20
France.

Ils ont décidé l'arrêt du programme d'investissement de Billancourt. Parallèlement à cela, ils refusent de combler les départs d'anciens par des embauches de jeunes; ils refusent le

24  nouveau modèle à Billancourt, rationnel et économique qui manque à la gamme.

---

# IL Y A LES MOYENS DE FAIRE AUTREMENT

---

L'automobile est malade de l'orientation actuelle, de l'austérité renforcée sans cesse: essence plus chère, vignettes, parkings, stationnement, taxes, amendes, etc. . . Le marché

28  n'est pas saturé, 30% de familles populaires n'ont pas de véhicule.

Il faut savoir que le travail du personnel a permis que les bénéfices nets avoués passent de 46,9 milliards à 90 MILLIARDS D'AF en 1980, soit presque le double et ceci réalisé avec une diminution des effectifs ouvriers.

32  L'exploitation à la Régie atteint un degré jamais atteint, la part des salaires dans le chiffre d'affaires à encore diminué en 1980.

Cette baisse des avantages sociaux fait que cela représente une ponction sur chaque membre du personnel de 1.181.000 Frs.

36  Vous voyez bien que la situation n'a rien de fatale, il y a crise mais pas pour tout le monde. De l'argent il y en a contrairement à ce qui se dit.

Cela montre aussi qu'il faut que cela change réellement dans le pays pour redonner à la nationalisation son véritable rôle social, pour que le pays ne soit plus dominé par une poignée

40  de privilégiés à la solde des monopoles qui cassent les usines, mettent en danger nos emplois, notre vie familiale et l'avenir de la France.

# A.   PREPARATION DU TEXTE

### Notes

*CGT (1):* Confédération Générale du Travail, syndicat ouvrier d'allégeance communiste.

*FSM (1):* Fédération Syndicale Mondiale.

*CNPF (13):* Conseil National du Patronat Français.

*chiffre d'affaires (33):* 'turnover', c'est-à-dire la somme des dépenses et des recettes d'une société commerciale ou industrielle.

*ponction (f) (34):* prélèvement de salaire ou contribution obligatoire imposée aux salariés.

---

### Vocabulaire

1. Trouvez les équivalents en anglais des mots suivants:
*régie (f) (2), travailleurs (m) (5), usine (f) (6), chômage (m) (7), direction (f) (14), clientèle (f) (15), sous-traitance (f) (19), emploi (m) (20), embauche (f) (23), personnel (m) (29), bénéfice (m) (29), effectifs (m) (31).*

2. Traduisez en anglais les expressions suivantes:
*ainsi qu'à 60.000 travailleurs (6)*
*ce qui entraîne (7)*
*la politique décidée (10)*
*porter un coup (11)*
*alors qu'il faut (14)*
*combler les départs (23)*
*familles populaires (28)*
*réalisé avec (30)*

## *Commentaire grammatical*

### (i) Use of the subjunctive

*a permis que les bénéfices . . . passent (29):* this subjunctive, indistinguishable from the present indicative of *passer*, is signalled, or triggered, by the verb *permettre + que*, see GS 4, §3.3, p. 70, verbs expressing an emotional attitude.

*Il faut que cela change (38):* the subjunctive here, again indistinguishable in form from the present indicative of *changer*, is triggered by the impersonal expression *il faut*. (GS 4, §3.4, p. 71). *Il faut savoir (14, 29)* shows an infinitive construction being used as an alternative to the subjunctive after *falloir*. *Il faut que vous sachiez* would be more personal in tone.

*Pour que le pays ne soit plus dominé (39):* the subjunctive *soit* is here triggered by *pour que* (GS 4, §3.5, p. 72). *Pour redonner (38)* is a further instance of an infinitive construction used as an alternative to the subjunctive.

Where an infinitive construction replaces a subjunctive the subject of both verbs must be the same, e.g. *Je le ferai pour pouvoir sortir = Je le ferai pour que je puisse sortir.* With impersonal verbs this limitation does not apply, e.g. *Il faut savoir (14, 29) = Il faut qu'on sache.* N.B. also *sa volonté de sacrifier (11)*, where an infinitive construction has occurred after a noun. Here the noun (*volonté*) has the force of a verb (*vouloir*) that normally triggers a subjunctive.

Infinitive constructions may also replace subjunctives with many conjunctions, e.g. *Je le verrai à moins d'être moi-même en retard.* Where the subjects are not the same for both clauses the alternative is not available: *Je le verrai à moins qu'il ne vienne trop tard.*

*soit (30):* here *soit*, used alone, has the sense: *autrement dit, c'est-à-dire.* Where *soit* is used in a double construction: *Soit tu te tais, soit je m'en vais*, the sense is 'either . . . or'. In these cases, *soit* is really a subjunctive in form only. In mathematics *soit* is also used alone in expressions such as: *Soit x un point*, ('Let *x* be a point'). This is a single clause subjunctive (GS 4, §3.1, p. 69).

### (ii) Other grammar points

Word order as applied to adverbs:
The adverb normally follows a verb or adjective that it modifies in French: *alignée complètement (10)*, *progressent fortement (16)*, *Vous voyez bien (36)*, *que cela change réellement (38)*.

With compound tenses the adverb normally goes between the auxiliary (*être* or *avoir*) and the past participle: *ont **déjà** été (6)*, *a **encore** diminué (33)*. Similarly with other verb phrases involving infinitives: *Il faut **souvent** aller en ville; Je veux **absolument** comprendre; On la voit **rarement** jouer cette pièce.*

The position of adverbs and adverbial phrases may however be varied for emphasis: ***Parallèlement** à cela (22)*, *De l'argent il y en a*, ***contrairement** à ce qui se dit (37)* (GS 7, §1.3, p. 135). See below for further comment on word order in this sentence.

*essence . . . , vignettes, parking, stationnement (27):* this list of nouns expands the sense of *orientation* and *austérité (36)*. The articles are omitted, as they frequently are in series of nouns in apposition such as this (see GS 5, §3.4.2, p. 94): e.g. *Tout le monde est venu, oncles, tantes, cousins germains, . . .*

*46,9% (30)* and *1.180.000 Frs. (35):* in percentages, where English uses a full stop (decimal point), French uses a comma, hence the English 1.8% reads as *1,8%* in French. In marking hundreds and thousands, where English uses a comma (1,180,000), French uses full stops (1.180.000) or spaces (1 180 000).

*la situation n'a rien de fatal (36):* like *quelque chose* and *autre chose*, *rien* is treated as masculine, e.g. *Voilà quelque chose d'**intéressant**; Rien de trop **sucré** s'il vous plaît; Y a-t-il autre chose de **nouveau**?; Cette situation n'a rien d'**amusant**.*

*pas pour (36):* correctly *non pour*, or *non pas pour*, but reduced in informal style to *pas pour*.

*de l'argent, il y en a (37):* a manipulation of word order to achieve emphasis that reflects practice in informal, spoken French and not in more formal or in written French. The pronoun *en* repeats *de l'argent* and this too adds emphasis, see GS 10, §3, Reinforcement by Duplication or Substitution, pp. 187–188. Cp. *De la protection, il lui en fallait; Des injures, j'en ai essuyées*!

*ce qui se dit (37): ce qui* and *ce qu'il* can **sound** alike at times and are easily confused. Fully impersonal verbs require *ce qu'il* (e.g. *ce qu'il me faut (faire)*) but grammarians say there are no clear rules for other cases (e.g. *Je sais ce qui me reste à faire/Je sais ce qu'il me reste à faire*).

Basically *ce qui* is the subject pronoun and *ce que* the object pronoun (see GS 6, §1.2, p. 108), but there are variations when other verbs are used impersonally, such as *arriver, advenir, convenir, en résulter, se passer, rester* and *se pouvoir*. However, *ce qui* is preferable in most cases, e.g. *Voilà ce qui se passe/en résulte*, etc. The author of the original pamphlet made a grammar error, writing *contrairement à ce qu'il se dit* and not the version we print.

## Compréhension du texte

1. Quelle est l'action de la direction qui a provoqué la protestation des ouvriers?

2. En l'occurrence, pour quelles raisons le syndicat s'oppose-t-il à tout chômage?

3. Selon le tract quel est le rôle social de la nationalisation d'une entreprise industrielle comme Renault?

4. Qu'est-ce qui a conduit à la décision de la direction de réduire le taux d'investissement à Billancourt?

# B.   EXERCICES DE RENFORCEMENT

## A l'oral

1. Préparez des réponses orales aux questions suivantes:

(a) Quels sujets de plainte le syndicat exprime-t-il à l'encontre de la Régie Renault?
(b) Pourquoi le syndicat s'oppose-t-il aux transferts de fabrication dans les autres pays d'Europe?

(c) Quelle serait, à votre avis, la réponse de la direction de Renault à un tel tract, et comment justifierait-elle les réductions proposées à Billancourt?

## Exercices lexicaux

2. Utilisez les mots et expressions suivants dans des phrases qui en montreront le sens:
*touché par (6–7), ce qui entraîne (7), orientation (13, 26), voire (14), combler (23), amende (27), milliard (30), part (32).*

3. Formez des phrases à partir des expressions suivantes:
*. . . alors que . . .*
*. . . d'autre part . . .*
*Il a décidé le/la . . .*

*Il a décidé de . . .*
*. . . au détriment de . . .*
*Il faut savoir que . . .*
*. . . soit . . .*
*. . . Cela montre qu'il faut que . . .*

4. Expliquez en français la signification des mots suivants: *chômage (4), direction (5), travailleurs (5), fabrication (19), embauche (23), baisse (34).*

## *Exercices grammaticaux et structuraux*

5. Lisez GS 4, §3.3–3.4, et §4. Complétez les phrases suivantes en utilisant les formules indiquées:

(a) (*Je doute que*) Elle partira demain.
(b) (*Je voudrais que*) Il apprend à aimer ses nouveaux amis.
(c) (*Il était très content que*) J'ai tellement profité de ma visite en France.
(d) (*Il n'aime pas que*) Nous parlons à sa mère.
(e) (*Je crois que*) Elle viendra.
(f) (*Je n'ai pas dit que*) Il est coupable.
(g) (*Je ne dirais pas que*) Il est innocent.
(h) (*Je ne suis pas convaincu que*) Elle a eu tort.
(i) (*Croyez-vous que*) La Régie a raison.
(j) (*Il est possible que*) Il a mieux chanté.
(k) (*Il semble que*) Il veut partir.
(l) (*Il me semble que*) Il est parti.
(m) (*Il est probable que*) Elle m'en veut.

6. Complétez les phrases en y insérant les adverbes ou expressions adverbiales indiqués:

(a) Il va à l'église le dimanche. (*souvent*)
(b) Il est parti en vacances. (*soudain*)
(c) Elle a pris son parti. (*vite*)
(d) Il a écrit à son ami. (*sans attendre sa réponse*)
(e) Elle veut remporter le prix. (*toujours*)
(f) Nous prenons le train de Douvres. (*chaque année, à l'arrivée du printemps*)
(g) Il veut paraître compétent. (*invariablement*)
(h) Elle entendait venir le train. (*rarement*)
(i) Elle faisait attendre les gens. (*tous les jours sans exception*)
(j) Il faut l'attendre. (*toujours*)

## C. EXPLOITATION DU TEXTE

### *A l'oral*

1. Saynète: Racontez la rencontre du délégué de la CGT avec le directeur de l'usine à Billancourt après la publication de ce tract.

2. Exposé: Décrivez une grève dont vous avez lu un reportage et décidez à quel point il est possible de blâmer (a) le patronat; (b) les ouvriers.

3. Y a-t-il des circonstances où il serait inadmissible de faire la grève?

### *A l'écrit*

5. Rédaction dirigée: Ecrivez l'article de journal qui aurait pu paraître le lendemain de la publication de ce tract (250–300 mots). Modèle à suivre:

– Détails du contenu du tract; sa distribution à Billancourt.
– Les principales plaintes du syndicat, exprimées dans le tract.

– Votre appréciation personnelle des conséquences des actions de la Régie pour Billancourt et pour l'économie française.
– Un entretien avec un ouvrier qui s'exprime sur l'appel de la CGT.
– Perspectives pour l'avenir.

6. Thème: Traduisez en français en vous servant le plus possible d'expressions tirées du texte et du dossier qui suit:

Nothing very unusual was happening. They had seen it all so many times before. Policy was decided elsewhere: always in London and never in Glasgow or Edinburgh. The Third World began at Hadrian's Wall or so it seemed. The union wanted regional management to join them in protesting against proposals to close down several large workshops and to dismiss three thousand workers. They wanted the redundancy and closure decisions withdrawn before the number of unemployed in the town increased still further. Indeed, unless they received a satisfactory reply very soon the union intended to call a strike. They no longer believed that patience was useful or effective in protecting their interests.

Yet neither did the union representatives believe there was a serious chance of agreement and they feared things would get much worse before they got better. Everyone, skilled workers, unskilled workers and office workers alike, agreed that they had in the end to call a halt to discussion and take action. They intended, however, to keep the door open to discussion, even though it appeared a waste of time. Management and workers alike cried out for someone who could sort out the mess.

7. Thème: Traduisez en français:

Do journalists know enough about industry to offer any valid opinion on the subject of strikes? What experience have they of industry? Has even one Fleet Street guru ever worked there? Would a journalist know a worker if he saw one? If he met a real, live worker I doubt if he would understand what was said to him. The worker certainly wouldn't understand the plummy tones some media-men mistake for English. I wish language were not such a barrier between classes in this country. It often seems as if pressmen and workers live in quite different worlds with workers being seen through glass, as it were. They work, strike and negotiate under the gaze of the public, but newsmen fail to show us the real facts of industrial life, not least because they are unaware of them, and too prone to adopt trendy postures. Unless we generate some respect for reality in the press, and some respect for the press in the ranks of industry, we may live to regret that we ever took our Sunday morning reading so seriously.

# Dossier sur l'organisation de la main–d'œuvre et des cadres industriels

### Le lieu de travail

Le mot *usine (f)* traduit normalement l'anglais 'factory': on dit, par exemple, 'une usine d'automobiles, de transformation de métaux', etc. Une *fabrique* est plus petite et plus artisanale qu'une usine: 'fabrique de porcelaine, de petite mécanique', etc. Le mot *manufacture (f)* est assez rare et ne se trouve que dans des contextes précis, par exemple 'manufacture de tabacs, de porcelaine de Sèvres, d'armes'. Le mot *atelier (m)* peut désigner les diverses divisions d'une usine ou, plus rarement, une petite fabrique, (de vêtements, par exemple). Le terme *chantier (m)* est d'habitude réservé aux travaux à l'extérieur, aux dépôts de matériaux, etc.: 'chantier de construction, de bois, naval', etc.

### Le personnel d'une entreprise

(a) Les *cadres* exercent le contrôle d'une entreprise au nom de la direction générale. Le directeur d'usine est normalement appelé 'le patron' par les ouvriers. Le CNPF (Conseil national du patronat français) représente les intérêts des patrons; cp. la 'CBI' britannique.

(b) La *main–d'œuvre* (= l'ensemble des ouvriers) elle-même est sous le contrôle de contremaîtres, responsables chacun d'une équipe d'ouvriers.

(c) Les *ouvriers* se divisent en différentes catégories suivant leur formation professionnelle. En haut de l'échelle on trouve les ouvriers qualifiés ('skilled workers'), suivis des ouvriers spécialisés ('semi-skilled workers') et, en bas de l'échelle, des manœuvres. Ces derniers remplissent, comme travailleurs manuels, les fonctions les plus humbles dans l'atelier. Tous ces employés sont *salariés*, qu'ils soient *mensuels* ou payés à la semaine. Un *artisan* est généralement employé pour son propre compte. Une machine est normalement contrôlée par un *machiniste* et entretenue par un *mécanicien*.

### La production

La production se déroule le plus souvent *à la chaîne*, du moins pour la production *en grande série*, mode de fabrication conçu pour le maximum de *productivité* ou de *rendement*. Certains salariés sont payés *à la tâche* et font un travail *aux pièces*, (ou *à la pièce*).

### L'emploi

Une fois *embauché*, ou *recruté*, un employé *touche un salaire* jusqu'au moment de *prendre sa retraite*, ou d'être *licencié* ou *congédié*. Un *chômeur* (quelqu'un sans travail) reçoit le plus souvent une *indemnité de chômage*.

### Le syndicalisme

Les principales organisations syndicales françaises sont: la CGT (Confédération générale du travail), la CGT-FO (Confédération générale du travail — Force ouvrière) et la CFDT (Confédération française et démocratique du travail). Leurs *adhérents*, les *syndiqués*, poursuivent leur action par voie de négociation, pour améliorer leurs *conditions de travail* ou pour soumettre des *revendications d'augmentations*, (ou de *hausse(s) de salaire*), par l'entremise de leurs *responsables syndicaux*. Ces délégués syndicaux convoquent des réunions des membres du syndicat. Ils négocient *les heures de travail* et la répartition des *heures supplémentaires*, tant pour les *jours ouvrables* que pour le weekend. (Les jours ouvrables sont les jours où l'on travaille, par opposition aux dimanches, et aux jours fériés. Cp. *journée de travail* = le nombre d'heures que l'ouvrier travaille, par exemple 'une journée de travail de huit heures'.) Au cas où les revendications des ouvriers échoueraient et que la direction refuserait la hausse des salaires demandée, les ouvriers pourraient *se mettre en grève*; les grèves sont parfois *sauvages* ou non officielles. Les grévistes peuvent faire une *grève du zèle* ('work to rule'), une *grève perlée* ('go slow') ou éventuellement installer des *piquets de grève* aux portes des usines.

# GRAMMAR SECTION 4: *The Subjunctive*

**§1. Introduction**
**§2. Formation of the Subjunctive**
**§3. Uses of the Subjunctive**
**§4. Tenses of the Subjunctive**

## §1. Introduction

The subjunctive, like the indicative, is a mood of the verb (see Glossary). It is used when the speaker wishes to present an idea not as a matter of fact (this is the function of the indicative) but merely as a notion he is entertaining in his mind. In practice, however, the French subjunctive is most often used as a response to its grammatical environment, so the foreign learner might find it easier to learn the contexts where the subjunctive occurs rather than its 'meaning'.

The subjunctive plays an important role in French syntax and far from disappearing from the modern language, as is sometimes alleged, it is used in both spoken and written French by all native speakers. This section can deal only with the main uses of the subjunctive.

## §2. Formation of the Subjunctive

The tenses of the subjunctive are present, imperfect, perfect, and pluperfect (use of tenses, see below, §4). They are formed as follows:

– **Present subjunctive.** First find the **stem** from the 3rd person plural of the present indicative,

| e.g. Infinitive | 3rd person plural present indicative | Stem |
|---|---|---|
| *donner* | *donn/ent* | *donn-* |
| *finir* | *finiss/ent* | *finiss-* |
| *vendre* | *vend/ent* | *vend-* |

Add the endings: *–e, –es, –e, –ions, –iez, –ent.*

| e.g. *je finiss/e* | *nous finiss/ions* |
|---|---|
| *tu finiss/es* | *vous finiss/iez* |
| *il finiss/e* | *ils finiss/ent* |

68

– **Imperfect subjunctive.** Find the **stem** from the 2nd person singular of the past historic,

| e.g. Infinitive | 2nd singular past historic | Stem |
|---|---|---|
| *donner* | *donna/s* | *donna-* |
| *finir* | *fini/s* | *fini-* |
| *vendre* | *vendi/s* | *vendi-* |

Add the imperfect subjunctive endings,

| e.g. *je donna/sse* | *nous donna/ssions* |
|---|---|
| *tu donna/sses* | *vous donna/ssiez* |
| *il donnâ/t* | *ils donna/ssent* |

– **Perfect subjunctive.** This is formed from the present subjunctive of *avoir* or *être* followed by the past participle,

| e.g. Present subjunctive *avoir/être* | Past participle | Perfect subjunctive |
|---|---|---|
| *il ait* | *acheté* | *il ait acheté* |
| *nous soyons* | *sorti* | *nous soyons sortis* |

– **Pluperfect subjunctive.** This is formed from the imperfect subjunctive of *avoir* or *être* followed by the past participle,

| e.g. Imperfect subjunctive *avoir/être* | Past participle | Pluperfect subjunctive |
|---|---|---|
| *ils eussent* | *su* | *ils eussent su* |
| *elle fût* | *arrivé* | *elle fût arrivée* |

Full details of the formation of the subjunctive in all its tenses are given in reference grammar books. **Irregular** forms occur frequently in the subjunctive (just as they do in the indicative). You should make sure that you know the subjunctive of the following very common irregular verbs: *aller, avoir, être, faire, pouvoir, savoir, vouloir.*

# §3. Uses of the Subjunctive

French uses the subjunctive mood in:

– single clause sentences (*Qu'elle* **sorte***!*)

– dependent clauses of compound sentences (*Je vote pour la grève, bien qu'elle* **soit** *illégale*)

## 3.1 Single clause Subjunctives

These are much rarer than dependent clause subjunctives. They concern mainly third person imperative constructions,
e.g. *Qu'il parte!* 'Let him be off!'

*Que le patron comprenne enfin!*

In certain expressions *que* is omitted,
e.g. *Dieu vous bénisse! Vive la jeunesse!*

## 3.2 Dependent clause Subjunctives

Most uses of the subjunctive occur in dependent clauses of compound sentences. The subjunctive is used mainly in response to the particular grammatical environment in which it occurs. It is triggered by a signal in its immediate context. There are three main types of signal for dependent clause subjunctives: verb, conjunction, antecedent plus relative pronoun.

EXERCISE A: Identify the dependent clause subjunctives below. Underline the *que* which precedes each one and say whether it is part of a conjunction or follows a verb signalling the subjunctive.

(a) Je veux que tu le dises au patron.
(b) Il faut que le responsable syndical agisse tout de suite.
(c) Je travaillerai tard ce soir pour que je puisse m'absenter demain.
(d) Bien que les conditions de travail soient très désagréables, il faut se rappeler les usines d'avant-guerre.
(e) Il demande que je me fasse couper les cheveux avant de reprendre le travail.

**3.2.1**   The **verbs** which signal the subjunctive are of two kinds:

– a first group of verbs express an emotional attitude on the part of their subject (below, §3.3),
e.g. ***Vous voulez que*** *nous restions ici.*

– a second group of verbs have impersonal *il* as subject (below §3.4),
e.g. ***Il faut que*** *le patron s'en aille.*

**3.2.2**   An infinitive construction is used in preference to *que*+subjunctive when the subject of both verbs is the same,
e.g. *Vous voulez rester ici,*

or after an impersonal verb when the subject of the second verb is general and indeterminate,
e.g. *Il faut s'en aller.*

## 3.3   Verbs expressing an emotional attitude

Pattern:

| Clause containing signal verb | | Que | Dependent clause with subjunctive verb |
|---|---|---|---|
| DOUBT | Je doute<br>Je ne crois pas } | qu' | elle vienne. |
| FEAR | Je crains<br>J'ai peur } | qu' | elle **ne** vienne. |
| DESIRE | Je souhaite<br>J'aimerais bien<br>Je préfère<br>Je veux<br>Je désire } | qu' | elle vienne. |

This first group also includes verbs which express:

| | |
|---|---|
| REGRET | *regretter, être désolé* |
| PLEASURE | *être content, aimer* |
| SURPRISE | *être surpris, être étonné, s'étonner* |
| COMMAND | *ordonner, conseiller, exiger, demander* |
| PROHIBITION | *défendre, interdire, ne pas vouloir* |
| COMPLAINT | *se plaindre, ne pas aimer* |

Another set of verbs express PERSONAL OPINION: *croire, dire, espérer, être sûr, penser, nier.* However, these verbs signal a subjunctive verb only when used negatively,
e.g. *Je ne dis pas que les invités **veuillent** partir.*

or interrogatively,
e.g. *Croyez-vous que le patron **ait** raison?*

## 3.4  Impersonal verbs

Pattern:

| Signal clause containing impersonal verb | | *Que* | Dependent clause with subjunctive verb |
|---|---|---|---|
| NECESSITY | *Il faut*<br>*Il est temps*<br>*Il importe* | *que* | *vous compreniez.* |
| JUDGMENT | *Il est regrettable*<br>*Il est juste* | *que* | *vous compreniez.* |
| POSSIBILITY | *Il est possible*<br>*Il se peut* | *que* | *vous compreniez.* |
| IMPOSSIBILITY | *Il est impossible* | *que* | *vous compreniez.* |

Note the gradation from **Improbability** (subjunctive) to **Probability** (indicative):

| | | |
|---|---|---|
| *Il est improbable*<br>*Il est peu probable*<br>*Il semble* | *que* | *vous compreniez.* |
| BUT<br>*Il me semble*<br>*Il est probable*<br>*Il est certain* | *que* | *vous **comprenez**.* |

EXERCISE B: Examine the following sentences carefully. Identify:

– the verb in the subjunctive

– the subjunctive signal.

Rewrite each sentence, replacing the clause which contains the subjunctive verb by another subjunctive clause you have composed yourself:

(a) Je souhaite que vous marchiez toujours dans les voies de l'honneur.

(b) Moi, je voudrais que tu t'en ailles.

(c) Il faut que tu comprennes — je vais me marier!

(d) Pour ma part je trouve qu'il est temps que le patronat écoute les employés.

(e) Il ne croit pas que nous ayons le droit de faire la grève.

(f) Etes-vous sûr que ce soit votre poste qu'il désire?

## 3.5  Conjunctions

The conjunctions which signal the subjunctive introduce events which might happen but which do not necessarily happen,

e.g. *Il veut partir **avant que** les autres **ne sachent** le résultat de ses recherches.*
*Je suis sorti **sans qu'**il me **voie/m'ait vu**.*

An infinitive construction is preferred if the subject of both the main and the subordinate verb is the same,

e.g. *Il veut partir avant de **savoir** le résultat de ses recherches.*

*Je suis sorti sans le **voir**.*

### Time conjunctions:

*Avant qu'*
*Jusqu'à ce qu'* } *elle **vienne**, je lis.*
*En attendant qu'*

Notice that *après que*, which introduces events which have already taken place, is followed by the **indicative**,

e.g. *Après qu'on **a menti**, il faut une bonne mémoire.* (See also GS 2, §3.4.3, p. 35.)

### Conjunctions of Purpose:

*Pour que* } *vous **puissiez** me comprendre,*
*Afin que* } *j'apprends le français.*

Some conjunctions of purpose vary their meaning according to whether they are followed by the subjunctive or the indicative. *De sorte que, de façon que* and *de manière que* + subjunctive all mean 'in order that'. However, followed by the indicative they mean 'with the result that', cp. *Je parle fort de façon qu'elle m'entende/ entend.*

### Conjunctions of Condition or Supposition:

*A condition que* } *vous **veniez** avec moi, j'irai*
*Pourvu que* } *chez le dentiste.*

Other conjunctions in this group are: *en supposant que, en admettant que.*

### Conjunctions expressing Reservation:

*Bien qu'*
*Quoiqu'* } *il **soit** désagréable, elle l'aime.*
*A moins qu'il ne **soit** désagréable, elle sortira avec lui.*

Another conjunction in this group is *sans que.*

Note the group of conjunctions which in English end in '-ever':

'However': *Quelque désagréable qu'*
*Pour désagréable qu'* } *il soit,*
*Si désagréable qu'* } *elle*
*Aussi désagréable qu'* } *l'aime*

'Whoever': *Qui qu'*
'Wherever': *Où qu'* } *il soit, elle l'aime.*

'Whatever': *Quoi que vous disiez, elle partira.*

A **choice** between alternatives is often expressed by *que* + subjunctive ... *ou* ...,

e.g. ***Que** ce **soit** lui **ou** elle qui l'**ait** fait, c'est déplorable.* ('Whether it be he or she who did it ...')

Note the use of subjunctive in the dependent relative clause above (*ait fait*).

EXERCISE C: Combine the following pairs of sentences to form one compound sentence:

– Make use of the conjunction printed in brackets

– Change the order of the clauses where possible

– Pay attention to the tense and mood of the verb

(a) Je vous écris à la hâte.
Vous saurez cette nouvelle le plus tôt possible. (*afin que*)

(b) Ils ont voté pour nous.
Nous n'avons rien fait pour eux jusqu'ici. (*quoique*)

(c) Il parlera demain au patron.
Les ouvriers changent d'avis. (*à moins que*)

(d) Pierre l'attendait toujours à la sortie de l'usine.
Elle vint. (*jusqu'à ce que*)

(e) Vous aurez certainement le poste.
Il n'y a pas d'autres candidats. (*pourvu que*)

### 3.6 *Antecedent plus relative pronoun* (for the meaning of these terms, see Glossary)

Subjunctives signalled in this way indicate a personal assessment of an event or situation and suggest that the opinion expressed may not be generally shared.

| Principal clause with antecedent | Relative pronoun | Subjunctive relative clause |
|---|---|---|

(a) In a relative clause qualifying a noun accompanied by a **superlative** adjective or by *seul, unique, dernier*, a subjunctive verb gives a suggestion of subjective impression:

| | | |
|---|---|---|
| *C'est le plus grand chat* | *que* | *j'aie jamais vu.* |
| *C'est le seul endroit* | *où* | *je puisse le rencontrer.* |
| *C'est l'unique ville du monde* | *où* | *l'on puisse vraiment se détendre.* |
| *C'est le dernier pays* | *où* | *l'homme n'ait pas détruit la nature.* |

**But** where the relative clause expresses not subjective judgment but an established fact, the indicative is used,
e.g. *C'est le plus grand chat que j'ai jamais vu.*

Moreover, where *C'est . . . qui/que . . .* are used merely to place the superlative noun in emphatic position (see GS 10 §4.2, p. 189), no subjunctive is required,
e.g. *C'est le plus petit enfant qui est allé chercher le pain.*

(b) In a relative clause qualifying a **negated** main clause, the verb goes in the subjunctive:

| | | |
|---|---|---|
| *Il n'y a qu'elle* | *qui* | *sache réussir un soufflé.* |
| *Il n'y a personne* | *qui* | *puisse l'aider.* |

(c) To express **requirements** or desirable qualifications:

| | | |
|---|---|---|
| *Je cherche quelqu'un* | *qui* | *veuille bien travailler.* |
| *Nous voulons une maison* | *qui* | *n'ait pas de jardin.* |

**But** when our requirements have been met, or when the situation actually exists, the indicative is used,
e.g. *Nous avons trouvé une maison qui n'a pas de jardin.*

# §4.   Tenses of the Subjunctive

The tenses of the subjunctive which are most often used both in speech and writing are the present and the perfect. The other tenses — the imperfect and the pluperfect — are becoming increasingly rare, except in the 3rd person singular of common verbs in formal or literary contexts. The following table shows the sequence of tenses used in formal or literary French.

| Tense of verb in the signal clause | *Que* | Tense of dependent subjunctive verb |
|---|---|---|
| Present ⎫<br>Future ⎬ indicative<br>Perfect ⎭ | *que* | Present ⎫<br>Perfect ⎬ subjunctive |
| e.g. *Je crains* ⎫<br>   *Je craindrai* ⎬<br>   *J'ai craint* ⎭ | *qu'* | *il ne vienne*, 'that he comes, is coming, will be coming, may come, may be coming'. |
| | *qu'* | *il ne soit venu*, 'that he has come, has been coming, will have come, may have come'. |
| Imperfect ⎫<br>Past historic ⎬ indicative<br>Conditional ⎬<br>Pluperfect ⎭ | *que* | Imperfect ⎫<br>Pluperfect ⎬ subjunctive |
| e.g. *Je craignais* ⎫<br>   *Je craignis* ⎬<br>   *Je craindrais* ⎬<br>   *J'avais craint* ⎭ | *qu'* | *il ne vînt*, 'that he came, was coming, would come, would be coming, might come, might be coming'. |
| | *qu'* | *il ne fût venu*, 'that he had come, had been coming, would have come, might have come'. |

In less formal French the present and the perfect are used where formal French uses the imperfect or the pluperfect,

e.g. *J'avais craint qu'il ne **soit** venu*, etc.

# V L'Education en France

## TEXTE UN: Supérieur: c'est la rentrée

A la différence des autres nations, la France possède un système d'enseignement supérieur où coexiste une diversité d'établissements, aux structures et aux formations dispensées différentes.

Au long des siècles, écoles et universités se sont développées, transformées, multipliées, donnant au système d'enseignement supérieur français toute sa complexité, renforcée encore par le fait que le ministère de l'éducation nationale n'est pas le seul responsable de la gestion d'établissements d'enseignement. Les unités pédagogiques d'architecture (UPA) relèvent du ministère de l'urbanisme et du logement, les écoles nationales de la marine marchande (ENMM) de celui des transports, l'Ecole polytechnique de la défense . . . 8

Dans la France de 1984, différents types d'établissements concourent à la formation des jeunes après le baccalauréat. Les universités accueillent des effectifs très importants et dispensent des formations souvent théoriques, débouchant sur des diplômes nationaux à contenu fondamental ou culturel. Les grandes écoles ou écoles supérieures, à accès sélectif et 12 effectif restreint, assurent une formation professionnelle adaptée à certains types de fonctions d'encadrement.

La complexité du système d'enseignement supérieur nécessite toutefois d'apporter quelques nuances à cette schématisation. Au sein de l'Université coexistent plusieurs modes d'accès. 16 Une sélection est pratiquée à l'entrée des instituts universitaires de technologie (IUT) et dans les disciplines de médecine, pharmacie et odontologie.

La loi d'orientation de 1968, œuvre de M. Edgar Faure, a permis un renouvellement des structures universitaires et un développement des établissements. La loi du 26 janvier 1984, dite 20 loi Savary, a précisé certaines adaptations rendues nécessaires. Les établissements publics à caractère scientifique, culturel et professionnel (EPCSCP), nouvelle appellation des établissements sous tutelle du ministère de l'éducation nationale, sont régis par cette loi. Ils sont dirigés par un président élu par un conseil où siègent des représentants des enseignants, mais aussi des 24 étudiants, des personnels de service et des représentants des secteurs économiques ou des instances régionales.

Ces établissements publics à caractère scientifique, culturel et professionnel, sont de plusieurs types. A côté de l'Institut d'études politiques de Paris (IEP) et des instituts nationaux 28 polytechniques (INP), qui regroupent quatorze écoles d'ingénieurs à Grenoble, Nancy et Toulouse, existent les universités. Ce sont les établissements les plus connus et qui rassemblent le plus d'étudiants et d'enseignants.

Les universités sont au nombre de soixante-et-onze, auquel s'ajoute un centre universitaire 32 (Avignon). La dernière université créée a été celle du Havre par un décret du 28 août 1984. Les trois principes de la loi de 1968: autonomie, pluridisciplinarité et participation, s'appliquent à ces établissements.

Serge Bolloch, *Le Monde de l'Education*, novembre 1984

# I LES FORMATIONS DE L'ENSEIGNEMENT SUPERIEUR

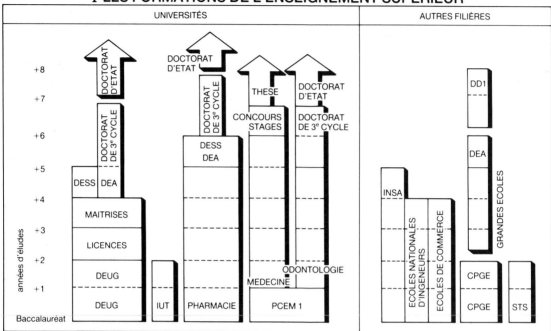

INSA: instituts nationaux de sciences appliquées; CPGE: classes préparatoires aux grandes écoles; DEA: diplôme d'études approfondies; DDI: diplôme de docteur ingénieur (un an après le DEA); DEUG: diplôme d'études universitaires générales; DESS: diplôme d'études supérieures spécialisées; IUT: institut universitaire de technologie; PCEM 1: premier cycle des études médicales.

# II EVOLUTION DES EFFECTIFS ETUDIANTS PAR DISCIPLINE

| DISCIPLINES | 1960-61 | 1962-63 | 1966-67 | 1968-69 | 1971-72 | 1974-75 | 1977-78 | 1981-82 | 1983-84 |
|---|---|---|---|---|---|---|---|---|---|
| Droit. . . . . . . . . . . . . . . . | 36 251 | 50 318 | 99 664 | 131 251 | 105 381 | 124 593 | 131 659 | 138 628 | 136 034 |
| Sciences économiques . . . . . . . . | | | | | 48 200 | 56 786 | 54 462 | 59 275 | 64 470 |
| Lettres (1) . . . . . . . . . . . . . . | 66 814 | 93 032 | 157 477 | 200 158 | 246 735 | 241 809 | 254 677 | 273 200 | 291 151 |
| Sciences . . . . . . . . . . . . . . | 71 102 | 89 882 | 129 607 | 124 791 | 120 808 | 123 715 | 133 140 | 144 715 | 157 401 |
| Médecine. . . . . . . . . . . . . . | 31 513 | 38 783 | 54 737 | 90 369 | 110 455 | 133 922 | 148 510 | 138 978 | 140 166 |
| Dentaire. . . . . . . . . . . . . . | | | | 7 501 | 9 566 | 10 902 | 12 470 | 11 361 | 11 067 |
| Pharmacie | 8 722 | 10 207 | 15 280 | 20 579 | 23 519 | 31 599 | 34 821 | 38 251 | 36 547 |
| Pluridisciplinaire (2) . . . . . . . . . | | | | | | 8 354 | 18 639 | 22 621 | 29 477 |
| Education physique et sport. | | | | | | | | 7 232 | 7 813 |
| I.U.T. . . . . . . . . . . . . . . . | | | 1 644 | 11 817 | 32 203 | 41 949 | 47 398 | 55 239 | 57 817 |
| **TOTAL**. . . . . . . . . . . . . . | **214 402** | **282 222** | **458 409** | **586 466** | **696 867** | **773 629** | **837 776** | **889 520** | **931 943** |

(1) Y compris, depuis les années 80, la formation des instituteurs (12 900 étudiants).
(2) Essentiellement administration économique et sociale (AES) et mathématiques appliquées aux sciences sociales (MASS).

# A. PREPARATION DU TEXTE

## Notes

*unités pédagogiques d'architecture (f) (6):* instituts et écoles où on étudie l'architecture.

*loi d'orientation de 1968 (f) (19):* loi d'orientation de l'Enseignement supérieur visant à la réforme des structures universitaires, qui a substitué aux anciennes facultés dans les universités (médecine, droit, sciences, lettres, et pharmacie), les unités d'enseignement et de recherche (UER) afin d'encourager la pluridisciplinarité (plus l'autonomie et la participation). Les UER se transforment progressivement en UFR (unités de formation et de recherche).

*1968 (19):* l'année de crise sociale et politique où les émeutes estudiantines et un puissant mouvement de grèves dans toute la France ont révélé un profond malaise de la société française.

*Edgar Faure* (1968–1969), *Alain Savary* (1981–1984) *(19, 21):* ministres de l'Education nationale de la V$^e$ République qui ont donné leur nom à deux réformes importantes de l'enseignement supérieur (1968, 1984).

*établissements publics (21):* parallèlement au service public d'éducation il existe à tous les niveaux un secteur privé (privé confessionnel, privé à but lucratif, privé patronal). Dans l'enseignement supérieur de nombreuses écoles d'ingénieurs et instituts de formation de cadres ont un statut privé. De plus il y a cinq centres universitaires catholiques.

## Vocabulaire

1. Trouvez dans le dictionnaire les sens multiples des mots suivants: *unités (6), unir, orientation (19), orienter, établissements (20), établir,* et dressez une liste des mots avec lesquels ils peuvent se combiner.

2. Traduisez en anglais les mots et expressions suivants:
*formations (2), relèvent du (6), concourent à (9), accueillent, effectifs très importants (10), dispensent (11), débouchant sur (11), contenu (12), encadrement (14), nuances (16), a précisé (21), instances (26).*

3. Dressez une liste d'au moins cinq mots tirés du texte montrant la diversité des disciplines qui sont offertes par les universités et les écoles dans l'enseignement supérieur français.

## Commentaire grammatical

### (i) The article

Use/non-use of articles in the phrase:
noun + *de* + noun
(a) where the second noun is preceded by an article,
e.g. *le ministère de l'éducation nationale (5), ministère de l'urbanisme et du logement (7)*
Here both nouns are of equal status. See GS 5, §4, pp. 94–96.
(b) where the second noun is not preceded by an article,
e.g. *loi d'orientation (19), personnels de service (25)*

Here the emphasis is on the first noun, with the second functioning like an adjective.

Some of these have become idiomatic compounds,
e.g. *système d'enseignement supérieur (1),*
cp. *chemin de fer, chemise de nuit,* etc. See GS 5, §3.1.4, p. 93.

The article in dates: the definite article is used to denote a specific date,
e.g. *la loi du 26 janvier 1984 (20), un décret du 28 août 1984 (33),*
cp. *la loi d'orientation de 1968 (19).*

Note also *le 13 mars*, and even more specifically *le mercredi 13 mars*, although *mercredi, le 13 mars* is also possible.

The article with towns and countries:
(a) generally, the definite article is not used with towns. However, it may be part of the name of the town, in which case it must be included,
e.g. *celle du Havre (33), je reviens de la Rochelle, il se rend aux Sables d'Olonne, la gare des Aubrais,*
cp. *l'Institut d'études politiques de Paris (28); à Grenoble, Nancy et Toulouse (29–30).*
(b) generally, the definite article is used with names of countries,
e.g. *la France possède (1), Dans la France de 1984 (9).* See also GS 5, §3.1.3, p. 92, and §4.1.5, p. 95. Note how location and destination are expressed, GS 11, §2.1, p. 204, and p. 195.

Articles are normally omitted in lists, and often when nouns are grouped in pairs,
e.g. *autonomie, pluridisciplinarité et participation (34), écoles et universités (3).* See also GS 5, §3.4.2, p. 94.
If, however, they are used before the first noun of a series, they are repeated before each following noun,
e.g. *Elle boit du vin, de la bière et de l'eau.*

Articles are usually, but not always, omitted when nouns or noun phrases are in apposition,
e.g. *La loi d'orientation de 1268, oeuvre de M. Edgar Faure (19); Les établissements publics à caractère scientifique, culturel et professionnel (EPCSCP), nouvelle appellation (21–22).* See GS 5, §3.3, p. 93, and p. 48.

Some indefinite adjectives *différents, plusieurs, certains, divers, quelques* may function as articles, in which case the article is omitted,
e.g. *différents types d'établissements (9), quelques nuances (15–16), plusieurs modes d'accès (16), certaines adaptations (21),*
cp. *à certains types de fonctions (13); elle est partie avec plusieurs professeurs; ils ont lu différents journaux; il en a parlé à diverses*

*personnes.* See GS 5, §4.2.1, p. 95, and pp. 141–142.

The definite article is used to form superlatives:
e.g. *les établissements les plus connus (30), le plus d'étudiants (31).* See. p. 108, and GS 12, §1, pp. 223–224. Note that the article is omitted after expressions of quantity, unless the noun is made specific by the context, e.g. *trop du vin que vous m'avez donné est éventé.* See GS 5, §3.1.2, p. 92.

The definite articles are used with *de* and *à* when the prepositions form part of a verbal or prepositional phrase,
e.g. *relèvent du ministère (6–7), concourent à la formation (9), au long des siècles (3), A côté de l'Institut (28).*
Note that the prepositions are repeated before every noun governed by the verbal or prepositional phrase,
e.g. *relèvent du ministère . . . de celui . . . (6–8), A côté de l'Institut . . . et des instituts (28).*

Compare the use of the articles in French where in English they would be omitted:
(a) *une sélection (17), un développement (20)*
    The singular indefinite article is used to express new information. The nouns refer to specific but indefinite things.
(b) *des effectifs très importants (10), des formations (11), sur des diplômes (11), des représentants (24)*
    The plural indefinite article is used to express an unspecified or indeterminate plural number, and new information. See GS 5, §4.2.1, p. 95.
(c) *Les unités pédagogiques d'architecture (6)* ('architecture'/'architecture courses')
    The plural **definite** article is used to express generalities. See also p. 74, and GS 5, §§4.1.2 and 4.1.3, pp. 94–95.

Differences in the use and meanings of plural articles in English and French are illustrated in the following table:

| English | Definite | Indefinite | Specific | Generic | French |
|---|---|---|---|---|---|
| **The** students are demonstrating | + | − | + | − | *Les étudiants manifestent . . .* |
| Students are demonstrating | − | + | + | − | *Des étudiants manifestent . . .* |
| Students often demonstrate | + | − | − | + | *Les étudiants manifestent . . .* |

### (ii) Other grammar points

Repetition of the prepositions **à, de** and **en:**
*relèvent du ministère . . . de celui (6–8), aux structures et aux formations dispensées différentes (2):* normally *à, de* and *en* are repeated before each noun or verb they introduce. There are some contexts, however, in which they are not. This occurs, for example, when the nouns and verbs in the group are considered as a single unit or idea: *à Grenoble, Nancy et Toulouse (29–30); ces hommes étaient destinés à vivre et mourir*, or in set expressions or proper nouns: *Il aime à aller et venir; Ecole des arts et métiers.*

Ways of expressing the passive:
(a) *se sont développées, transformées, multipliées (3):* compound tenses of pronominal verbs are formed with *être*, and may have a passive meaning when the subject is inanimate. Here the perfect tense indicates completion of the events and links them with the present time ('have developed, changed, multiplied'/'have been developed, changed, multiplied'). The length of time indicated in *au long des siècles* suggests that the events have been continuous over a period of time. (See p. 4.)
(b) *est pratiquée (17), sont régis par, sont dirigés par (23–24):* the present tense of *être* + the past participle of transitive verbs, especially when the complement is explicit, expresses a continuous state of affairs ('is carried out/operates', 'are controlled by', 'are guided/governed/run by'). See GS 3, §3.2.1, pp. 53–54.
(c) *élu par (24):* the past participle standing alone may replace a relative clause *qui est (a été) élu par*. See also GS 3, §3, pp. 53–54.

Inversion of subject and verb:
Note the optional inversion of subject and verb in certain types of relative clause: *où coexiste (1–2), où siègent (24), auquel s'ajoute (32).* See GS 7, §1.1.2, p. 134.
Inversion also occurs with *coexistent (16)* and *existent (30).* It is used here mainly for reasons of style, since the subject could have been placed before the verb. It ensures a better balance within the sentence and avoids having a short verbal element at the end. The order also serves to link closely the information at the end of one sentence with the information in the following sentence: *. . . coexistent plusieurs modes d'accès. Une sélection est pratiquée . . . (16–17); . . . existent les universités. Ce sont les établissements les plus connus . . . (30).*

---

### Compréhension du texte

1. Quelles sont, d'après l'auteur, les différences principales entre les universités et les grandes écoles ou écoles supérieures?

2. Expliquez les principes de la loi d'orientation.

3. Les étudiants sont-ils soumis à une sélection pour entrer dans les universités?

4. Pourquoi la gestion des établissements d'enseignement renforce-t-elle la complexité du système d'enseignement supérieur français?

# B. EXERCICES DE RENFORCEMENT

## A l'oral

1. Préparez des réponses orales aux questions suivantes:

(a) Pourquoi, selon l'auteur, la France a-t-elle un système d'enseignement supérieur qui ne ressemble pas à celui des autres pays?

(b) Quelles sont les filières ouvertes aux jeunes Français désireux de poursuivre leurs études à la fin du secondaire?

(c) Donnez en français les dates suivantes: 1900, 1911, 1921, 1931, 1961, 1971, 1986, 1991, 1999, 2000.

(d) Combien d'étudiants en droit y avait-il en France en 1971–1972? (Référez-vous au tableau II, p. 76.)

(e) Toujours en vous référant au tableau II, donnez les effectifs étudiants par discipline pour les années 1960–1961 et 1983–1984.

(f) Préparez un paragraphe, à la première personne, présentant des arguments favorables ou défavorables à un enseignement supérieur élitiste.

## Exercices lexicaux

2. Formez des phrases à partir des expressions suivantes tirées du texte, tout en gardant le sens qu'elles ont dans le texte: *à la différence des (1)*, *à l'entrée de (17)*, *a permis (19)*, *à caractère (21–22)*, *qui regroupent (29)*, *qui rassemblent (30)*.

3. Expliquez en français la signification des mots suivants: *diversité (2)*, *modes (16)*, *appellation (22)*, *tutelle (23)*, *enseignants (24)*, *publics (27)*.

## Exercices grammaticaux et structuraux

4. Dans le passage ci-dessous remplissez les blancs en utilisant *le/la/les/un/une/des/de/du/de la/des* ou rien du tout. Pour vous aider voir le Commentaire grammatical et aussi GS 5, §§3 et 4, pp. 92–96.

Dans ——— universités ——— France existent plus ——— sept cent cinquante unités ——— enseignement et ——— recherche (UER) (que ——— ——— nouvelle loi appelle unités ——— formation et ——— recherche, UFR!), qui s'appellent encore ——— facultés, ——— instituts ou ——— départements. Ce sont ——— cellules ——— base ——— enseignement universitaire. Elles disposent ——— quelques pouvoirs financiers et sont administrées par un conseil élu. Leur taille et leur fonction sont très variables. Il existe ——— UER à vocation ——— formation générale—par exemple ——— UER ——— 1$^{er}$ cycle—et ——— UER orientées vers ——— formations spécialisées, en particulier celles qui ont repris ——— ——— activités ——— anciennes facultés ou ——— instituts (comme ——— UER ——— droit, ——— lettres ou ——— sciences). Enfin, ——— UER sont spécialisées vers ——— études doctorales (troisième cycle universitaire) et ——— recherche.

5. Traduisez en français les phrases suivantes:

(a) There is no general agreement about the role of education in society.

(b) In the last thirty years the French education system has undergone various changes.

(c) Twentieth-century France, hampered by the Napoleonic education system, has had to introduce new policies in order to solve some of the problems inherited.

(d) Major changes were proposed by M. René Haby, the Education Minister, after the July 1975 Education Act.

(e) Various efforts are being made to increase

the vocational content of university courses.

(f) In contrast with students in Britain, most of the students in France do not receive financial support during their university studies.

(g) The aims of higher education are set out in the Higher Education Act of 12 November 1968.

(h) Universities in France have always accepted young people with the baccalaureat.

(i) Students are selected by competitive entrance examinations for the *grandes écoles*.

(j) University teachers are not the only pressure group the Minister has to face.

(k) Teachers were among protesters outside the Ministry of Defence.

6. Identifiez dans le texte quatre participes passés et transformez-les en propositions relatives sur le modèle: *un président élu par un conseil (24)→ un président qui a été élu par un conseil*. Faites attention au temps du verbe. Voir GS 3, §3, pp. 53–54, et p. 48.

# C. EXPLOITATION DU TEXTE

## *A l'oral*

1. Sujet de discussion: Vous rencontrez des étudiants français qui viennent de passer six mois dans votre université. Selon eux, l'enseignement ne sert qu'à former des chômeurs instruits. Ils s'expliquent. Vous voulez marquer votre désaccord, en essayant de les convaincre que les étudiants chôment moins que les autres jeunes de leur âge. Donnez des arguments et des exemples concrets pour justifier votre position.
En fin de compte, est-il facile d'être catégorique?

2. Sujet de discussion: Imaginez un débat dans lequel des enseignants, des parents, des étudiants et des représentants du Ministère de l'Education discutent du thème: « La formation est la clé de notre avenir collectif ».

## *A l'écrit*

3. Rédaction: « Ce que j'attends de mes études universitaires » (500 mots).

4. Version: Traduisez en anglais le texte suivant:
Avant mai 1981, la dualité du système d'enseignement supérieur, partagé entre universités et grandes écoles, était souvent dénoncée à gauche. Le programme commun PC–PS ainsi que le Manifeste du Parti radical proposaient l'intégration des grandes écoles dans l'Université. Et le Parti socialiste y voyait le moyen « de faire disparaître les cloisonnements de l'enseignement supérieur qui caractérisent notre organisation scolaire et perpétuent les ségrégations sociales ». Les rapports dont s'est inspirée la loi d'orientation Savary, appliquée depuis la dernière rentrée, prévoyaient bien un rapprochement entre les universités et les grandes écoles. Selon les collaborateurs d'Alain Savary, ce projet a été contrecarré par le « lobby » des grandes écoles, qui trouverait un écho jusque dans l'antichambre de Matignon et de l'Elysée. On a donc laissé en l'état le système des grandes écoles, en se contentant de susciter un accroissement des effectifs.

*Le Monde de l'Education*, mai 1985

5. Thème: Traduisez en français:

Finally, after many years of education, the student emerges, looking for a job. This is when employers find out whether he has been adequately prepared and when the young applicant suddenly faces realities which may not have occurred to him throughout his school and university life. Even those who leave the education system with no qualifications may face similar anxieties to others who have a postgraduate degree.

'Will there be job for me, and will I need more training before I can do it properly?'.

It may be the student with the PhD degree who has the greatest worry, for his twenty years of continuous study may have done little to prepare him for many of the jobs open to him.

In 1974, 300,000 young people in Britain went into jobs where little or no further training was provided. It is worth noting that of the 600,000 young French school-leavers, aged 15–19, looking for jobs in the summer of 1975, two-thirds had some kind of professional or technical training.

M. Wilkinson, *Lessons from Europe, A Comparison of British and West European Schooling*, Centre for Policy Studies, 1977

# *TEXTE DEUX:* Enfances, adolescences

L'école communale d'hier, rurale et républicaine, ne joue plus dans les campagnes le rôle de creuset qu'elle eut pendant soixante ans. Dépeuplement, télévision, recrutement plus difficile de maîtres ont changé le climat idéologique. La vedette est passée aux écoles primaires des villes, souvent installées de façon moderne et appliquant les méthodes pédagogiques nouvelles. Les «écoles pilotes», animées par des maîtres intelligents, l'emportent sur les cours privés survivants. La bourgeoisie y envoie volontiers ses enfants: cette nouvelle attitude fera plus qu'on ne croit pour la mobilité sociale. L'instituteur d'hier, ce saint laïque, cet apôtre de la démocratie qui apprit à plusieurs générations les pleins et les déliés, l'orthographe et le civisme, est en voie de disparition. L'instituteur d'aujourd'hui — loin des villes surtout — lutte pour son salaire et sa promotion sociale. Il vit et travaille parfois dans des conditions déplorables. Il forme la base de l'électorat de gauche non communiste, croit dans le syndicalisme et nourrit souvent des aigreurs, des méfiances plus réactionnaires qu'il ne croit. Au vrai, la «France de la Communale», si vivante entre Jules Ferry et 1914 (et même 1936), se métamorphose sans qu'on sente surgir aucune mythologie assez forte pour succéder à ses valeurs vieillissantes.

Longtemps, les deux grands seuils scolaires furent: à onze ans le passage du primaire au secondaire et au lycée; à quatorze la fin de l'école obligatoire et l'entrée en apprentissage ou à l'école professionnelle. C'était entre ces deux passages que se scindait la société française en deux catégories: les futurs anciens bacheliers et les autres: ceux qui pensaient accéder au statut de bourgeoisie et ceux qui désespéraient d'y atteindre. Tout cela, que les réformes tentent de bousculer, reste vrai pour l'essentiel. Les résistances aux changements — qu'elles viennent des parents, des professeurs ou des enfants eux-mêmes — prouvent qu'il ne suffit pas de réclamer une révolution pour souhaiter sincèrement des réformes, et que le vieil homme, même dans l'adolescent, reste vivace . . .

La «France du bachot»: la verrons-nous sombrer, emportée par le bon sens et la nécessité? On n'ose espérer que presque un siècle d'obstination cède aussi aisément. Toutes les plaisanteries et les lamentations sur ce sujet sont justifiées. Il est vrai de dire que le bachot a été la grande maladie de la petite bourgeoisie, l'obsession des pères de famille, le symbole de l'accession à la classe moyenne. Pas de bachot? en bleu de travail et les ongles noirs! Bachelier? En route pour les titres universitaires et les professions prestigieuses.

Hélas! tombé de plus en plus bas, le baccalauréat avait cessé de signifier en lui-même quoi que ce fût et il ne constituait plus un filtre assez serré avant l'Université. Il permettait à n'importe quel bachelier, eût-il été «repêché» avec huit sur vingt de moyenne, de s'inscrire à n'importe quelle faculté où il allait occuper une place, mobiliser des efforts et de l'argent,

36  jusqu'à ce que, de guerre lasse, il renonçât. Après quoi, dépité, humilié, il se retournerait vers les emplois médiocres du commerce, vers une bureaucratie dont il accentuerait encore les défauts et les paralysies, tout en rongeant son frein une vie durant. Vers 1967, avant l'explosion de l'année suivante, on savait que sept sur dix des étudiants de première année de faculté ne parviendraient jamais au niveau de la licence . . . Gâchis de force, de place, de

40  crédits. Usure des psychologies. Mauvaise répartition des efforts puisque, pendant ce temps, le pays manquait des techniciens et des agents de maîtrise bien rémunérés en quoi la bourgeoisie refusait de transformer ses fils.

François Nourissier, *Vive la France*, Laffont, 1970

# A.  PREPARATION DU TEXTE

## *Notes*

*L'école communale (1):* cp. *la Communale (13),* c'est l'école élémentaire et laïque établie dans chaque commune. Voir p. 89.

*La vedette est passée aux écoles primaires . . . (3–4):* 'the primary schools . . . are now in the limelight . . .'

*'écoles pilotes' (f) (5):* écoles expérimentales où des méthodes nouvelles de pédagogie sont utilisées. *Les cours privés survivants (6)* s'applique aux écoles privées tenues d'habitude par des prêtres.

*ce saint laïque, cet apôtre de la démocratie (8):* termes religieux évoquant le prestige et les fonctions de l'instituteur à une époque où un gouvernement *républicain (1)* et anticlérical reprenait l'enseignement d'entre les mains de l'Eglise.

*les pleins et les déliés (m) (8–9):* différents aspects de l'écriture à la plume: les lignes grasses et plus fines du tracé d'une lettre.

*Jules Ferry (13–14):* ministre de l'Instruction publique (c'est-à-dire de l'Education nationale)

1879–85, il a créé le système d'enseignement élémentaire d'Etat, obligatoire et gratuit. Voir thème p. 88.

*1936 (14):* l'année de l'arrivée au pouvoir d'un gouvernement de gauche, du Front Populaire. La période entre Ferry et le Front Populaire correspond plus ou moins à celle de la Troisième République.

*bachot (m) (25):* abréviation familière de 'baccalauréat'.

*eût-il été 'repêché' (33):* 'even if he had just scraped through'. Les candidats avec 10 sur 20 sont reçus automatiquement au baccalauréat. Certains ayant atteint une note au-dessous de la *moyenne (33)* peuvent être reçus (ou *repêchés*) après l'oral de contrôle.

*agents de maîtrise (m) (41):* techniciens formant les cadres inférieurs d'une entreprise, c'est-à-dire les contre-maîtres ou chefs d'équipe. Voir p. 67.

Voir aussi le Dossier p. 89.

## *Vocabulaire*

1. Dressez une liste de 20 mots tirés du texte ayant trait à l'enseignement et notez leur sens en français.

2. Traduisez en anglais les mots et expressions suivants selon leur contexte:
*creuset (2), Dépeuplement (2), en voie de disparition (9), nourrit des aigreurs (12), seuils scolaires*

*(16), se scindait (18), futurs anciens bacheliers (19), accéder (19), s'inscrire (33), de guerre lasse (35), dépité (35), rongeant son frein (37), crédits (40).*

3. Expliquez le sens des expressions suivantes

dans leur contexte:
*climat idéologique (3)*
*gauche non communiste (11–12)*
*mythologie (14)*
*mobiliser des efforts (34)*
*Usure des psychologies (40)*

## Commentaire grammatical

### (i) Uses of articles

Note the cases in ¶1 where the **definite** and **indefinite articles** are used in French where in direct translation into English they would be omitted:

(a) Definite article:
*les méthodes pédagogiques nouvelles (4–5):* 'modern teaching methods';
*la mobilité sociale (7):* 'social mobility'.
These are cases of the definite article being used with nouns expressing generalities (the generic use), and abstracts. See GS 5, §§4.1.2 and 4.1.3, pp. 94–95.

(b) Indefinite article:
*par des maîtres intelligents (5):* 'by intelligent teachers' (not 'by all teachers' or 'by teachers in general').
Here the indefinite article (plural) is used to express an unspecified (plural) number. See GS 5, §4.2.1, p. 95.

The respective uses of the **indefinite** and **partitive articles** are seen in *il allait occuper une place, mobiliser des efforts et de l'argent (34).* In each case the article is attached to a noun which has no specific reference and which has not been mentioned before (cp. *Mauvaise répartition des (de + les) efforts (40),* where *efforts* refers back to a previous use of the word, and so the definite article is used). In line 34 the indefinite article is used with *place* (sing.) and *efforts* (pl.) since they are 'count-nouns' and thus have plurals, whereas the partitive article is used with *argent* because it is a 'non-count-noun'. See GS 5, §4.2.3, p. 96.

### (ii) Other grammar points

### Equivalents of ANY

(a) Partitive articles: in questions:
'Have you any money?': *Vous avez de l'argent?*

(b) Indefinite articles:
'Do you know any law students?': *Connaissez-vous des étudiants en droit?*

(c) **en**: in negative replies:
'I don't know any': *Je n'en connais pas/point/aucun.*

(d) **Aucun**: almost always occurs in correlation with **ne** . . . to mean 'not any'. In the text it occurs not with *ne* but with *sans que,* another negative idea: *sans qu'on sente surgir aucune mythologie (14).*

(e) **Quoi que ce soit**, or. its past tense form, after a negative idea: *avait cessé de signifier . . . quoi que ce fût (31–32):* 'no longer meant anything at all.'
It is more emphatic than **rien** (cp. *il ne signifiait plus rien*).

(f) **Tout**: *En tout cas:* 'in any case' — Where 'any' = 'any and every': *Toute personne franchissant cette barrière sera punie* (cp. *Quiconque franchira . . .*).

(g) **N'importe quel**: 'any one at all':
*n'importe quel bachelier (33), n'importe quelle faculté (34).*
Cp. 'I don't mind where I go, anywhere will do': *J'irai n'importe où;* 'I'd do anything (rather than teach)': *Je ferais n'importe quoi* . . .

## Compréhension du texte

1. Indiquez trois aspects de l'enseignement en France qui subissent des changements.

2. Expliquez le double rôle de l'instituteur rural sous la 3e République.

3. Pourquoi l'instituteur d'aujourd'hui a-t-il perdu de son prestige?

4. Qu'est-ce que les *réformes (20)* essaient de changer?

5. Qu'est-ce que l'auteur trouve à critiquer dans le baccalauréat?

6. L'auteur approuve-t-il les changements qu'on est en train de mettre en œuvre dans l'ensemble de l'éducation en France? Justifiez votre réponse par des citations du texte.

# B. EXERCICES DE RENFORCEMENT

## A l'oral

1. Préparez des réponses orales aux questions suivantes:

(a) Quelle est la différence entre les notions de *mobilité sociale (7)* et *promotion sociale (10)*? Donnez des exemples.

(b) Quels furent pendant longtemps les deux grands seuils scolaires, et quelles en étaient les conséquences sociales?
(c) Quels aspects du système universitaire français ont besoin d'être réformés, d'après le texte?

## Exercices lexicaux

2. Construisez des phrases pour faire ressortir la signification des verbes suivants:
*se méfier* (cp. *12*), *se défier, surgir (14), gâcher* (cp. *39*), *user* (cp. *40*).

3. Complétez les phrases ci-dessous par un mot tiré du texte:

(a) Le bassin méditerranéen a été le . . . de brillantes civilisations.  (¶1)
(b) Le ministre de l'Education nationale était en . . . hier à l'Assemblée nationale lors de sa brillante intervention.  (¶1)
(c) Soixante ans: le . . . de la vieillesse.  (¶2)
(d) Dans une lettre ouverte au gouvernement, les syndicats . . . une augmentation de salaire.  (¶2)
(e) Après la perte de sa femme et de son argent, il a . . . dans le désespoir et la misère.  (¶3)
(f) Son . . . au rang d'ambassadeur l'a rempli d'orgueil.  (¶3)
(g) Puisqu'il n'a pas eu son bachot, il a dû . . . à son idée de s'inscrire à la faculté de droit.  (¶4)
(h) Ce projet me semble coûteux: sa réalisation exigera d'importants . . .  (¶4)

4. Traduisez en français les phrases suivantes en utilisant des mots ou expressions puisés dans le texte pour les mots imprimés en italique:

(a) I'll show you the way *to reach the grade of* foreman.
(b) The work is *nearing* completion.
(c) The union *was being split* into two factions.
(d) In order to learn it *is not enough just to* come to classes.
(e) He was not *allowed* to go to university.
(f) Four *out of* five wives remain faithful to their husbands *all their lives*.

## Exercices grammaticaux et structuraux

5. Cherchez dans les trois derniers paragraphes du texte les substantifs qui prennent un article en français et qui n'en prendraient pas dans une traduction anglaise.

Par exemple: au premier paragraphe, *les méthodes pédagogiques nouvelles (4–5)* serait traduit par 'modern teaching methods'.

Classez vos exemples selon les catégories de GS 5, §4, pp. 94–96 et du Commentaire grammatical ci-dessus.

6. Articles: Remplissez les blancs dans le passage ci-dessous. Vous aurez à mettre *l'/le/la/ les/un/une/des/de/du/de la/de l'* ou rien du tout (voir le Commentaire grammatical et GS 5). S'il y a une alternative, expliquez la différence de sens qui en résulte.

A la fin du siècle dernier, l'instituteur apparaissait dans le quartier, dans le village, comme . . . 'notable admiré', à qui on demandait . . . conseil. Pour l'enfant du peuple, . . . fils d'ouvrier, d'employé, de petit cultivateur ou de fonctionnaire subalterne, devenir . . . instituteur était une grande promotion sociale. Maintenant, avec des besoins accrus en . . . techniciens de plus en plus qualifiés, les études primaires ne sont qu(e) . . . premier maillon d'une chaîne de plus en plus longue. Suivi, dans la vie scolaire ou post-scolaire des jeunes par . . . autres maîtres plus spécialisés, on comprend que l'instituteur ait perdu . . . part de son prestige. Mais l'image ancienne subsiste dans . . . nombreux esprits, et elle n'est pas sans susciter . . . amertume chez les instituteurs d'aujourd'hui.

*maillon* = 'link (of a chain)'

7. Traduisez en français (voir le Commentaire grammatical):

(a) We haven't any classes today. Have you got any?
(b) Any schoolmaster wanting a higher salary should join (*adhérer à*) the union.
(c) Anyone can reach second year level in law.
(d) If the present state of affairs lasts any longer, I shall have to demand changes in teaching methods.
(e) He does not get any salary during his apprenticeship.
(f) I didn't succeed in doing anything at all to overcome his mistrust.
(g) Any qualified technician can achieve the status of foreman in any of our factories.

---

# C. EXPLOITATION DU TEXTE

## A l'oral

1. Sujet de discussion: Pourquoi, à votre avis, la bourgeoisie refuse-t-elle de transformer ses fils en *techniciens* et *agents de maîtrise bien rémunérés (41)*? Que pensez-vous de ces attitudes?

2. Sujet de discussion: Comparez les problèmes rencontrés dans l'enseignement français (selon ce texte) et ceux qui existent actuellement dans notre pays.

---

## A l'écrit

3. Résumé: Résumez en français l'argument de l'auteur. (150 mots)

4. Rédaction dirigée: Pour ou contre la sélection dans l'éducation? (200 mots au minimum.)

Pour vous aider, suivez les arguments ci-dessous, en les reprenant à votre compte ou en les réfutant, avant de donner votre conclusion personnelle:

INTRODUCTION: Qu'est-ce que la sélection?

RAISONS AVANCÉES POUR LA SÉLECTION: Crédits limités. Aptitudes et capacités différentes des enfants ou étudiants. Besoins de la société.

RAISONS AVANCÉES CONTRE LA SÉLECTION: Injustice sociale. Evaluation des aptitudes des enfants faussée par l'influence du milieu familial.

Invalidité des examens comme méthode de sélection.

CONCLUSION: Le système que vous préférez. Le plus puissant de tous les arguments invoqués.

5. Version: Traduisez en anglais les lignes *31–42.*

6. Thème: Traduisez en français, en vous servant le plus possible d'expressions tirées du texte:

### Jules Ferry and the *Ecole sans Dieu*

Ferry, who throughout his life strove to change the ideological climate of France, succeeded, through his reform of the educational system, in creating the Republican mythology of

4 democracy. As a free-thinker and an atheist he believed in Science and Reason for running human affairs, and was convinced that progress was possible in society. Thus he sought to free future generations from Church influence. As a Republican he believed in a secular system of education, under state control, which would emphasise democratic ideology,

8 national unity and the duties of the citizen.

After setting up a system of free, obligatory, secular, elementary education in the 1880's, Ferry felt that any Frenchman, whether he came from the capital or the provinces, even if his parents were the poorest of peasants, would have the chance of becoming a minister, judge

12 or even . . . archbishop.

# Dossier: L'Education nationale

Quelques sigles et termes en usage dans l'Education nationale:

## 1. Types d'établissements

*(Ecole) maternelle:* accueille les enfants entre 2 et 6 ans.

*(Ecole) primaire:* accueille les enfants de 6 ans (scolarité obligatoire) à 11 ans — un an de cours préparatoire (CP), deux ans de cours élémentaire (CE₁ et CE₂), et deux ans de cours moyen (CM₁ et CM₂). (See p. 84.)

*Premier cycle du second degré:*
*Collège:* reçoit tous les élèves, en principe de 11 à 15 ans — le cycle d'observation (enseignement commun), le cycle d'orientation (enseignement commun + «options»).

*Second cycle court:*
*Lycée d'Enseignement Professionnel* (LEP): les élèves peuvent y préparer en trois ans un *Certificat d'Aptitude Professionnel* (CAP), ou obtenir en deux ans un *Brevet d'Etudes Professionnel* (BEP).

*Second cycle long:*
*Lycée*: après le collège, les élèves sont admis à préparer en trois ans (de 15 à 18/19 ans) un *Baccalauréat* ou un *Brevet de Technicien* (BT).

*Ecole normale:* établissement de formation professionnelle des maîtres de l'enseignement primaire, 'College of Education'.

*Grandes Ecoles:* Il existe un certain nombre de Grandes Ecoles, dont certaines dépassent en prestige les facultés, par exemple l'*Ecole Normale Supérieure* (Lettres), l'*Ecole Nationale d'Administration* (ENA), l'*Ecole des Hautes Etudes Commerciales* (HEC), l'*Ecole Polytechnique* (Science). On n'y entre que par un concours. L'élite française dans tous les domaines sort des Grandes Ecoles.

## 2. Personnel des établissements

*Principal:* chef d'établissement dans les collèges.

*Proviseur:* chef d'établissement dans les lycées.

*Censeur:* administrateur chargé de l'organisation des études dans les lycées.

*Directeur/Directrice:* chef d'établissement dans les lycées.

*Président:* chef d'établissement dans les universités.

*Maître de conférence, maître assistant:* enseignants dans les universités. 'Senior lecturer, lecturer'.

## 3. Examens et études

*(a) Enseignement secondaire:*
*Brevet des Collèges:* délivré par le Conseil de classe à la fin du premier cycle du second degré.

*Baccalauréat:* diplôme de fin d'études secondaires, accordé après examen à la fin de la *classe terminale* dans une des sections suivantes:

A Philosophie — Lettres
B Economique et social
C Mathématiques et Sciences physiques
D Mathématiques et Sciences de la Nature
E Mathématiques et Technique
F Quatre ensembles d'options:
 – option technologies industrielles
 – option sciences et technologies de laboratoire
 – option sciences médico-sociales
 – option musique
G Techniques administratives, de gestion, commerciales
H Informatique, Programmation

Il existe maintenant plusiers nouveaux baccalauréats qui répondent mieux aux besoins de la société moderne. Il existe aussi un BT: *Brevet de technicien du secteur industriel* (électricité, céramique, bâtiment et travaux publics . . . ), ou BT divers (ameublement, tourisme . . .)

*Classes:* elles vont de la *sixième* (début de l'enseignement secondaire) à la *terminale* (dernière classe, après la classe de *première*). Les études secondaires durent donc sept ans.

*(b) Enseignement supérieur*
*Agrégation:* titre le plus élevé que reçoivent les professeurs de l'enseignement secondaire à l'issue d'un concours: ses titulaires sont les *agrégés*. Le concours est un examen compétitif qui admet aux postes les plus élevés de l'enseignement.

*CAPES: Certificat d'Aptitude Professionnelle à l'Enseignement Secondaire:* ses titulaires sont les professeurs certifiés.

*Licence:* diplôme décerné après trois années d'études universitaires, 'BA or BSc degree'.

*Maîtrise:* l'obtention de la licence permet de préparer en un an la maîtrise = études + mémoire ('dissertation').

*DEUG: Diplôme d'études universitaires générales* de fin de premier cycle universitaire (2 ans).

Le contrôle des connaissances est assuré pendant l'année universitaire (contrôle continu = 'continuous assessment') au cours de séances de travaux pratiques (TP), de travaux dirigés (TD = 'tutorials') et d'examens périodiques ou terminaux.

# GRAMMAR SECTION 5: *The Articles*

§1.   **Forms**
§2.   **Function**
§3.   **Omission of the Article**
§4.   **Use of the Article**

## §1.   Forms

*1.1*   Definite:   *le, la, les* (see §4.1)
Indefinite: *un, une, des, de* (see §4.2.1)
Partitive:   *du, de la, de* (see §4.2.3)

The definite articles *le* and *les* combine with the prepositions *de* and *à*, when these immediately precede, giving *du/des* and *au/aux*.

---

*1.2*   The indefinite article and the partitive article both become *de* in certain circumstances:

(a) before a direct object of a negated verb,
e.g. *J'ai **un** stylo/**du** fromage
      Je n'ai pas **de** stylo/**de** fromage.*

(b) before an adjective preceding a plural noun,

e.g. *Nous avons **des** enfants
      Nous avons **de** bons enfants.*

However, there are numerous exceptions to this rule in contemporary French,
e.g. *des petits pains, des jeunes gens, des grands groupes.*

---

*1.3*   The form *de* (including *du, de la, des*), it will now be clear, has two quite distinct functions in French:

(a) as a preposition ('of', 'from'),

e.g. *La salle **des** (de+les) professeurs.*

(b) as an article (indefinite or partitive),
e.g. *J'ai vu **des** professeurs.
      Nous n'avons pas **de** professeur.*

---

# §2.  Function

**2.1**   Articles belong to a class of words known as determiners. (For this term see the Glossary.) Nouns in French are usually accompanied by determiners of some sort. The function most of them share in French is to mark the distinction singular/plural. This is especially so in the spoken language where written markers of the plural are frequently not pronounced,

e.g.   *Les enfants mangent des poires*

| | | | | | |
|---|---|---|---|---|---|
| Written | + | + | + | + | + |
| Spoken | + | | | + | |

In this example we can see how the written language marks the plural on each of the five words in question, and how in the spoken language only the articles (*les* and *des*) have a separate form for the plural.

---

**2.2**   Nouns can occur with or without articles. When a noun occurs **without** an article its sense is general and unspecific,

e.g.   *Beaucoup d'enfants sont malheureux* ('Many children (in general) are unhappy').

When a noun occurs **with** an article its sense is usually (but not always, see §4.1.2–3) more specific,

e.g.   *Beaucoup des (de + les) enfants ici sont malheureux* ('Many of the children (the specific children in question) are unhappy').

---

# §3.   Omission of the Article

Nouns and noun phrases occur in three main situations: after a preposition (e.g. *Il a besoin d'amis*), after a verb (e.g. *Il a peur*), and after another noun (e.g. **Henri IV, roi** de France). Let us look at the non-use/use of articles in each of these groupings in turn.

## 3.1   After a preposition

**3.1.1**   After **prepositional** *de* articles containing the form *de* (i.e. *de, du, de la, des*) are always omitted. Let us take for example the sentence *Il lui faut des* (article) *amis*: if we replace *Il lui faut* by *Il a besoin de* we have *Il a besoin d'* (preposition) *amis*, i.e. *des* is omitted. *Le/la/les* and *un/une* are not omitted in this way,

e.g.   *Il a besoin d'un ami. Il a besoin des (de + les) amis de son père.*

**3.1.2**   After **expressions of quantity** like *peu de, assez de, beaucoup de, trop de, plus de, moins de*, etc. those articles which contain *de* are omitted,

e.g.   *Beaucoup d'enfants sont malheureux.*

However, if the noun is made specific by the context, the definite article will be used,

e.g.   *Beaucoup des (de + les) enfants (dans cette école) sont malheureux.*

Certain other expressions of quantity are normally accompanied by the definite article: *La plupart des* gens. Dans *bien des* cas.

**3.1.3**   After *en* the article is almost always omitted,

e.g.   *Nous sommes venus en voiture.*
       *On se marie tard en France.*

However, if the noun is qualified or made specific, not only is the article inserted, but *en* is replaced by *dans*,

e.g.   *Nous sommes venus dans la voiture de mon père.*
       *On se marie tard dans la France d'aujourd'hui.*

Exceptions to this pattern are the phrases *en l'an 1978, en l'église Notre Dame, en l'espèce* ('in that particular case'), *en l'air*, etc. See also GS 11, §2.1, p. 204 for names of countries.

### 3.1.4 Adjectival phrases:

Modern French creates many compound nouns on the basis of noun+preposition+noun,

e.g. *le chemin de fer, une chemise de nuit, un stage pour assistants, une chambre à air.*

Here the article is omitted before the second noun because reference is made to no specific *fer, nuit, assistants,* or *air.* The second noun serves merely as a distinguishing feature of the first noun. Cp. *le chien de berger* ('the sheep-dog') and *le chien du berger* ('the dog belonging to the shepherd').

### 3.1.5 Adverbial phrases:

e.g. *avec courage, à genoux, à pied, entre camarades, contre terre, par terre, sous terre, par mer, par avion,* etc.

In these cases the insertion of an article would restore to the noun its full nominal value, cp. *avec courage* ('courageously'), and *avec du courage* ('by bringing courage into play'). If the noun is qualified by an adjective, an article is inserted,

e.g. *Il s'est battu avec **un** courage **remarquable**.*

**3.1.6** After *sans* articles are frequently absent,

e.g. *Il est venu sans argent/sans partenaire/sans enthousiasme.*

However, if the noun is particularised the article is inserted,

e.g. *Il est venu sans **l'argent** **que lui avait donné sa mère**.*

---

## 3.2 After a verb

**3.2.1** As predicates of *être, devenir, rester,* etc. nouns not accompanied by an article perform an almost adjectival function — they place the subject in a general class (often a profession),

e.g. *Il est roi/médecin/Allemand.*
*Il est devenu maître de l'atelier.*
*Elle est restée veuve.*

If the noun is qualified by an adjective, an article is often inserted,

e.g. *C'est **un** roi/médecin/Allemand **admirable**.*
See also GS 1, §2.3.3, p. 16.

### 3.2.2 Idiomatic compounds:

e.g. *avoir peur/besoin/soif; perdre courage/connaissance; rendre service/visite,* etc.

In these cases, if the noun is qualified by an adjective, an article is inserted,

e.g. *Il avait **une** peur **atroce** de . . .*
*Elle m'a rendu **un grand** service.*

---

## 3.3. Nouns in apposition

The article is normally omitted before nouns in apposition, e.g. *Henri IV, roi de France* — here the second noun is seen as a general characteristic of the first; cp. *Henri IV, **le** roi de France* — here the second noun acts as a specific feature distinguishing one particular Henri IV from a series. This series might include Henry IV of England, Henry IV of Germany, etc. Other

examples of nouns in apposition are:
*Passy, faubourg de Paris. Il est franc, qualité rare. Il refusa net, chose inconcevable.*

A related omission of the article occurs after *comme* and *en tant que,*

e.g. *Je l'ai eu comme professeur.*
*Il l'a engagé en tant qu'ingénieur.*

---

## 3.4 In other constructions

**3.4.1** Articles are often omitted in negative sentences involving *ni . . . ni . . .* and *jamais,*

e.g. *Elle n'a ni père ni mère* and
*Jamais individu de notre espèce n'eut*

*naturellement moins de vanité que moi* (Rousseau).

This latter construction belongs mainly to the literary language.

**3.4.2  Lists:**

e.g. *Vieillards, hommes, femmes, enfants, tous voulaient me voir* (Montesquieu).

**3.4.3  Linguistic fossils:**

e.g. *Par monts et par vaux.*
*Nécessité est mère d'invention.*
*Noblesse oblige.*

EXERCISE A: Complete the following sentences by inserting in the gaps (if necessary) the relevant article. Remember §1.1.

(a) Pierre se nourrit uniquement de (____) gâteaux.

(b) M. V. Giscard d'Estaing, (____) Président de la République, va se rendre au Sénégal.
(c) J'ai (____) faim de loup.
(d) Il me faut la carte de (____) identité de chacun des visiteurs.
(e) Jean-Paul est (____) garçon intelligent.
(f) Ma sœur est (____) infirmière.
(g) C'est un peintre de (____) paysages.
(h) Sans (____) amitié de Jean-Paul j'aurais succombé.
(i) Nous n'avons pas (____) enfants.
(j) C'est le peintre de (____) paysages suspendus dans cette salle.

# §4.   Use of the Article

When an article accompanies a noun in French it usually implies that the sense of the noun is more specific and less general than if the article is absent. However, there are three articles in French and we have to choose between them. A basic distinction exists between the definite article on the one hand, and the indefinite and partitive articles on the other.

The **definite article** usually presents a noun as an item of information which the hearer knows about already,

e.g. *J'ai vu **le** monsieur hier   (Le monsieur dont on vient de parler). Donnez-moi **le** poisson. (Le poisson que vous avez pêché).*

The **indefinite article** and the **partitive article** present the noun as an item new to the conversation,

e.g. *J'ai vu **un** monsieur hier.*
*Donnez-moi **du** poisson.*

## 4.1   Definite article (le/la/les)

**4.1.1**   The basic function of the definite article is to link up the noun with the general context of the conversation or situation,

e.g. *J'ai mangé **le** fromage (que tu as acheté hier).*

Here the piece of cheese in question is already known to the hearer.

**4.1.2**   However, in Modern French the definite article has developed a secondary usage with nouns denoting the whole of a class,

e.g. *J'aime **le** fromage.* ('I like cheese (in general)').
*Les hommes sont mortels.* ('Men are mortal').
*L'homme est un animal raisonnable.* ('Man is an animal endowed with reason').

*Les chats aiment le poisson.* ('Cats like fish').

In these examples French uses articles where English does not.

Another problem faced by English speakers involves the confusion of *les* and *des* in these circumstances,

e.g. *Nous allons aider **les** pauvres.*
Cp. *Nous allons aider **des** pauvres.*

In the first sentence we intend to help the poor in general, with no particular poor people in mind. In the second sentence we intend to help only a certain number of poor people. Cp. §4.2.1.

**4.1.3**   A further development in the use of the article in Modern French concerns its use with abstract nouns, e.g. **La** *patience a des limites.  Il a toujours aimé* **la** *gloire.   Il nous a décrit les malheurs de* **la** *pauvreté.*

In these examples the abstract nouns are all used in a general sense, i.e. 'patience' in general, 'glory' in general, 'poverty' in general. See §4.2.4.

**4.1.4** With names for parts of the body or faculties of the mind, the definite article replaces the possessive adjective (*son, sa, ses*) in a number of contexts. Very often common sense indicates that the part of the body in question can belong only to the subject of the clause or sentence,
e.g. *Il a perdu* **la** *mémoire.*
*Il allait l'épée* **au** *poing.*

Sometimes possession is expressed by other means, particularly by the verb *avoir*,
e.g. *Il a* **les** *mains sales.*

With verbs other than *avoir* possession may be expressed by the dative and reflexive pronouns,
e.g. *Il* **lui** *a lavé* **les** *mains* ('He washed his (someone else's) hands') and *Il s'est lavé* **les** *mains* ('He washed his (own) hands').

French prefers this reflexive construction to use of the possessive adjective when the part of the body belongs to the subject of the verb,
e.g. *Il* **se** *gratte* **la** *tête* rather than *Il gratte sa tête*.

**4.1.5** It should also be noted that, unlike English, French uses the definite article before names of countries, counties, *départements*, mountains, etc: **la** *France,* **les** *Deux-Sèvres,* **le** *Mont Blanc*. In such phrases as *les vins de France*, the adjectival force of the last two words accounts for the absence of the article (cp. §3.1.4 above).

EXERCISE B: Translate into French:

(a) He was seized by a desire for vengeance.
(b) Desire for vengeance has poisoned his mind.
(c) Young people are no longer interested in sport.
(d) Surgeons had to amputate three people's legs.
(e) His eyes were hurting him.
(f) True satisfaction comes only to industrious people.
(g) She broke her arm.
(h) He showed his finger to his mother.

## 4.2   Indefinite and partitive articles

If the speaker wishes to present an item as new to the conversation, he has to choose between the indefinite and partitive articles.

### 4.2.1   Indefinite article (un, une, des)

The basic function of the indefinite article is to present an item as part of a countable series, as one of a variety of possible types,
e.g. *J'ai mangé* **un** *fromage* (France boasts 350 different varieties of cheese).
The plural of the indefinite article often poses problems to English speakers who fail to distinguish adequately between *des, plusieurs* and *quelques*,
e.g.
*Nous avons trouvé* $\begin{cases} des \\ quelques\ pièces\ de\ monnaie. \\ plusieurs \end{cases}$

All three indicate an unspecified plural number; whereas *des* is neutral, *quelques* emphasises the smallness of the number (= 'a few'), and *plusieurs* the greatness of the number (= 'a good number').

**4.2.2** In Modern French the indefinite article has developed a secondary usage with nouns which one would not normally regard as countable, i.e. abstract nouns,
e.g. *Il souffre* **d'une** *grippe* **infectieuse***.*
*Il nous faut* **une** *patience* **absolue***.*
In these cases the abstract noun is qualified by an adjective which points to the existence of a number of possible types of, for example, 'flu and patience. Hence the indefinite article.

### 4.2.3  Partitive article *(du, de la)*

The basic function of the partitive article is to present an item as part of an uncountable whole, i.e. as part of a mass which has to be measured by some means other than by counting,

e.g. *J'ai mangé **du** fromage.*

Here *fromage* is taken not as a specific piece of cheese (see §4.1.1), nor as one variety of cheese (see §4.2.1) but as an indeterminate part of the general substance cheese.

**4.2.4**  In Modern French the partitive article has developed a secondary usage with nouns which one would not normally regard as quantifiable at all, i.e. abstract nouns,

e.g. *(Dans les circonstances actuelles) il lui faut **de la** patience.*

*Cette victoire lui a apporté **de la** gloire.*

*Quand il s'est trouvé devant l'ennemi, il a montré **du** courage.*

In these examples **de la** *patience*, **de la** *gloire*, **du** *courage* are not patience, glory, courage in general (cp. §4.1.3), but are manifestations of these abstracts in particular circumstances.

However, it should be noted that in none of these cases does the abstract act as the subject of the verb: the definite article is required there,

e.g. *Quand il s'est trouvé devant l'ennemi, **le** courage lui a manqué.*

EXERCISE C: Complete the following sentences by inserting in the gaps (if necessary) the relevant article.

(a) Je n'ai que (_____) mépris pour elle.

(b) Mes couleurs préférées sont (_____) bleu et (_____) rouge.

(c) Tous mes étudiants auront (_____) bonnes notes à l'examen.

(d) Il faut tenir compte (_____) bonnes notes acquises pendant l'année.

(e) C'est un homme courageux, mais il a (_____) peur irraisonnée des souris.

(f) Il a mis (_____) persévérance dans toutes ses entreprises.

(g) Ce qui lui fait défaut c'est (_____) franchise.

(h) On ne peut pas appeler cela (_____) misère.

# VI La vie à deux

## TEXTE UN: Le désordre . . . c'est le secret des couples unis

Il existe un vieux dicton dans la marine: un bateau a coulé parce que la boîte d'allumettes n'était pas à sa place. Cette notion d'ordre me rappelle certains amis.

Prenez les S . . ., par exemple. Vous arrivez chez eux pour dîner: «L'ouvre-bouteille de Perrier, mon chéri», dit la maîtresse de maison à son mari. Et hop! en un clin d'œil, l'ouvre-bouteille apparaît au bout des doigts du mari. Un peu plus tard: «Où donc ai-je mis le double de cette lettre de réclamation à la banque, en juin cinquante-quatre?» — «Ici, mon chéri», répond Jacqueline en l'extrayant de sa manche ou de ce qui lui en tient lieu.

Voici maintenant comment se passe, à peu près, une soirée semblable chez nous.

*Moi:* C'est quand même formidable! Je suis sûr d'avoir mis l'ouvre-bouteille dans le troisième tiroir.

*Mylène:* La dernière fois que je l'ai aperçu, il était sous le lit.

*Moi:* Et, évidemment, tu l'as changé de place!

*Mylène:* Regarde, à tout hasard, sur le dessus du compteur à gaz.

Un quart d'heure plus tard, ayant vidé sur le carrelage de la cuisine le contenu des quatre tiroirs du buffet, et n'ayant toujours pas trouvé l'ouvre-bouteille, nous nous avisons, Mylène et moi, qu'il doit être (comment n'y avons-nous pas pensé plus tôt!) dans le tiroir aux outils.

Le tiroir aux outils est un vaste tiroir extrêmement pratique qui contient tous les outils de la maison. Il en contient même tellement qu'il est coincé en permanence, et comme, pour l'ouvrir, nous avons besoin des outils qui se trouvent à l'intérieur, cela nous ramène au point de départ. Je connais des alpinistes qui ont abandonné l'ascension de l'Everest à trois mètres du sommet pour moins que ça.

Mais, avec Mylène, nous ne perdons jamais tout espoir. C'est ainsi qu'après le départ des S . . ., nous avons trouvé — sans le chercher — l'ouvre-bouteille: il était tout simplement pendu au crochet de l'entrée, là où nous mettons les clefs de l'appartement. En principe, car, en réalité, elles sont dans le tiroir aux outils.

D'après cet exemple, le lecteur va s'imaginer que Mylène et moi vivons un cauchemar. Je tiens tout de suite à le rassurer: il n'en est rien. Au contraire. Nous prétendons, en effet, qu'un des secrets du bonheur d'un couple est de prendre, systématiquement, le contre-pied des grands principes qui font la prospérité de toutes les autres formes d'entreprises.

Voici, par exemple, le principe numéro un: il faut résoudre les difficultés au fur et à mesure qu'elles se présentent. Je répondrai à cette affirmation gratuite par une simple anecdote.

Un soir que nous avions rapporté pour dîner deux douzaines de superbes belons, j'ai voulu les ouvrir sitôt arrivé à la maison. Comme, par malheur, ce soir-là nous n'avions pas égaré le couteau à huîtres, je me suis tailladé le pouce sur une profondeur de trois centimètres dès ma première tentative. Après quoi, j'ai remis toute l'opération à une autre fois.

36    Or — c'est là que j'attire votre attention — en retrouvant les huîtres, par hasard, un mois plus tard, dans le placard à chaussures, que vis-je? Elles s'étaient ouvertes toutes seules. Preuve que ma précipitation n'était pas seulement dangereuse: elle était inutile.

Un couple qui adopte ces principes raisonnables est un couple où l'on ne s'ennuie jamais.

40    Et je m'étonne qu'aucun conseiller conjugal n'en ait encore préconisé l'application systématique à la crise du mariage.

P. Andréota, *Marie-Claire*, novembre 1969

# A. PREPARATION DU TEXTE

## Notes

*Perrier (4):* eau minérale gazeuse qui se vend surtout en petites bouteilles.

*au fur et à mesure qu' (30–31):* 'as, as and when'. Cette expression est utilisée pour exprimer un développement graduel. On trouve également *à mesure que.* Cp. *au fur et à mesure de*

(+substantif): *au fur et à mesure de la montée de la marée,* 'with the gradual rise of the tide'.

*gratuite (31):* 'gratuitous, groundless'.

*belons (m) (32):* une espèce d'huître.

## Vocabulaire

1. Traduisez en anglais les mots suivants:
*dicton (1), coulé (1), double (6), formidable (9), carrelage (14), buffet (15), D'après (26), égaré (33), tailladé (34), remis (35), préconisé (40).*

2. Traduisez en anglais les expressions suivantes dans leur contexte:
*Et hop! en un clin d'œil (4)*
*ou de ce qui lui en tient lieu (7)*
*tu l'as changé de place (12)*
*nous nous avisons (15)*
*comment n'y avons-nous pas pensé plus tôt (16)*
*coincé en permanence (18)*
*En principe (24)*
*Je tiens tout de suite à (26–27)*
*il n'en est rien (27)*

*prendre . . . le contre-pied de (28–29)*

3. Quelquefois l'ordre des mots est le même dans les deux langues et quelquefois non. Par exemple *lettre de réclamation (6):* letter of complaint; *compteur à gaz (13):* gas-meter.

Traduisez les expressions suivantes:
*boîte d'allumettes (1)*
*notion d'ordre (2)*
*maîtresse de maison (4)*
*quart d'heure (14)*
*tiroir aux outils (16)*
*point de départ (19–20)*
*placard à chaussures (37)*

## Commentaire grammatical

### (i) Uses of the relative pronoun

*ce qui lui en tient lieu (7): ce qui* (subject) and *ce que* (object) are both used for the English 'what'. They also appear in indirect questions,

as in *Je lui ai demandé ce qu'il voulait,* and are frequently used to give emphasis, e.g. *Ce qui . . . c'est . . .* See GS 6, §1.2, p. 108 and GS 10, §4.3, p. 189.

*La dernière fois que (11), Un soir que (32)*: *que* is frequently used in such time expressions. *Où* is also used in some cases, e.g. **un** *jour que/***le** *jour où*. See GS 6, §§1.5 and 1.5.1, p. 109.

*Après quoi (35)*: both this expression and *sur quoi* are used to mean 'after which', 'whereupon'. *Quoi* as a relative is only used after a preposition. See GS 6, §1.3.4, p. 109.

### (ii) Other grammar points

Uses of the colon (*deux points*):

(a). before speech: *Un peu plus tard: 'Où donc ai-je mis . . .?' (5)*

(b) reinforcing or explaining an idea: *Je tiens tout de suite à le rassurer: il n'en est rien. (27)*

(c) introducing an example: *Voici, par exemple, le principe numéro un: il faut . . . (30)*

*donc (5)*: *donc, quand même* and *toujours* tend not to occur as first word in a sentence, e.g. *Où donc ai-je mis (5), C'est quand même formidable (9), n'ayant toujours pas trouvé (15).*

*tellement qu' (18)*: *tellement* can be used with nouns as an alternative to *tant*, (e.g. *tellement d'argent*), and with adjectives and adverbs as an alternative to *si* (e.g. *tellement intelligent, tellement souvent*).

*moins que ça (21)*: *moins que* is used as a 'true' comparative to denote inferiority, e.g. *J'ai moins que vous, moins que jamais. Moins de* is used with quantities and measurements, e.g. *en moins de deux heures, moins de vingt francs*. See GS 12, §§4.1 and 4.2, pp. 225–226.

*Mylène et moi vivons (26)*: where there is a multiple subject (of which any or all may be personal pronouns) the verb agrees with the whole subject which is plural, e.g. *Toi et Louis partirez. Toi et moi, nous irons voir. Avec Mylène, nous ne perdons . . . (22)*: another way of saying, *Mylène et moi, nous ne perdons . . .* See GS 1, §2.2, p. 15.

---

## Compréhension du texte

1. A quoi se réduit la différence entre la famille d'Andréota et leurs amis les S. . . ?

2. Quels aspects de la vie conjugale des S. . . sont susceptibles de créer l'ennui, à en croire l'auteur?

3. Expliquez ce que sont les *grands principes qui font la prospérité de toutes les autres formes d'entreprises (29)*.

4. Quelle est *la crise du mariage (41)* dont parle l'auteur?

---

## B. EXERCICES DE RENFORCEMENT

### A l'oral

1. Préparez des réponses orales aux questions suivantes:

(a) Quels arguments Andréota donne-t-il pour justifier le désordre dans sa vie familiale?

(b) Dans quels endroits les Andréota cherchent-ils l'ouvre-bouteille?

(c) Pourquoi le tiroir aux outils des Andréota n'est-il pas réellement *pratique (17)*?

(d) Quel est, selon l'auteur, *un des secrets du bonheur d'un couple (28)*? Donnez un exemple tiré du texte.

(e) Qu'est-ce qui a fourni la preuve qu'il était inutile d'avoir pu trouver tout de suite le couteau à huîtres?

## *Exercices lexicaux*

2. *le carrelage (14):* Voici quelques autres expressions pour parler de la matière qui peut recouvrir un sol: *la carpette, le lino(léum), la moquette, le parquet, le tapis.* Vérifiez le sens de ces expressions dans un dictionnaire français, et dites de quoi le sol des différentes pièces de votre maison est fait ou recouvert.

3. *ramène (19):* Employez les verbes *ramener* et *rapporter* dans une phrase de façon à en montrer la différence de sens. Faites-en de même pour *mener* et *porter*; *amener* et *apporter*.

4. *crochet (24):* accrocher, s'accrocher sont des verbes formés à partir du même radical que le substantif *crochet* (m). Quels sont les verbes dérivés des substantifs suivants? Donnez-en aussi la traduction en anglais: *clou* (m), *écrou* (m), *vis* (f), *agrafe* (f).

5. Ecrivez des phrases qui utilisent les expressions suivantes:
*quand même (9)*
*sûr d'avoir mis (9)*
*à tout hasard (13)*
*tellement que (18)*
*d'après (26)*
*un soir que (32)*
*après quoi (35)*

---

## *Exercices grammaticaux et structuraux*

6. Remplacez les formes courtes *qui* et *que*, par les formes longues qui y correspondent, *qui est-ce qui, qu'est-ce qui*, etc.
Par exemple: Q. *Qu'a-t-il dit?*
              R. *Qu'est-ce qu'il a dit?*
N'oubliez pas de changer l'ordre des mots là où il le faut.

(a) Que vous a-t-il fait?
(b) Qui veut cette orange?
(c) Que s'est-il passé?
(d) Qui ont-ils nommé?
(e) A qui s'est-elle adressée?
(f) Que te faut-il encore?
(g) Qui a changé cette chaise de place?
(h) Qui a-t-on désigné comme représentant?
(i) Que t'en a-t-elle dit?

7. Voici quelques questions indirectes. Reconstituez les questions directes qui y correspondent.

Par exemple:
Q. *Il me demande où j'habite.*
R. *(Il me demande:) 'Où habitez-vous?' (ou 'Où habites-tu?' ou 'Où est-ce que tu habites?' etc.)*
N'oubliez pas de changer l'ordre des mots et la personne du sujet du verbe là où il le faut.

(a) Il me demande qui je suis.
(b) Elle me demande ce que je fais.
(c) Ils demandèrent ce qui s'était passé.
(d) Elle a demandé quand nous partirions.
(e) Il me demande qui j'ai rencontré hier.
(f) Elle nous demande combien il y a de personnes dans la salle.
(g) Il demande à sa femme ce qu'elle veut s'acheter.
(h) Elle demandait qui ne connaissait pas déjà cet hôtel.
(i) Elles nous demandent ce qui s'est cassé.

# C. EXPLOITATION DU TEXTE

## *A l'oral*

1. Exposé: Décrivez une soirée pareille à celle décrite dans le texte *(8–21)* chez des personnes de votre connaissance.

2. Exposé: Etes-vous une personne ordonnée ou au contraire facilement distraite et désorganisée? Racontez des incidents qui le prouvent.

3. Sujet de discussion: Un ménage désordonné est un ménage uni. Etes-vous d'accord?

---

## *A l'écrit*

4. Rédaction dirigée:

(a) Si vous êtes étudiant, prenez comme point de départ un couple où le jeune mari plutôt méticuleux découvre que sa jeune épouse manque d'ordre à tel point qu'ils se querellent, et écrivez la lettre qu'il écrit à sa mère.
(b) Si vous êtes étudiante, mettez-vous dans la peau d'une épouse méticuleuse qui se plaint d'un mari désordonné (250 mots).

Modèle à suivre:

*Chère maman;* s'enquérir de sa santé à elle.

– Raconter ce qui vous plaît dans la vie à deux: votre femme/mari est un ange, vous l'aimez beaucoup, etc.

– Expliquer ce qui vous a déplu: désordre, poussière, malpropreté; les discussions et les disputes provoquées par cette situation.

– Demander des conseils; peut-être avez-vous déjà des idées.

– Lui recommander le plus grand secret.

Conclusion; *ton fils/ta fille qui t'aime,* etc.
(Pour les formules de la lettre en français, voir le Module *XII*)

5. Rédaction: Comment un bateau aurait-il pu couler parce que la boîte d'allumettes n'était pas à sa place (250–300 mots)?

6. Rédaction: Commentez cette phrase de Gide: 'Le désordre de ma pensée reflète le désordre de ma maison' (200 mots).

7. Version: Traduisez en anglais les lignes *30–38*.

8. Thème: Traduisez en français:

What we all need, some say, is order and stability in our lives, but there are many who would think differently. The British have a low opinion of countries where the trains always run on time, and the streets are always clean. The French despise the over-zealous, and the English the over-meticulous. A totally clean street is somehow inhuman. Who ever saw a home in which there are children where there are no dirty finger-marks, newspaper-racks crushed under the weight of books that should have been put away upstairs, shoes, toys left lying about? Compromise, tolerance, that is what is really important in life. The wife with whom a husband is to share his life and home is someone with whom he must come to some sort of agreement, so that they can both pass things off with a smile. For whatever she does, and even though their friends do things differently, it is she with whom he is to spend the rest of his life and not the ideal housewife.

# *TEXTE DEUX:* Catherine

*Catherine Simonidzé est l'une des trois femmes autour desquelles Aragon construit son roman* Les Cloches de Bâle. *L'ouvrage doit son titre au fameux congrès socialiste à la veille de la guerre de 1914-18: Catherine se laisse attirer par les milieux anarchistes et socialistes du jour.*

Mais elle aurait voulu dominer les hommes, et non pas que leurs épaules retinssent ses yeux, leur aisance. Elle aurait voulu se comporter avec les hommes comme il est entendu qu'un homme se comporte avec les femmes. Un homme n'est pas défini par les femmes avec

4   lesquelles il a couché.

La situation des femmes dans la société, voilà ce qui révoltait surtout Catherine. L'exemple de sa mère, cette déchéance sensible, dont elle avait devant elle le spectacle, ces vies finies à l'âge où l'homme est à son apogée, l'absurde jugement social qui ferme aux

8   femmes dont la vie n'est pas régulière tant de possibilités que Catherine n'enviait pas, mais qui étaient pour elle comme ces robes atroces et chères aux étalages, dont on se demande quel corps dément va s'en vêtir et qui pourtant vous font sentir votre pauvreté. Vierge, Catherine se sentait déjà déclassée comme une cocotte.

12  Toute l'énorme littérature sociale qu'elle avait dévorée avait essentiellement atteint Catherine par ce côté-là de ses pensées. Il est certain qu'elle brûlait les pages quand son problème, le problème de la libération de la femme, de l'égalité de l'homme et de la femme, n'était pas, au moins indirectement, en jeu. L'opposition fondamentale dans la société, la

16  contradiction criarde n'était-ce pas entre l'homme et la femme qu'elle se trouvait? . . . La révolution c'était sa place enfin faite à la femme. Les premières mesures révolutionnaires seraient l'abolition du mariage, l'avortement légal, le droit de vote aux femmes. Oui, même le droit de vote, bien que peut-être on ne voterait plus . . .

20  Catherine, à dix-sept ans, se mettait tout le fard qu'elle pouvait, parce que c'était afficher sa liberté et son dédain des hommes, et les provoquer, et rentrer dans cette atmosphère romantique où les femmes de demain retrouvent le souvenir des héroïnes antiques comme Théroigne de Méricourt.

24  Que pensait-elle de l'amour? C'est ce que lui demanda le jeune Devèze, qui était aux Langues Orientales et avec lequel elle était allée trois ou quatre fois, avenue du Bois . . . «Est-ce que je vous demande ce que vous pensez de la police?» Il rougit terriblement, et l'interrogea avec amertume. Qu'est-ce qu'elle voulait dire par là? Mais c'était toujours ainsi

28  quand on mettait l'amour en cause. . . . Elle parla très amèrement de la fidélité des femmes, du mariage, cette honte, ce marché. Devèze, soudain, lui proposa de l'épouser. Cela fit très

bizarre dans la tête de Catherine à qui personne n'avait encore jamais . . . mais elle vit bien dans les yeux de l'apprenti diplomate cette lueur du désir qu'elle avait une sorte de fureur d'allumer. Tant pis pour les passants! Elle s'approcha de lui, qui n'osait bouger, et comme il était très grand, elle se haussa sur la pointe des pieds pour atteindre ses lèvres . . . soudain Catherine s'écarta, et dit avec une simplicité d'assassin: «Non, mon cher, je ne serai pas votre femme à cause de ce tic que vous avez dans la figure.»

32

L. Aragon, *Les Cloches de Bâle*, Denoël, 1934

# A. PREPARATION DU TEXTE

## Notes

*aisance (f) (2):* 'ease of manner'. C'est à contre-cœur que cette féministe se sent attirée par la carrure masculine et par l'air dégagé des hommes.

*cocotte (f) (11):* 'tart'.

*elle brûlait les pages (13):* elle les lisait très rapidement, elle les lisait à peine. Cp. *brûler les feux* ('drive through red traffic-lights').

*droit de vote (18):* en France, le droit de vote ne fut accordé aux femmes qu'après la fin de la Deuxième Guerre Mondiale.

*Théroigne de Méricourt (23):* héroïne de la Révolution française, surnommée 'l'Amazone de la liberté' (1762–1817).

*(les) Langues Orientales (25):* école supérieure à Paris où l'on étudie ces langues. Parmi ceux qui y font leurs études on compte des jeunes qui se destinent à une carrière diplomatique, autrement dit des *apprentis diplomates (31)*.

*avenue du Bois (25):* le Bois de Boulogne, à l'ouest de Paris, est un lieu de promenade et aussi, entre autres, un lieu de rencontre pour les amoureux.

*quand on mettait l'amour en cause (28):* Catherine répond à la question de Devèze sur l'amour *(24)* en lui posant une autre sur la police *(26)*. La réaction choquée et pleine d'amertume que cela provoque chez Devèze *(26–27)* est, selon Catherine, précisément celle qu'on attendrait de quelqu'un ayant une idée tout à fait conventionnelle de l'amour — c'était toujours ainsi, pensait-elle, 'quand on s'attaquait à l'idée courante de l'amour'. *Mettre en cause* = 'call into question'.

## Vocabulaire

1. Vérifiez le sens de tous les mots que vous ne connaissez pas et surtout des mots suivants:
*se comporter (2), spectacle (6), apogée (7), dément (10), criarde (16), avortement (18), fard (20), amertume (27), marché (29), tic (35).*

2. Donnez une traduction anglaise des expressions suivantes dans leur contexte:
*il est entendu qu' (2)*
*cette déchéance sensible (6).*

*l'énorme littérature sociale (12)*
*n'était pas . . . en jeu (15)*
*afficher sa liberté (20–21)*
*Cela fit très bizarre (29–30)*
*lueur du désir qu'elle avait une sorte de fureur d'allumer (31–32)*
*Tant pis pour les passants (32)*
*simplicité d'assassin (34)*
*mon cher (34).*

### Commentaire grammatical

#### (i) Uses of relative pronouns

*lesquelles (4), lequel (25):* as a relative *lequel,* etc., is normally used only after prepositions. (For an exception see p. 48.) When used to designate persons as here, it is interchangeable with *qui.* When things (not persons) are referred to, only *lequel,* etc. is possible, not *qui.* See GS 6, §1.3, p. 109.

*dont (6, 8, 9):* note the word order here. The word following *dont* is always the subject of the verb in the relative clause. See GS 6, §1.4.1, p. 109.

*où (7):* for the use of *où* in time expressions cp. Commentaire grammatical, p. 99.

#### (ii) Other grammar points

*vous font sentir (10): faire sentir qch à qn. Vous* is used here as the object pronoun corresponding to *on.* Cp. **On a beau ne pas aimer le menu fixe, ils vous l'offrent tout de même.** *Se* is the reflexive object form of *on,* e.g. *on se défend, on se bat,* and *son,* etc., is the corresponding possessive adjective, e.g. *On fait son possible.* (See GS 1, §2.1, p. 15.)

*Vierge (10):* note the omission of the article with nouns in apposition ('As a virgin . . .'). Cp. *En tant que vierge.* See GS 5, §3.3, p. 93.

*bien que peut-être on ne voterait plus (19): bien que* normally takes the subjunctive, but can, as here, take the conditional when future rather than past or present time is involved.

*Qu'est-ce qu'elle voulait dire par là? (27):* this sentence is written in 'style indirect libre'. We can compare this to:

(a) style direct: (Il lui demanda:) *Qu'est-ce que vous voulez dire par là?*
(b) style indirect: *Il lui demanda ce qu'elle voulait dire par là.*
(c) style indirect libre: omits any verb of saying, but uses the indirect tense sequence. See GS 2, §3.2.5, p. 33.

See the Thème p. 106 for a parallel style in English.

*lui proposa de l'épouser (29):* 'il lui demanda de l'épouser.' *Proposer* is used to suggest that **someone else** do something, so that *Il me proposa de faire des traductions* means 'he suggested that I should do some translations'.

---

### Compréhension du texte

1. Que représentent pour Catherine *ces robes atroces et chères aux étalages (9)?*

2. Qu'est-ce que Catherine reproche à la situation des femmes dans la société?

3. Pourquoi Catherine répond-elle à la question de Devèze sur l'amour *(24)* en lui en posant une autre sur la police *(26)?*

4. Par quels moyens Catherine pense-t-elle s'imposer dans un monde injustement subordonné aux désirs des hommes?

5. L'auteur présente-t-il Catherine sous un jour favorable ou défavorable? Justifiez votre réponse à partir du texte.

---

## B. EXERCICES DE RENFORCEMENT

### A l'oral

1. Préparez des réponses orales aux questions suivantes:

(a) Quels aspects du rôle masculin Catherine voudrait-elle adopter?

(b) Que ferait Catherine si elle se trouvait à la tête d'un gouvernement révolutionnaire?
(c) Pourquoi Catherine met-elle tant de fard?

(d) Comment Catherine conçoit-elle le mariage?

(e) Est-ce que Catherine embrasse Devèze? Pourquoi l'insulte-t-elle?

## Exercices lexicaux

2. Certaines formules reviennent souvent en français. En voici quelques-unes; utilisez-les dans des phrases convenables:

*. . . voilà ce qui . . . (5)*
*. . . vous fait/font sentir . . . (10)*
*. . . n'était-ce pas . . .? (16)*
*. . . c'est ce que . . . (24)*
*. . . c'était toujours ainsi quand . . . (27–28)*

3. Cherchez des substantifs (différents de ceux du texte) qui peuvent se combiner avec les adjectifs suivants; utilisez ces expressions dans une phrase de votre invention. L'adjectif doit garder le sens qu'il a dans le texte: *sensible (6), absurde (7), régulière (8), atroces (9), dément (10), romantique (22), bizarre (30).*

4. Trouvez les verbes formés à partir du même radical que les mots suivants.
Par exemple: *épaule — épauler.*

*jugement (7), régulière (8), libération (14), opposition (15), contradiction (16), révolution (17), abolition (18), avortement (18), fard (20), liberté (21), dédain (21), simplicité (34).*

## Exercices grammaticaux et structuraux

5. Dans le deuxième paragraphe du texte, trouvez tous les pronoms relatifs, et donnez pour chacun son antécédent.
Par exemple: *dont (6) — déchéance.*

6. Faites des phrases complexes en reliant les éléments donnés ci-dessous par des pronoms relatifs.
Par exemple: Elle haïssait ces robes chères.
     Les robes se trouvaient à la vitrine.
     Elle avait le spectacle de cette vitrine devant elle.

     Elle haïssait ces robes chères *qui* se trouvaient à la vitrine *dont* elle avait devant elle le spectacle.

(a) Elle m'a annoncé l'arrivée de la lettre.
     La lettre ne m'est pas parvenue.
     Cela me gêne beaucoup.
(b) Le jeune homme m'a donné la boîte.
     Il suit des cours à l'université.
     Des papillons se trouvaient dans la boîte.
(c) Ils sont venus me voir.
     Ce jour-là j'avais quatre classes.
     Je ne pouvais pas les annuler.

(d) Le professeur d'université parlait mal l'anglais.
     Il donnait des conférences sur la littérature anglaise.
     Au cours de ces conférences il parlait français.

7. Dans les phrases suivantes, l'ordre des mots a été brouillé. Ecrivez-les dans un ordre correct.
Par exemple: Q. *vous que ? faites-*
     R. *Que faites-vous?*

(a) *caché est-ce Jean ? où que s'est*
(b) *demande ce demain arriver me va il qui*
(c) *c'est ça que que ? qu'est-ce*
(d) *ce est-ce n'a papier ? qui encore qui signé pas*
(e) *d'elle elle pensez savoir que vous ce aimerait*

8. Traduisez les phrases suivantes en français:

(a) **What**
     What did he ask you?
     What a lovely hat you're wearing!
     What did he hit you with?
     What I need is a hot shower.
     What will you suggest to him?
     Look what I've found!

I want to know what he'll do now.
What annoyed me was your stupidity.
She asked me what would make me change my mind.

(b) **Which**

She told me the truth, which surprised me.
He told me which one to buy.
Which author do you prefer?

They informed him which of the cars would go faster.
He has hired a boat, which he has been doing for years.
Which of the candidates will you vote for?
I was told which shop sold them.
We'd like to know which of the rooms has the best view.

---

# C. EXPLOITATION DU TEXTE

## *A l'oral*

1. Récit oral: Vous êtes Devèze. Racontez la scène du baiser à un camarade.

2. Sujet de discussion: Aimeriez-vous être/ épouser une fille comme Catherine?

---

## *A l'écrit*

3. Rédaction dirigée: Vous êtes Devèze, vous écrivez votre journal intime: vous y racontez ce qui s'est passé entre vous et Catherine et ce que vous pensez d'elle (250 mots).
Modèle à suivre:

– La façon dont vous avez fixé le rendez-vous avec Catherine et la façon dont vous vous êtes rendus au Bois.

– Vos intentions: ce que vous aviez dans la tête en l'invitant.

– Quelles remarques de Catherine vous ont frappé ou surpris? Pourquoi? En avait-elle fait de semblables les fois précédentes?

– Ce qui vous a poussé à lui proposer de vous épouser. Y pensiez-vous déjà? Comment voyez-vous votre vie privée et votre carrière avec une femme comme Catherine?

– Ce qu'elle a fait et ce qu'elle vous a dit. Votre réaction.

– Que pensez-vous d'elle maintenant? Allez-vous chercher à la revoir?

4. Rédaction: Que pensez-vous de l'attitude d'une féministe comme Catherine (300 mots)?

5. Version: Traduisez en anglais les lignes *1–11* et *29–35*.

6. Thème: Traduisez en français, après avoir étudié GS 6, pp. 107–112.

At the meeting on the 21st March Ms Smyth, the Chairwoman, had to answer a number of polite but searching questions. Why hadn't the demonstration been a success? What changes in plans were proposed? Who was responsible for overspending the budget? When would
4  new proposals be made which would bring the ideas of the local Women's Liberation Committee to the notice of the public? None of the questioners mentioned any names, but everyone knew what everyone else was thinking and who would eventually have to resign if matters did not improve.
8  Ms Smyth, whose experience of the Women's Liberation movement went back fifteen years, knew what needed to be done. What she had to do was to persuade the members to give her another month, after which she would be able,[1] she hoped, to announce reassuring news. Otherwise, what she would do would be to arrange a long tour abroad.

Note: [1] *être en mesure de.*

# GRAMMAR SECTION 6: *Relative and Interrogative Pronouns*

§1.  **Relative Pronouns**
§2.  ***Qui*** **and** *que* **as Relative or Interrogative Pronouns**
§3.  **Interrogative Pronouns**

## §1.  Relative Pronouns

Relative pronouns are essentially words linking one clause or idea to another, and allowing a single, complex sentence to be constructed from two or more simple sentences,

e.g. *Mon fiancé n'aime pas la mer.*
*Je vous ai parlé de lui auparavant.*
*Son aversion pour la mer me déplaît.*
becomes
*Mon fiancé,* **dont** *je vous ai parlé auparavant, n'aime pas la mer,* **ce qui** *me déplaît.*

Relative pronouns are so called because they **relate** to a previous noun or pronoun (known as the 'antecedent'):

e.g. *L'accusateur fut un* **homme** . . .
  { **que** *je connais bien.*
  { **qui** *me connaît.*
  { **dont** *je connais la femme.*

The relative pronoun may be omitted from relative clauses in English: 'The woman (whom) you love'. It is never omitted in French: *La femme* **que** *vous aimez.*

---

### 1.1  *Qui, que* ('that, which, who')

> QUI is the SUBJECT pronoun
> QUE is the OBJECT pronoun

e.g. *Catherine,* **qui** *avait dix-sept ans, aimait provoquer les hommes.*
The subject of *avait* is *qui* = Catherine;

*Cette jeune femme,* **que** *j'ai aimée autrefois, s'est mariée récemment.*
The object of *ai aimée* is *que* = *Cette jeune femme.*

Subject and object pronouns may have the same antecedent,

e.g. *Nous parlons de Catherine,* **que** *j'aime mais* **qui** *ne m'aime pas.*

The French relative pronouns *qui* and *que* do not distinguish human (who) from non-human (which). Cp. §2.

EXERCISE A: Put *qui* or *que* into the following sentences:
(a) Voilà l'homme ____ m'a conseillé de changer de métier.

107

(b) C'est sa femme _____ vous voyez là-bas.
(c) Voici la même édition que celle _____ Jean vient d'acheter.
(d) Ils étaient quatre amis _____ voulaient partir au même régiment.
(e) Au moins six fois Jeanne, _____ ses amis appelaient 'la rousse', a essayé de me téléphoner.
(f) C'est un vaste tiroir _____ contient tous les outils de la maison.

---

## 1.2   *Ce qui, Ce que* ('what')

> CE QUI is the SUBJECT pronoun
> CE QUE is the OBJECT pronoun

**1.2.1**   *Ce qui* and *ce que* act as subject and object of a relative clause respectively (= 'what'),
e.g. *Après **ce qui** vient d'arriver, je me méfie de toi.* (subject)
   *Je sais **ce que** tu aimes.* (object)
See also below §3.5.2.

In *ce qui/ce que*, *ce* is a demonstrative pronoun meaning 'this (thing)' and standing as antecedent to the relative pronoun *qui/que*. Analysed in this way, *ce* functions either as the **object** of the **main** verb in the sentence,
e.g. *Il **dit ce** (qui lui plaît),*

or as the **subject** of the **main** verb,
e.g. ***Ce** (qui te plaira) me **plaira** à moi aussi.*

In sentences constructed on the pattern *Ce qui/que . . . c'est . . .*, notice how *ce* is used in both halves of the sentence,
e.g. ***Ce qui** me plaît, **c'est** un bon vin d'Alsace* ('What I like is . . .')
   ***Ce que** je déteste, **c'est** un beaujolais bien lourd* ('What I hate is . . .')

**1.2.2**   Note the use after *tout* of *ce qui/que* rather than simple *qui/que*,
e.g. *Je ferai **tout ce qui** vous plaira et **tout ce que** je peux.*

**1.2.3**   Whereas *qui* and *que* usually relate to individual nouns or pronouns, *ce qui* and *ce que* may relate to whole clauses,

e.g. *Nous habitons un appartement **qui** nous plaît.* (i.e. we like the flat)
   *Nous habitons un appartement, **ce qui** nous plaît.* (i.e. we like living in a flat)

*Elle refuse, **ce qui** nous étonne.*
*Elle refusa, **ce qu'**elle n'avait jamais fait auparavant.*

**1.2.4**   *Ce que* is used to introduce a clause after a conjunction or verb constructed with *à* or *de*,
e.g. *Nous attendrons jusqu'à **ce qu'**il arrive.*
   *Je tiens à **ce qu'**il vienne.* (*tenir à* = 'to be anxious for')
   *Il riait de **ce qu'**elle était tombée.* (*rire de* = 'to laugh about')

EXERCISE B: Insert *qui, que, ce qui, ce que* into the following sentences at the places left blank:

(a) C'est sa manche ou _____ lui en tient lieu.
(b) Quelques trucs _____ ne coûtent pas cher sont en vente ici.
(c) Un ami _____ il croyait disparu à jamais est revenu.
(d) _____ vous pensez de la police m'est indifférent.
(e) Racontez-moi tout _____ vous avez vu.
(f) Il est entré, son chapeau sur la tête, _____ n'est pas habituel chez lui.
(g) Ses camarades ne lui en avaient pas parlé, _____ il a trouvé très mal de leur part.
(h) Je ne sais que trop bien _____ vous tient à cœur.
(i) Il s'est plaint de _____ son frère l'avait volé.
(j) Comment s'assurer de _____ lui plaît?

## 1.3 After prepositions: *qui, lequel, quoi.*

**1.3.1** When the antecedent is a person, you may use either *qui* or *lequel*,
e.g.

*Le jeune homme avec* $\begin{cases} qui \\ lequel \end{cases}$ *elle était sortie.*

*Qui* is probably more normal, except after *parmi* and *entre*,
e.g. *Les gens parmi* **lesquels** *je me trouvais . . .*

**1.3.2** When the antecedent is not a person, you must use *lequel*,
e.g. *La compagnie pour* **laquelle** *je travaille . . .*
It combines with *à* to form *auquel*, etc., and with *de* to form *duquel*, etc.

**1.3.3** When two prepositions are involved, you should normally use *lequel*,
e.g. *Mon voisin,* **à** *la femme* **duquel** *je me suis adressé . . .*

**1.3.4** When the antecedent is indefinite or consists of a whole clause, *quoi* is to be used,
e.g. *Il y a de* **quoi** *manger dans la cuisine.*
('There is something to eat in the kitchen')
*Il arriva, sur* **quoi** *nous nous mîmes à table.*
('He arrived, whereupon we sat down to table')
*Je me suis taillé le pouce, après* **quoi** *j'ai remis toute l'opération à une autre fois.*

---

## 1.4 Dont ('of whom', 'of which')

*Dont* and *de qui* are interchangeable when the antecedent is a person, but not when it is a thing. *De qui* refers only to persons.
**Word order:** the subject of the relative clause follows *dont* directly:
*Cette déchéance sensible,* **dont** *elle avait devant elle le spectacle, révoltait Catherine.*
*Mon voisin,* **dont** *la femme est à l'hôpital, est malheureux.*

French prefers *dont* to *duquel*, except where two prepositions are involved. See §1.3.3.

**1.4.1** When *dont* stands for one of a number, meaning 'among which', 'including', it may occur without a verb:
*Il cita plusieurs exemples,* **dont** *celui de sa femme.*

EXERCISE C: Combine these sentences using *dont* if possible, *duquel* if not:

(a) Le directeur va nous envoyer les détails.
J'ai parlé à un collègue du directeur.
(b) L'article me paraît un peu long.
Le titre de l'article est 'La Normandie de nos jours'.
(c) Les clés ont été laissées sur la porte.
J'ai constamment besoin des clés.
(d) Le général a refusé de parler aux journalistes.
Ma femme travaille pour le frère du général.
(e) Elle a vendu sa voiture.
Elle venait de changer ses pneus.
(f) L'étudiant a raté ses examens.
Ma femme joue au tennis avec la mère de l'étudiant.

---

## 1.5 Où ('where', 'to where', 'in which', 'at which')

PLACE: *Un vaste endroit* **où** *enfouir tout . . .*
TIME: *Les vies finies à l'âge* **où** *l'homme est à son apogée . . .*
OTHER: *Cette atmosphère romantique* **où** *les femmes de demain retrouveront le souvenir . . .*

**1.5.1** *Que* replaces *où* in time phrases with an indefinite article:
e.g. **Le** *soir* **où** *il est arrivé . . .*
BUT **Un** *soir* **que** *nous mangions des huîtres . . .*

EXERCISE D: to practise *où*, *dont*, and *lequel*, combine the following sentences,

e.g. L'idéologie s'est montrée défectueuse.
Ils ont combattu pour cette idéologie.
= L'idéologie pour laquelle ils ont combattu s'est montrée défectueuse.

(a) C'était un jeune diplomate.
Elle était allée plusieurs fois au Bois de Boulogne avec ce diplomate.

(b) C'est une villa au bord de la mer.
Nous espérons passer un mois dans cette villa.

(c) Ma voisine est une femme d'un certain âge.
La vie de cette voisine n'est pas régulière.

(d) C'est un journal où paraissent grand nombre de petites annonces.
C'est au moyen de ces petites annonces que j'ai trouvé mon studio.

(e) Ils habitent un appartement au 20ᵉ étage.
On ne s'ennuie jamais dans leur appartement.

(f) Le marteau se trouvait sur la table.
Elle s'est emparée du marteau.

## §2.    *Qui* and *que* as Relative or Interrogative Pronouns

These pronouns function differently according to whether they are relative or interrogative:

| | |
|---|---|
| As a RELATIVE PRONOUN | QUI is SUBJECT |
| | QUE is OBJECT |
| As an INTERROGATIVE PRONOUN | QUI is for PEOPLE |
| | QUE is for THINGS, IDEAS, etc. |

RELATIVES    *L'homme **qui** est là . . .*  } subject
*La chose **qui** est là . . .*

*L'homme **que** je vois . . .*  } object
*La chose **que** je vois . . .*

QUESTIONS    ***Qui** est là?*  } people
***Qui** voyez-vous?*

***Qu'**est-ce qui est là?*  } things
***Que** voyez-vous?*

## §3.    Interrogative Pronouns

Questions involve the use of pronouns in different ways: in direct questions *qui, que, quel, lequel, quoi*; in indirect questions *ce qui, ce que, ce dont, ce à quoi*, etc.

### 3.1  Direct questions

*Qui?* and *Que?* meaning 'who?', 'whom?', 'what?'.

| | | | | |
|---|---|---|---|---|
| PERSONS | SUBJECT | QUI | or | QUI est-ce qui |
| | OBJECT | QUI | or | QUI est-ce que |
| THINGS | SUBJECT | — | | QU'est-ce qui |
| | OBJECT | QUE | or | QU'est-ce que |

As an interrogative, QUI is used only for persons (as either subject or object) and QUE is used only for things (as object only). In the optional longer form above, the first element (capitalised QUI/QU') is interrogative and the second (lower case *qui/que*) is a relative pronoun. See §1.1. Note the change in word order:

*Qu'**avez-vous** fait?*
*Qu'est-ce que **vous avez** fait?*

EXERCISE E: Use the appropriate question form. If more than one form may be used, give them all.

(a) _____ vous avez rencontré hier?
(b) _____ s'est passé?
(c) _____ vis-je?
(d) _____ pensait-elle de l'amour?
(e) _____ est venu vous dire cela?
(f) _____ c'est?

---

## 3.2  *Quel?* ('which?', 'what?')

*Quel* is an **adjective:** it is usually followed by a noun and must agree with it,
e.g. ***Quelle*** *heure est-il?*
   ***Quel*** *livre choisirais-tu?*

But the adjective may be separated from the noun,
e.g. ***Quel*** *est ton **nom**?*

*Quel* is also used in indirect questions, but there is no inversion,
e.g. *Il me demanda quel livre **je choisirais**.*

---

## 3.3  *Lequel?* ('which one?' (of several))

*Lequel* is a **pronoun**: as such, it is never followed by a noun:
*'J'ai parlé avec notre voisin'* prompts two possible questions bearing on *voisin*: *'Lequel?'*

and *'Quel voisin?'*

*Lequel* can be followed by *de* or *parmi*,
e.g. *Laquelle de ces trois portes mène à la cuisine?*

---

## 3.4  *Quoi?*

### 3.4.1  *Quoi?* by itself, meaning 'what?'.
*'Il m'a dit beaucoup de choses intéressantes'* prompts two possible questions: *'Mais **quoi** exactement?'*; *'Mais qu'est-ce qu'il t'a dit exactement?'*

### 3.4.2  *Quoi de?*
*'Qu'est-ce qui pourrait être plus simple que de lui téléphoner?'* can be expressed as:
*'**Quoi** de plus simple que de lui téléphoner?'*

### 3.4.3  *Quoi* after prepositions:
*Avec quoi compte-t-il payer son loyer?*
*Derrière quoi a-t-elle pu le cacher?*

Note that *en quoi?* usually means 'in what way?'
e.g. *En quoi est-il plus habile que son frère?*

---

## 3.5  *Indirect questions*

**3.5.1**  Indirect questions with *qui* (= 'who') raise no particular problems, but note that there is no inversion of subject and verb:
Direct:  *'**Qui** voyez-vous?' me demanda-t-il.*
Indirect: *Il demanda **qui** je voyais.*
Direct:  *'**Qui** peut me le dire?' demanda-t-il.*
Indirect: *Il demanda **qui** pouvait le lui dire.*

Note that the long forms (see §3.1) are not used in indirect questions.

**3.5.2**  Direct questions with *que* (+ *'est-ce qui/ que*) (= 'what') are changed into indirect questions with *ce qui/ce que*:
Direct:  *'**Que** voyez-vous?' me demanda-t-il.*
Indirect: *Il demanda **ce que** je voyais.*
Direct:  *'**Qu'est-ce qui** se passe?' demanda-t-il.*
Indirect: *Il demanda **ce qui** se passait.*
Direct:  *'**Qu'est-ce que** tu espères faire?' demanda-t-il.*
Indirect: *Il demanda **ce que** j'espérais faire.*

EXERCISE F: Change the following sentences from direct into indirect speech:

(a) Le jeune Devèze lui demanda: 'Que pensez-vous de l'amour?'
(b) 'Qui pourra m'aider?' se demanda-t-il.
(c) 'Qu'est-ce qui se passerait alors?' demanda-t-elle.
(d) 'Qu'est-ce que vous voulez dire par là?' Il voulait le savoir.
(e) 'Qui est-ce que vous connaissez parmi ces gens?' me demanda-t-elle.
(f) 'Qui est-ce qui vous semble le mieux adapté à ce genre de travail?' lui demanda-t-il.

EXERCISE G: Translate into French:

(a) Who was that lady I saw you with last night?
(b) The man you were speaking of is dead, which is a pity.
(c) Which of the tools you often use can you lend me?
(d) I know what I want — a box to put my make-up in.
(e) Who was it that asked you what book I was reading?
(f) What has she dropped?
(g) They want to identify the car you parked beside.
(h) What does it matter?
(i) What are you thinking about?
(j) I wanted to know what he was thinking about.

— Qui est-ce qui a chipé ma pomme ?

# VII La Publicité

## TEXTE UN: La pub fait l'article

*Sans la publicité,*
*entre ceux qui ne vivent que par elle*
*et ceux qui n'existent que pour elle,*
*la plupart des journaux ne paraîtraient pas.*

A de très rares exceptions près (*Le Canard enchaîné* s'enorgueillit d'être la plus célèbre), tous les journaux ouvrent leurs pages à la publicité. Selon les cas, cette manne qui leur permet de subsister, de vivre ou de réaliser des bénéfices parfois solides représente une proportion moyenne qui varie entre 30 et 50 % des ressources du journal. La fourchette s'élargit parfois pour aller de 10 % (telle *La Croix* en période creuse) à 70 % (tel *Le Figaro* en période faste).

La pub ne fournit pas que des ressources aux journaux. De plus en plus, elle contribue à leur donner un « look ». Un magazine qui vante en quadrichromie la finition des articles de sellerie de chez Hermès n'a pas exactement la même allure que celui qui expose, fût-ce en couleurs, les miracles de la « Pierre du Nord », les merveilles de la « croix Vitafor » ou les robes de chambre en vente par correspondance.

Avant même la naissance d'un journal, la pub a déjà une importance fondamentale. Pour lancer un périodique quel qu'il soit, il n'existe pratiquement qu'une seule règle: réaliser ce qu'on appelle un « numéro zéro », c'est-à-dire un numéro d'essai, et le soumettre au jugement des publicitaires. Au vu de la qualité du papier, de la maquette, de la conception générale et de la clientèle visée, ils diront assez rapidement si le « support » est susceptible de retenir l'attention des annonceurs; en d'autres termes, si le journal aura suffisamment de pub pour exister.

### Bon ciblage vaut mieux que fort tirage

Un numéro zéro n'est rien sans le complément indispensable d'une enquête confiée à un institut d'études ou de sondages prouvant que le journal à naître est attendu avec une folle impatience par ses futurs lecteurs qui font bien évidemment partie des forces vives de la nation. Les forces en question regroupent tout à la fois les couches de population les plus jeunes, les plus actives, mais surtout les plus aptes à consacrer un budget au superflu, lequel va de l'automobile haut de gamme aux Seychelles en février, et des alcools de qualité aux parfums, en passant par les arts de la table, les gadgets, l'habillement, etc.

En matière de publicité, un fort tirage n'est pas forcément une garantie de contrats mirobolants: *Vogue*, par exemple, avec ses 65.000 exemplaires mensuels, publie pas loin de 2.000 pages de publicité par an, ce qui représente quelque chose comme 190 pages de pub par numéro; alors que *Clair Foyer*, qui annonce 380.863 exemplaires par mois, soit presque six fois plus que *Vogue*, a treize fois moins de pub. Ce n'est pas tout à fait le même créneau.

36    L'unité de mesure est le pouvoir d'achat, et les publicitaires préfèrent généralement un lecteur qui dépense beaucoup à trois lecteurs qui consomment peu. Si *L'Humanité* n'a pas tellement de pub dans ses pages, ce n'est pas par suite de considérations d'ordre politique. L'idéologie entre peu dans le choix des publicitaires qui voient seulement que, en règle générale, le lecteur type de *L'Humanité* a plutôt tendance à acheter des boissons anisées que du 
40    whisky « pur malt », et qu'il roule plus souvent en Zastava ou en Polski qu'en Porsche ou en BMW lorsqu'il choisit une voiture étrangère.

Le lecteur le plus prisé, le *nec plus ultra* pour les annonceurs, les agences et les journaux se définit dans les grandes lignes comme suit: homme d'affaires ou cadre supérieur de moins de 
44    cinquante ans avec un revenu annuel par foyer supérieur à 240.000 F. Cette catégorie ne représente que 9,8 % de la population active, mais cela a peu d'importance en regard du fait que ses membres possèdent ou sont susceptibles de posséder une résidence secondaire, un magnétoscope, d'aller en hiver au moins une semaine à la montagne ou au soleil, et de ne pas 
48    résister aux charmes brûlants d'un four à micro-ondes.

Ciblage, études, sondages ont une importance quasi-essentielle, mais cela ne suffit pas toujours. Il faut aussi plaire au lecteur et tenir les promesses. En 1980 *Paris Hebdo*, qui se voulait le premier « city magazine » de la capitale, a dû fermer ses portes au bout de quelques 
52    semaines. Motif: n'a pas atteint les objectifs annoncés.

'La Presse en revue' *Les Dossiers du Canard* mars/avril 1984

# A. PREPARATION DU TEXTE

## Notes

*La fourchette (8):* les variations entre le chiffre le plus bas (10 %) et le chiffre le plus élevé (70 %)

*un « look » (11):* mot emprunté à l'anglais qui a en français le sens de mode totale; *allure (12);* apparence où chaque détail est soigné et s'accorde; mode, surtout vestimentaire.

*Hermès (12):* couturier dont les articles de sellerie — sacs, ceintures, etc. — et les foulards de soie se vendent à des prix très élevés.

*la « Pierre du Nord », la « croix Vitafor » (13):* 2 types de « bijou » bon marché, vendus par correspondance, et destinés aux « découragés, désespérés, pessimistes, défaillants, angoissés, timides . . . » à qui ils assurent « la joie, la bonne humeur, la gaîeté, l'entrain, l'équilibre, le calme, le goût à la vie, le bonheur!».

*institut de sondages (m) (23–24):* organisation qui mène des enquêtes pour découvrir l'opinion du public (cp. Gallup Polls en Grande-Bretagne).

*créneau (m) (34):* mot à plusieurs sens en français — ici, le nombre de pages d'une revue consacrées à la publicité; normalement 'slot'.

*pouvoir d'achat (m) (35):* 'standard of living'.

*Humanité (36):* journal communiste.

*boissons anisées (39):* l'absinthe, le pernod; par implication ici, les boissons de la classe ouvrière.

*nec plus ultra (42):* expression latine dont le sens est ici « le plus recherché ».

## *Vocabulaire*

1. Trouvez dans le texte quatre superlatifs et expliquez-les en français.

2. Traduisez en anglais les mots et expressions suivants:
*manne (6), faste (9), quadrichromie (11), couches de population (26, le superflu (27), mirobolants (31), charmes brûlants (48).*

3. Faites une liste de cinq appareils ménagers modernes (n'oubliez pas d'indiquer le genre), e.g. *magnétoscope (m) (47), four à micro-ondes (m) (48).*

4. Connaissez-vous d'autres mots dont le sens se rapproche de celui de *mirobolants*? Essayez d'en trouver cinq.

---

## *Commentaire grammatical*

### (i) Word order

*A de rares exceptions près (5)* is a fixed expression in French meaning 'almost without exception'. There are other fixed expressions in the text: *fût-ce (en couleurs) (12)*, where the imperfect subjunctive is a formal stylistic variant of the more usual sentence with *même si: même si c'était en couleurs; comme suit (43)*, which is most often used in more formal or scientific texts than this.

*ne . . . pas que (10):* a double negative meaning 'not only' (*ne . . . pas + ne . . . que*).

*Avant même la naissance (15):* the position of *même* here emphasises how early in the process advertising intervenes: 'even before'.

*ne . . . que (16):* here the *que* follows the adverb (which is thus emphasised) to precede the element it refers to, *règle (16)* (GS 7, §1.4, p. 136). Other examples of the regular use of *ne . . . que* are in the subtitle *(1–4)*.

*une folle impatience (24):* the position of the adjective before the noun here indicates intensity. In this context there is something ironical about such intensity, since the expression is almost a cliché (GS 7, §4.2, p. 138).

*Les forces en question . . . (25–29):* this long sentence illustrates the importance of word order in complex sentences. The order *les plus jeunes, les plus actives, les plus aptes . . .* places the longest element last (GS 7, §3, p. 135) and the final word of the group, *superflu*, then becomes the antecedent of the lengthy relative clause:

*lequel . . .* which contains an expansion of the idea of *le superflu.*

*même (15), pratiquement (16), bien évidemment (25), tout à la fois (26):* these adverbs show how the position of the adverb in French may vary according to the emphasis placed on it (GS 7, §1.3, p. 135).

*d'aller en hiver au moins une semaine à la montagne ou au soleil (47):* the adverbial phrases here increase in length and reverse the 'place' before 'time' pattern (GS 7, §1.3, p. 135).

### (ii) Other grammar points

*lequel (27):* although *lequel* is usually used only after a preposition (GS 6, §1.3, p. 109), here it is used emphatically to replace *qui* and to tighten the coherence of this long sentence.

*soit (33):* this subjunctive (GS 4) is here used with the sense of *c'est-à-dire*. It may also mean 'so be it' as in: *Tu veux que je t'accompagne? Soit*, and is most frequently used in a double construction to mean 'either/or': *Soit il ne m'avait pas vu, soit il ne m'aime plus.* Cp. also *quel qu'il soit (16)* which is a normal subjunctive following *quel que* ('whatever').

*Si L'Humanité . . . , ce n'est pas . . . (36–37):* the word order here is designed to emphasise the argument and *Si* has the sense of 'although' or 'while' (p.118). See also GS 8, §4.3, p. 153, and cp. *si . . . aura (20)* where *si*, introducing an indirect question, means 'whether'.

### Compréhension du texte

1. Expliquez ce que c'est qu'un *numéro zéro (17, 23)*.

2. Qu'entendez-vous par *les forces vives de la population (25)?*

3. Comment voyez-vous *le lecteur type de* L'Humanité *(43)?*

4. La catégorie des *lecteurs les plus prisés (42)* ne représente que 9,8 % de la population, mais pour les agences et les journaux ce chiffre n'a pas d'importance. Pourquoi?

---

## B.  EXERCICES DE RENFORCEMENT

### A l'oral

1. Préparez des réponses orales aux questions suivantes:
(a) Quel est le rôle de la publicité dans un journal?

(b) Pourquoi *L'Humanité* n'a-t-il pas beaucoup de publicité dans ses pages *(36–37)?*
(c) Décrivez *le lecteur le plus prisé (42).*

---

### Exercices lexicaux

2. Le mot *publicité (1)* est souvent employé sous forme abrégée: *pub (10)*.
(a) Trouvez 3 autres abréviations de mots français qui se terminent par une consonne.
(b) Les abréviations suivantes sont fréquentes en français familier: *rétro, facho, disco, intello, prolo.* De quel mot sont-elles dérivées?

3.
(a) Trouvez les trois mots anglais employés dans le texte.
(b) Quelles différences remarquez-vous entre le sens de ces mots en anglais et en français?

4.
(a) Faites une liste des noms de journaux et de revues donnés dans le texte.
(b) En connaissez-vous d'autres?
(c) Pouvez-vous deviner, d'après le texte, qui sont les lecteurs de: *la Croix, Clair Foyer, Vogue, Nouvelles littéraires, Elle?*

5. Composez 3 expressions du type:
*des articles de sellerie de chez Hermès (11–12)*
    nom + *de* + nom + *de* + nom (marque).
Trouvez dans le texte dix exemples de la structure nom + *de* + nom.
Exemple: *robes de chambre (13).*

---

### Exercices grammaticaux et structuraux

1. Inventez des phrases qui commencent par les expressions suivantes:
*A de rares exceptions près (5)*
*De plus en plus, (10)*

*Au vu de . . . , de . . . et de, (18)*
*En matière de (30)*
*En règle générale (38–39)*

2. Complétez les phrases suivantes:

Un diplôme universitaire ne fournit pas que . . . *(10)*

Pour réussir un soufflé, il n'existe pratiquement qu'une seule règle: . . . *(15–16)*

Un père riche n'est rien sans . . . *(23)*

Un joli sourire n'est pas forcément une garantie de . . . *(30)*

Les professeurs préfèrent généralement un étudiant qui . . . à . . . *(35–36)*

---

## A l'oral

1. Vous voulez lancer un magazine pour hommes et vous allez en parler à un publicitaire. Que lui dites-vous?

2. Débat: On fait trop de place à la publicité dans les journaux du dimanche en Grande-Bretagne.

---

## A l'écrit

3. Rédaction: «Sans la publicité, la plupart des journaux ne paraîtraient pas». Expliquez (200 mots) l'importance de la publicité dans un journal.

4. Analysez la publicité dans un journal du dimanche. Qu'est-ce que votre analyse vous révèle des lecteurs du journal?

5. Version: Traduisez en anglais les lignes *15–29.*

6. Thème: Traduisez en français:

The Agency was part of the system of capitalist urban society. If the common articles of household consumption were to be sold at a low cost, they had to be produced in large quantities, and the Agency helped to sell those quantities, so that production was maintained, and the workers kept their jobs and were paid, and consumed more — the Agency had not built this treadmill; it only oiled the wheels. 4

As for the washing powder, perhaps it washed clothes no whiter than its competitors could, but at least they were whiter than they would have been ten years before, since the Agency (though it might state only one side of a case) did not explicitly lie, and the constant pressure of their competitors' advertising forced the Agency's clients continually to improve their products. Perhaps there was no medical reason why the Agency's 'hidden cells' tonic should do those who drank it any more good than an orange a day or liver once a week, except that they believed in it as they would not have believed in the oranges, so that in fact it did much of what was claimed for it, and its manufacturers received many letters of thanks from potent old gentlemen or comparatively unlined ladies. Pink Charmain, too, did what was promised. Those who bought it would not have been able to afford real champagne, and would not have liked real champagne any better. Those who knew what real champagne was avoided Pink Charmain; the Agency's promise was not directed at them. 8 12 16

John Bowen, *Storyboard*, Penguin, 1960

7. Thème: Traduisez en français:

In June, the Commission of the European Communities published 'Television Without Frontiers' — a Green Paper on the establishment of a common market for broadcasting, especially by satellite and cable. In this wide-ranging discussion document, the Commission
4    recognises that the perpetuation of divergent national broadcasting/advertising regimes will hinder the development of the common market.

Advertising revenue is likely to constitute the major source of finance for television in the future. Cross-frontier advertising, the Green Paper argues, will not only promote trade within
8    the EEC, but will also speed up the merger of national markets into a common market.

In addition, the Commission recognises the importance of the informational function of advertising. 'Advertising that is honest and fair is not only a service at the disposal of advertisers, but in general also represents a means of informing consumers, making it easier for
12    them to meet their requirements in terms of goods and services.'

*Europe 84*, December 1984

**La croix VITAFOR est bio-magnétique**

Vous la portez comme un bijou (elle est en plaqué-or 18 carats) mais elle vous protège à chaque instant de votre vie. Aujourd'hui cette chance s'offre à vous. Plus d'un million de Français qui étaient défavorisés ont vu leur destin changer le jour où ils ont porté la croix VITAFOR. L'un a trouvé un emploi, un autre a connu l'amour. D'autres encore ont été augmentés ou ont gagné des sommes importantes au jeu. Si vous êtes sceptique, essayez donc et vous verrez.

# TEXTE DEUX: Les annonces

Practically all French newspapers and magazines take paid advertisements. Some papers have no advertising (*Le Canard enchaîné*). Others are totally devoted to advertising (*L'Argus, De Particulier à Particulier*). In order to qualify for certain state subsidies for *news*papers, no issue may devote more than two-thirds of its space to paid advertising. Most publications are heavily dependent on income from advertising. Few could survive without it. The dailies receive between 30 and 60 % of their income from advertising.

A publication's readership profile (as much as its total circulation) determines how attractive a *support* it is to advertisers. *Le Quotidien du médecin* is very attractive to drug companies since its modest circulation nonetheless includes a large proportion of doctors. Non-specialist news magazines like *L'Express* attract upmarket (*haut de gamme*) consumer advertising for their middle-class *cadres* readers.

There are various common categories of advertisement: mass **consumer advertising** of goods and services (cars, alcohol, holidays) in newspapers often takes similar shape to television advertising, relying on colour pictures and short, catchy slogans. Some are international (*Mettez un tigre dans votre moteur*), some are specifically French, either in formulation (*Shell que j'aime*), or in terms of the product (*France Inter: Pour ceux qui ont quelque chose entre les oreilles*). The language of consumer advertising is highly specialised, relying heavily on connotation, suggestion, and evocative imagery, as well as the poetic (memorable) qualities of the slogan or catch phrase.

Another category of advertisement is 'Classified ads' and these are examined in more detail in this section.

**Classified ads** (*les annonces classées* or *les petites annonces*) are inserted by individuals as well as small and large companies, and cover a similar range to those found in British newspapers. The ones featured on the following pages are:

**1. Property: *L'immobilier.*** Most provincial and Parisian dailies have adverts from people seeking accommodation. *Le Monde, Le Figaro,* and *France-Soir* (less upmarket) are good for Paris. Recently a new vogue for flat-sharing has been revealed by such ads appearing in *Libération.*

**2. Personal: *Rencontres entre particuliers/mariages.*** It is not only the liberated young Parisian readers of *Libération* who read the lonely-hearts column. The personal encounter ads have spread, especially after the social and sexual revolution of May 1968, to respectable weeklies and to the provincial press. Whereas the casual sexual encounter seems to be most often on offer in the *Nouvel Observateur*, there is a longstanding need in the isolated farming community, from the time of the *exode rural*, which especially affected young women, to use marriage bureaux or personal ads in such publications as *La France Agricole* (the French *Farmers Weekly*), and *Le Chasseur français*. If the ads in *Libé* or the *Nouvel Obs* are often read for entertainment, the ones in *La France Agricole* could not be more serious.

**3. Employment: *Carrières et emplois*.** Different newspapers, reaching different groups of readers (by region or socio-economic group), attract different types of job advertisement. Local papers will have a mixture of locally based jobs. *La France Agricole* and *Le Monde de l'Education* will specialise in their own fields. *Le Monde* is the place to look for highly-paid managerial, engineering and administrative posts for *cadres* and graduates of the *grandes écoles*, especially jobs based in Paris. *France-Soir* has many unskilled and semi-skilled jobs. Some firms combine their job advertisements with institutional publicity for their company or product.

The communicative and linguistic characteristics of French classified ads may be examined under three headings: **layout, conventions and formulae,** and **abbreviations**.

The most noticeable feature of small ads is the **layout**. Since each one is competing with every other for the reader's attention, advertisers use multiple variations of format, type face, type size, bold type, capitals, white on black, and, of course, size of advertisement. Generally speaking, the more prestigious the job the larger (and more costly) the advertisement. In our examples a Barman/Barmaid gets 3 lines, Sinclair's Head of Operations in France gets 20 cm over two columns. In the smaller *annonces*, where formatting is subsidiary to most economical use of space, key words are made to stand out in bold type or capitals. For ***l'immobilier*** it is often the location that is emphasised, for **rencontres** some special characteristic (*blonde, épicurien*), or age, or region (for the *mariages*). ***Demandes d'emplois*** bring out some characteristic or qualification of the job seeker, and ***offres d'emploi*** pick out keywords describing the job (*serveuses topless*).

Small ads rely a lot on **conventions and formulae**. First of all the ads appear in the same part of the paper in every issue, and are classified into categories. There is often a set order of detail within the ad. The conventional order under ***l'immobilier*** seems to be: location, type of accommodation, number of rooms, special characteristics, price, telephone number or address for contact. The typical ***demande d'emploi*** gives a description of the job seeker (in terms of sex, age, qualifications), type of job sought, telephone or address. The conventional order for the ***mariage*** ads is: description of advertiser, *DCVM*, description of partner sought. Set phrases and formulae like *TCC* and *Pas sér. s'abst.* are common too (see ***Abréviations courantes***).

Conventional order and phraseology build up expectations, allowing the reader to anticipate, and do without complete sentences or even complete words, i.e. convention and formulae permit **abbreviation** and note form, which saves space and therefore cost.

The conventions of abbreviation in French ads are to omit most verbs and determiners (except numbers), leaving mainly nouns, adjectives and punctuation (*âge, milieu indifférent, si pas stupide*). As regards individual words, the more commonly they appear in a given type of advertisement, the more they can be abbreviated, even to a single (initial) letter (*p: pièce, T: téléphone*). Other recurrent words can be shortened to the three or four initial letters (*asc.: ascenseur, env.: environ*), or by omitting vowels (*gd: grand, bcp: beaucoup*), but often retaining final vowels of short words (*dble: double*), especially where the ending indicates gender or number agreement (*gde: grande, tts: toutes, mms: mêmes*).

(Nous remercions A. Hartley, auteur de *Linguistics for Language Learners* qui a fourni certaines idées pour les sections suivantes.)

# 1. L'Immobilier

## appartements ventes

### 6e arrdt

(1) **ST-GERMAIN**
RUE DU CHERCHE-MIDI
Beau 5 P. 145 m² env., très calme, 3 chbres + dble liv., parfait état, 5 ét., asc., park. Téléphone: 627-89-39.

(2) RUE DU DRAGON, beau 2 P. de caractère en r.-de-ch. sur jolie cour privée.
52 m² — 622.000 F.
**NOTAIRE 301-54-30 LE MATIN.**

### Villas Vente

(3) ● **Pertuis 5 km** - A saisir maison village, 80 m² habitable sur 2 niveaux. Cuisine, séjour, 2 ch s d'eau, chauffage centrale, vue magnifique sur Lubéron Prix 245.000 F.

**PERTUIS**
le (90) **69.32.98**
TUC (90) **69.14.20**

(4) ● 9 km Manosque part vd villa recente 6 P 2 sdb 160 m² habit terrasses terrain 880 m² garage T (92) 72/19/28 HR

### Demandes de Locations

(5) ● Urg jeune cp T ser cherc loc à an pet mais avc jard jusq 30 km Aubagne Ecr PH N 29

(6) ● Militaire marié 2 enf ch location villa F5 Apt ou environs à partir août T (90) 36/12/76

### 11e arrdt

(7) Bel immeuble récent, 2 p. cuis., s. de bns, w.-c., séparés, moquette et peintures neuves, sur jardin et rue, parking, cave, 550.000 PATIMO 202-33-25.

### 13e arrdt

(8) **PLACE D'ITALIE** (près) 4 p., cuis., bns + s. eau, asc., parkg, qualité. 631-89-46.

(9) GOBELINS - ARAGON 2 pces, 51 m², tr. gd confort PLEIN SUD, park. 544-98-07.

### PARTAGE

#### Propositions

(10) PARIS 12EME. Je propose pour cet été à personne seule, de préférence calme et/ou travaillant, une chambre dans grand appartement avec tél, 5ème étage, près piscine et bois de Vincennes, 1300 F/moisCC, 800 F caution. Possibilité de rester plus longtemps si affinités. Demander Fabien 958.11.98. Poste 4745 (H.D.B.) ou 740.01.41

#### Recherches

(11) TOIT ACCUEILLANT sur Paris. Si vous êtes sympas et qu'en plus vous avez, chez vous, une pièce inoccupée (et un loyer un peu lourd); on pourrait s'arranger car justement, je cherche sur Paris ou proche banlieue est. Cette annonce est sérieuse mais pas désespérée! Si elle vous intéresse. Tél au 605.15.80. ou au 840.73.02.

### 18e arrdt

(12) **MONTMARTRE**
SUPERBE VUE tout PARIS 7e ét., asc., balc., pl. soleil, 3p. tt cft, 860.000 F, 154-71-93.

## locations non meublées demandes

### Paris

(13) J.F. 23 ans, sérieuse cherche chambre, petit loyer ou baby sitter Ecr. s/n° 4.499 *Le Monde* Pub., service ANNONCES CLASSÉES, 5, rue des italiens, 75009 Paris.

(14) Journaliste avec garanties cherche appt 2-3 pièces Paris Confort. Tél.: 287-12-58.

(15) **URGENT**. Journaliste Libération recherche 3 pièces au plus. Prix maxi. 3500FTCC. Paris intra muros. Tél J. Perrin. 962 34 33.

### MEUBLÉS OFFRES

(16) PARIS 19EME. A louer métro Crimée du 13 août au 30 sept.: grand appartement 56 m² tout équipé avec hall cuis., WC, SDB, chbre, gde salle à manger, terrasse. 3200 FTCC (pour période complète). A personne(s) sérieuse(s) avec garanties à l'appui. Tél après 20 H 931.70.61.

(17) STUDIO MEUBLE, août, éventuellement sept., oct., Moquette, kitchenette, bain, 3ème étage sur cour. Métro Brochant ou Guy Moquet. Paris 17ème. 1450 FCC. Tél H.D.B. 246.84.19.

## locations non meublées offres

### Paris

(18) LOCATION DISPONIBLE entre particuliers Paris-banlieue

**707-22-05**

CENTRALE DES PROPRIÉTAIRES ET LOCATAIRES 43, rue Claude-Bernard Paris-5° Métro CENSIER.

(19) **SI VOUS CHERCHEZ UNE LOCATION**

Nous sommes à votre service depuis dix ans *OFFICE PRIVE LOCATAIRES 15, place Wilson, 15, passage Lafayette (1° étage) Toulouse (61) 23.38.14*

(20) Centre, TI, kitch, éq., confort, 1.075 F charges comprises – Ag., tél. (61) 28.86.43

(21) Toulouse, quartier Minimes, duplex type 5, garcouvert, cave, réf. exigées – Ecr: n. 97583, «Dépêche», Montauban, qui transmettra.

(22) **A LOUER** appartement T 5, 92 m2, balcon, parking, espaces verts, 1,5 km centre Albi, libre 1er octobre. – Tél. 20.39.81.

(23) **A LOUER** Marssac, dans villa neuve, appt F2, tout confort, jardin, petit garage chauff. électrique indiv. – Tél. 11.89.59.

## Notes

*Paris intra muros (15):* la ville de Paris, sans la proche banlieue. Un *duplex (21)* est un appartement à deux étages. La superficie de l'appartement est souvent mentionnée, étant donné que les agences ont l'habitude de calculer les prix, pour tel ou tel quartier, en mètres carrés (m²).

Les numéros de téléphone se disent ainsi: *(61)58.11.58, poste* ('extension') *3745:* soixante-et-un, cinquante-huit, onze, cinquante-huit, poste trente-sept quarante cinq. Les chiffres entre parenthèses qui précèdent le numéro désignent l'ancien indicatif du réseau téléphonique interurbain, maintenant incorporé dans les nouveaux ruméros à **8** chiffres. Il n'y a plus que **2** zones téléphoniques en France: la Province et la Région Parisienne. Pour téléphoner d'une zone à l'autre, on compose le **16**, puis le numéro de l'abonné (n° à 8 chiffres); si c'est vers Paris, on ajoute l'indicatif **1** après le **16**.

Noms de lieu: *Saint-Germain* et *Montmartre* sont des quartiers de Paris; *Albi* et *Marsac* se trouvent dans le sud-ouest près de Toulouse; *Pertuis, Manosque, Aubagne, Apt* et *la vallée du Lubéron* sont en Provence.

## Abréviations courantes

| | | | |
|---|---|---|---|
| *6ᵉ arrdt:* sixième arrondissement | *cuis:* cuisine | *HDB:* heures de bureau | bains |
| *à an:* à l'année | *Ecr:* écrire ou écrivez | *HR:* Heures de repos | *s eau:* salle d'eau |
| *Ag:* agence | *env:* environ | *jard:* jardin | *sér:* sérieux |
| *appt:* appartement | *éq:* équipé | *liv:* living (-room) | *T ou tél:* téléphone |
| *asc:* ascenseur | *ét:* étage | *loc:* location ('rented accommodation') | *T1, T5:* voir *F2* |
| *avc:* avec | *F2, F5:* différents modèles d' appartements (avec nombre de pièces) | *P ou p:* pièces | *TCC:* toutes charges comprises |
| *CC:* voir *TCC* | | *park:* parking | *urg:* urgent |
| *ch* ou *chbres:* chambres | | *part:* particulier ('private individual') | *vd:* vend |
| *ch* ou *cherc:* cherche | *F:* francs | *réf:* références | *WC:* les vécés ou toilettes |
| *chauff:* chauffage | *gar:* garage | *sdb* ou *s de bns:* salle de | |
| *cp:* couple | *habit:* habitable | | |

## Exercice de compréhension à l'oral

Quelle annonce répondrait le mieux aux besoins des annonceurs suivants:

(a) Vieille dame cherchant logement tranquille sans escalier en plein centre de Paris.

(b) Famille de 4 personnes cherchant résidence secondaire/maison de vacances dans le sud de la France.

(c) Couple cherchant à louer un appartement à Paris pour 4–5 semaines pendant les vacances d'été.

(d) Famille offrant chambre de bonne pour jeune fille au pair.

(e) Propriétaire cherchant locataire(s) fiable(s) pour un deux pièces à Paris.

(f) Artiste aisé ayant voiture voulant s'établir à Paris.

(g) Veuve désirant se retirer à la campagne dans un lieu pas trop isolé.

# 2. Rencontres entre particuliers et mariages

## Rencontres Particuliers

(1) ● 35 ans div rech JF ou F sympa pour sorties ou autre si affinités Ecrire le 04 N 1243

(2) ● Mr cinquantaine div grd prof retr ens sec aimt arts nat voyag franchise dialogue souh renc sans agee dame 52/55 a grde mms gouts libre bon educ pour créer liens profonds durables

## RELATIONS

(3) 75. Etud. 22 a. BCBG, b. phys. ch. JF m profil 18–26 a. pr moments tendres Ecrire journal, réf. 111 10B

(4) 75. Epicurien, 43 ans, disciple Gault et Millau, cherche JF, agréable convive pour petites bouffes sympa au restau. Ecrire journal, réf. 110 10Q.

(5) JH 28 a, ch. JF 23–27 a, cultivée, sensible, intelligente pr. part. loisirs, sports, musique, discussions et échanges enrichissants. Pas sérieuse s'abst. Tél.: 123-62-96 à part. de 20 h.

(6) 75. Affreux phallo 43 a. libre ni futé ni bcbg aimant la vie cherche nana marrante féminine. Age milieu indif. si pas stupide. Ecrire journal, réf. 117 9Y.

(7) 75. H. cinq. mar. m. insatisf. ch. F. même sit. p. renc. discr. ap-midi Ecrire journal, réf. 117 9W.

(8) H. 50 ans, PDG légèrement bedonnant dist. sportif sur retour offre séj. 10–17 mai Club Méd. Djerba la Belle JF 20–25 ans blde sensuelle aimant beaux échanges amusement gaîté assurés. Tél. 123-40-49. Dem. José.

(9) 75. F. médecin, 40 a., charme, ht niveau coeur, corps, esprit, 2 enf. (5–12 ans), ch. H. viril, aisé, gde val. humaine, décidé à s'engag. total. pr bâtir mariage-amour profd, authentique Ecrire journal, réf. 109 6X.

(10) JF 18 a. sensuelle, mystérieuse voyageant bcp. ch. pygmalion mûr très ht niveau, liberté récipr., totale. Tél. indisp. Ecrire journal, réf. 116 10C

(11) 75. Vraie blonde, 42 a., grande, jolie, sens., mariée, prof. libér., renc. M. 50, marié, très discr., aisé, pour se faire gâter. Ecrire journal, réf. 109 7S

(12) Boule d'amour 42 a., div. nat. indép. ch. Grand coeur, esprit ouver, affectueux, généreux. Ecrire journal, réf. 117 9U.

(13) 75. «Innocente», 90-60-95. ch. belle hétéro pour drague internationale tour du monde. Tél., photo. Ecrire journal, réf. 109 8Y.

## Mariages

(14) 60 - J H 32 a. agr. 1,80 m, sér. DCVM av. JF simple, symp., sér., aim., vie camp., ay. expl. à repr ou autre prof. phot. souh., rép. ass., pas sér s'abs. Ecr. FA 559
16543

(15) 56 JH 25 a. cél. sérieux agr. ch. JF 18/25 a. aim. la camp. photo souh. avec détail dans 1$^{er}$ lettre, région Ouest. Ecr. FA 567 qui transmettra
16648

(16) Célib. cathol. pratiq. 45 ans DCVM agricultrice, enfants accep., divorcée s'abstenir. Ecr. FA 570 qui transmettra
16695

(17) 12 - J. agr. 27 a. sérieux, gentil, dés. cor, J.F. 18–28 a. simple, affect, rép. ass., dép. 12, 46, 81, 82, photo souh. Ecr. FA 590 qui transmettra
16727

(18) Sud Ouest, vve 37 a., élev. expl., 3 enf. 12–18 ans, ch. comp. route, mil. agric., vétérinaire, commerçant en bestiaux, veuf de préf. Ecr. FA 622
17236

## Notes

Les chiffres, e.g. 75 *(3)*, correspondent au numéro du département, (qui figure également sur la plaque minéralogique des voitures et qui sert aussi à établir le code postal): *12*: L'Aveyron; *46*: Le Lot; *56*: Le Morbihan; *60*: L'Oise; *75*: Paris; *81*: Le Tarn; *82*: Le Tarn-et-Garonne.

Parfois ils désignent les mensurations ('vital statistics') d'une femme, en centimètres (cm): *90–60–95*.

*Gault et Millau (4):* auteurs célèbres d'un guide des meilleurs restaurants français.

*Epicurien (4):* aimant les plaisirs des sens.

*Club Méd (-iterranée) (8):* club de vacances (voir Module *XI*, texte 1)

*Djerba-la-Belle (8):* station balnéaire et une île de Tunisie.

*pygmalion (10):* sculpteur légendaire qui est tombé amoureux de la statue de femme qu'il a sculptée (voir aussi la pièce de G. B. Shaw).

Termes argotiques: *bouffes (4):* repas; *futé (6):* intelligent; *nana (6):* jeune femme/fille; *sympa (1, 4):* sympathique (contrastez l'abréviation *symp. (14)* sans connotation argotique); *drague (13):* recherche d'un partenaire sexuel; *marrante (6):* amusante.

## *Abréviations courantes*

*1,80 m:* taille
*a:* ans
*accep:* accepté(s)
*affect:* affectueux
*agee:* agence
*agr:* agriculteur
*aimt:* aimant
*à part. de:* à partir de
*à repr:* à reprendre
*av:* avec
*ay:* ayant
*b:* bon, bien
*BCBG:* bon chic bon genre ('Sloane Ranger'), de bonne famille
*bcp:* beaucoup
*blde:* blonde
*camp:* campagne
*cathol pratiq:* catholique pratiquant

*cél(ib):* célibataire
*ch:* cherche
*cinq:* la cinquantaine (âge)
*comp:* compagnon
*DCVM ou dés.*
   *cor.:* désire correspondre en vue de mariage
*Dem:* demandez
*dép:* départements
*de préf:* de préférence
*discr:* discret
*dist:* distingué
*div:* divorcé(e)
*élev:* éleveur ('stock breeder')
*enf:* enfant(s)
*ens sec:* enseignement secondaire
*Etud:* étudiant

*expl:* exploitation (ferme) ou exploitant (agriculteur)
*F ou JF:* (jeune) femme
*FA: La France Agricole* (hebdomadaire)
*gde val:* de grande valeur
*grd(e):* grand(e)
*H:* homme
*hétéro:* hétérosexuel(le)
*ht:* haut
*indif:* indifférent (sans importance)
*JF:* jeune femme
*m:* mais
*m ou mms:* même(s)
*mar:* marié
*mil:* militant ('activist')
*Mr:* monsieur
*nat:* naturel(le)

*part:* partager
*Pas sér s'abst.:* pas sérieux s'abstenir
*phallo:* phallocrate ('male chauvinist')
*pr:* pour
*profd:* profond
*prof libér:* profession libérale
*prof retr:* professeur retraité
*rech:* recherche
*renc:* rencontrerait ou rencontrer
*rép ass:* réponse assurée
*sens:* sensuel(le)
*sit:* situation
*souh:* souhaite ou souhaité(e)
*vve:* veuve

---

## *Exercice de compréhension à l'oral*

A votre avis quel auteur d'annonce répondrait le mieux à l'attente des annonceurs suivants:
(a) JF 18a (annonce n°. *10*).
(b) Célib. cath. prat. (n°. *16*).
(c) 75 Vraie blde (n°. *11*).
(d) 75 Epicurien (n°. *4*).
(e) Jeune citadine DCVM jeune agriculteur région 80 ou 81.
(f) Votre professeur de français.

---

## 3. Carrières et emplois

**Carrières & Emplois**

**Demandes d'Emplois**

① ● J coiffeuse mixte cherche emploi T (90) 78/47/91

② ● J Femme 31 ans ch emploi secrétariat Pertuis ou environs T soir ap 19 h (91) 75/64/30

**GENS DE MAISON**

● *gardes d'enfants*

③ Jne fille, 21 ans, ch. garde enfant ou ménages chez part. ou commerce, sur Toulouse. – Tél. (61) 65.31.08.

④ Jne fle garderait enfants ou ferait petit ménage, sur Tse. Etudie ttes propos., pas sér. s'abst. – Tél. (61) 62.69.76

⑤ **Jne Fille Anglaise** cherche EMPLOI AL'PAIR 15/8 a 30/9, garde enfants + cours anglais *Tél.* (61) 54.43.24.

**Emplois-Demandes**

⑥ F. 27 a. licence lettr. modernes cherche poste enseign. second. en Seine-Maritime, Eure, DUBONNET, 133, rue César-Franck, ROUEN 76000.

⑦ H. 26 a. doc. phil. cherc. post. enseign. second. privé pr rentrée 82 LEMAN. 62, r. du Chemin-Vert, 92 BOULOGNE.

⑧ Jeune fille 23 ans SECRETAIRE DOCUMENTALISTE diplômée BILINGUE ANGLAIS Bagage universitaire. Initiative Ch. emploi LYON ou région. Ecrire au journal N°. 7409, 5, rue des Italiens, 75427 PARIS

⑨ J.H. 22 ans, lib. O.M., cherche poste éducateur stagiaire vu format, éducateur spécialisé. Expérience, cas sociaux, adolescents. – M. PIERRE S., 153, rue Gaillardon, 77003 MELUN.

⑩ **J.H. 24 ans licencié en droit, dynamique, courageux, ambitieux, expérience vente,** las propositions «bidons», **prêt à engagement total dans fonction motivante, cherche emploi CADRE COMMERCIAL** dans **entreprise sérieuse** (métro, boulot, dodo s'abstenir). Téléphone: 421-63-79.

## HOTELLERIE RESTAURATION

⑪ Restaurant bar spectacles recherche
### SERVEUSES TOPLESS
Bonne rémunérat. Se prés. 147, r. Fontaine, Paris-7$^e$ à partir de 16 h 30

---

⑫ HOTEL * * * recherche
### FEMME DE CHAMBRE
sérieuses réf. Place à l'ann. 30 ans min. Se prés. à partir de 10 h au 136, rue Bonaparte. M° Saint-Germain-des-Prés.

⑬ CLUB av. Champs-Elysées ch.
### HOTESSES
Excell. présent. Fixe 200 F + % Se prés ce jour à partir de 14 h., 159, r. de Ponthieu-8$^e$ Métro: George-V.

## GENS DE MAISON

● **employés de maison**

⑭ Urgent, ch. employée de maison, nourrie, logée, sérieuses réf. – Tél. 16 (69) 23.27.64.

● **aides familiales**

⑮ Ch. pour Blagnac, femme de ménage. 4 fois 3 h le matin. – Tél. (41) 79.43.70

---

● **commerce**

⑯ **IMPORTANTE SOCIETE EN PLEINE EXPANSION** recherche
### VENDEURS VENDEUSES

● Libres de suite
● Excellente présentation
● Bon niveau culture général
● Débutants acceptés
● Formation assurée
● 20 ans minimum

### SALAIRE IMPORTANT

*Tél. ce jour, de 10 h à 12 h et de 14 h à 18 h, au (16.61) 41.67.74*

● **hôtels-restaurants**

⑰ Pub café concert «Le Yoyo», rech. **BARMAN,** ou **BAR-MAID,** – Tél. (91) 94.13.14.

## Offres de stages

⑱ **Rech.** JF stage longue durée, rémun. vaches laitières, élevage Charolais, élev. caprins, fabrication fromage. Tél:: (73) 66.22.92
16938

---

⑲ **Recherche stagiaire** G. ou F. élevage ovin long. durée, rémunéré. Tél.: (94) 55.25.04
17447

⑳ **23-Ch. stagiaire** pour st. long. durée, 450 brebis + chevaux, poss. équitation Tél.: (65) 65.60.71
17475

㉑ **Elevage** bovins . Charolais cherche J. H. stagiaire pour période vêlage. Tél.: (40) 55.03.01
17476

㉒ **Rech.** main d'oeuvre pr soins animaux, restaurer vieilles pierres, nourrie, logée, vie famille; argent de poche Tél.: (52) 03.36.06
16728

㉓ **Rech.** pour exploitation polyc. élev. de la région Parisienne, un jeune ménage, fils d' agric. ayant sérieuse formation, titulaire BEPA-BTS méc. agric., poss. permis VL. très sérieuses réf. exigées. Pour 1$^{er}$ Février. Ecr. avec CV à FA 1911 qui transmettra
17042

## Offres d'Emplois

㉔ ● Pour Apt recherche garde pour dame âgée invalide. T. (94) 24/03/41 HR T (94) 24/06/20

㉕ ● Sté isolation recrute technico cial pr 04 et limit véhic indisp (97) 79/36/55 87/54/72

㉖ ● Photographe prof cherche pour poses nu académique jeunes filles même inexpér T Rabelais à Roussillon T 76/62/43

● **divers**

㉗ Sté de construction rech. secrétaire, emploi mi-tps, début. acceptée; dessinateur (trice) bât à mi-tps; commercial V.r.p. sur zone est Gers et ouest Tse. – Env. C. V. + photo et prêt. ou se prés. l'après-midi: Sté Bâtiment Gascon, 2, bd A.-Praline, 32601 L'Isle-Jourdain.

---

㉘
### MENAGE-PRESSE
important groupe de presse et d'édition

### recherche

# Documentaliste photothèque

Il aura la responsabilité de la photothèque de presse, intégrée dans le centre de documentation. Avec l'aide d'une assistante, il assurera la sélection et le classement des photos d'agence et leur diffusion auprès des journalistes de LA TOUR et des autres publications du groupe.

Ce poste s'adresse à un(e) candidat(e) de préférence diplômé(e) en documentation (I.N.T.D., Sciences Po, D.E.S.S.) et ayant acquis si possible une première expérience dans une photothèque ou un centre de documentation traitant de l'image.

*Adresser C.V. à:*
### MENAGE-PRESSE
**Direction du personnel**
réf. PP/527
**3, rue Fabien - 75003 PARIS**

## Notes

*Sur Tse (4):* dans la région de Toulouse (cp. sur Pessac, p. 180).

*documentaliste (8):* chargé de rassembler, de classer, et de conserver des documents dans une entreprise, école, etc.

*stagiaire (9):* 'trainee',

*cas sociaux (9):* personnes dont la situation économique est telle qu'elles doivent être prises en charge par la communauté.

*bidons (10):* faux.

*métro, boulot, dodo (10):* voir **Notes** p. 157.

*Charolais (18):* race de bétail.

*caprins (18):* chèvres; *ovins (19):* moutons; *bovins (21):* bœufs.

*vêlage (21):* période où les vaches donnent naissance aux veaux.

*BEPA-BTS méc. agric (23):* Brevet d'études professionnelles agricoles — Brevet de Technicien supérieur en mécanique agricole.

*VL (23):* véhicule lourd.

*04 et limit (25):* département des Alpes-de-Haute-Provence et les alentours.

*photothèque (28):* bibliothèque d'images et de photos.

*INTD (28):* Institut National des Techniques de la Documentation.

*Sciences Po (28):* Institut d'études politiques de Paris, ou d'une autre grande ville (p. ex. Lyon).

*DESS (28):* Diplôme d'Etudes Supérieures Spécialisées.

## Abréviations courantes

*av.:* avenue
*CV:* curriculum vitae
*doc. phil:* doctorat en philosophie
*de suite:* tout de suite
*élev.:* élevage (d'animaux)
*excell. présent.:* excellente présentation

*FA:* le journal *La France Agricole*
*lib. O.M.:* libre des obligations militaires (du service militaire)
*mi-tps:* mi-temps
*polyc.:* polyculture
*prét.:* prétentions (= le salaire demandé)

*rémun.:* rémunéré
*Se prés.:* se présenter
*st.:* stage
*technico cial:* ingénieur technique et commercial (technicien vendeur)
*ttes propos.:* toutes propositions

*V.r.p.:* Voyageur-représentant professionnel ('rep', 'travelling salesman')
*vu format.:* en vue de suivre des cours de formation

OFFRES D'EMPLOIS

# POUDI: PRODUIT DE LA HAUTE TECHNOLOGIE FRANÇAISE

ABOUTISSEMENT DE LA TECHNOLOGIE DE DEMAIN, LA GAMME DES MICRO-ORDINATEURS POUDI CONSTITUE LE PLUS REALISTE DES SUCCES INDUSTRIELS: APF PROPOSE EN EFFET LES MACHINES LES PLUS ORIGINALES ET LES PLUS UNIVERSELLES.
SI, COMME NOUS, VOUS VOULEZ INNOVER POUR GAGNER . . .
VENEZ GAGNER AVEC APF POUDI.

## ATTACHE(E) DE PRESSE    (réf. 863 M)

Attaché(e) de presse, passionné(e) d'informatique, vous connaissez, probablement POUDI. En devenir l'ambassadeur en France et dans le monde entier veut qu'à présent vous l'aimiez. Point n'est besoin d'être un informaticien hors pair, le meilleur atout dont vous disposez en effet tient à vos qualités d' « homme média », doué pour la rédaction, « branché » sur la presse d'informations générales et informatiques. Pour le reste, vous imaginez ce que l'on peut attendre de vous, puisqu'une expérience significative vous a appris les avantages et les contraintes du métier: contacts avec les services de la société, le réseau de distribution, les sous-traitants, animation et mise en place du comité communication, synthèse des articles et communiqués de presse, relations avec les média. Le Directeur Marketing auquel vous serez rattaché vous voit diplômé d'une Ecole d'Ingénieurs, de Commerce, de l'EFAP ou du CELSA par exemple, et parfaitement bilingue anglais.

## ASSISTANT(E) AU SERVICE DU PERSONNEL    (réf.892 M)

Véritable technicien(ne) de la fonction personnel, vous assistez la Responsable des Relations Humaines et Sociales dans: ● les missions de recrutement, ● la mise en place du plan de formation, ● les réalisations de type: livret d'accueil, bilan social, procédures internes, ● des études ponctuelles (structures des rémunérations), ● le suivi des relations et des actions menées avec le comité d'entreprise. Diplômé(e) d'Etudes Supérieures votre première expérience et votre goût pour la fonction personnel vous permettent d'être la personne que nous recherchons.

*Cette phase d'expansion tout à fait exceptionnelle, nous la devons à la créativité, l'enthousiasme, au dynamisme qui sont les clés de notre succès. Innover, gagner ne sont pas un vain leit motiv dans l'esprit de nos collaborateurs. Faites comme eux, rejoignez-nous, nous avons des opportunités à vous proposer.*
*Envoyez curriculum vitae, photo et prétentions sans oublier la référence du poste choisi, les Consultants de* **BETA BPT** *prendront contact avec vous rapidement.*

**BETA BPT - 118 avenue Charles de Gaulle - 92200 NEUILLY**

## Notes

*aboutissement (4):* le résultat.

*informatique (12):* science et techniques du traitement automatique de l'information surtout par ordinateur.

*informaticien (16):* spécialiste de l'informatique.

*hors pair (16):* sans égal.

*«branché» (18):* qui s'intéresse vivement à qc. Voir aussi Module *III*: 2, p. 47.

*services de la société (23):* les différents départements de la firme.

*les sous-traitants (23):* d'autres firmes qui se chargent de fabriquer certaines pièces qui seront ensuite incorporées, ici, dans les ordinateurs Poudi.

*animation et mise en place du comité (24):* 'running and setting up a committee'.

*synthèse (des articles) (25):* résumés.

*une Ecole d'Ingénieurs (27–28):* une Grande Ecole. Voir **Dossier** p. 89.

*EFAP (28):* Ecole Française des Affaires de Paris.

*CELSA (28):* Centre d'Etudes littéraires et scientifiques appliquées.

*service du personnel (31–32):* le département qui s'occupe des employés de la firme.

*la fonction personnel (33):* le travail du service du personnel.

*missions (35):* implique souvent une responsabilité qui nécessite un voyage ou tournée; cf. un chargé de mission (du gouvernement).

*formation (36):* 'training'.

*livret d'accueil (36–37):* petite publication contenant des informations utiles sur la firme destinées aux nouveaux venus parmi le personnel.

*bilan social (37):* le Code de Travail exige que toute firme établisse un rapport ou bilan annuel sur ce qu'elle a fait pour améliorer les conditions de travail et les rapports sociaux dans l'entreprise.

*études ponctuelles (37–38):* études sur des points particuliers (à ne pas confondre avec l'anglais 'punctual').

*le suivi (38):* la tâche de suivre ou de s'intéresser à quelquechose.

*comité d'entreprise (39):* comité de délégués des travailleurs, présidé par le chef d'entreprise, qui s'occupe de certaines fonctions de gestion et de contrôle (p. ex. cantine, association sportive).

*leit motiv (44):* thème ou formule qui revient sans cesse (mot allemand).

*curriculum vitae (46):* description de la carrière d'une personne, de ses qualifications, qui accompagne une demande d'emploi.

*prétentions (46):* le salaire qu'on souhaite lors d'une demande d'emploi.

# EXERCICES PRATIQUES

## Immobilier

### A l'oral

Jeu de rôle: Vous téléphonez en réponse à une des annonces. Un autre étudiant joue le rôle de l'employé de l'agence immobilière ou du vendeur/propriétaire selon le cas.

### A l'écrit

Vous cherchez un logement en France. Rédigez le texte d'une annonce qui paraîtra dans un journal.

# Rencontres

**Allemande francophile** de très bonne famille, divorcée, 4 enf. sérieux, épanouis (8, 13, 15 et 17 ans dont l'avenir est financièrement assuré) vivant en partie sur son domaine en Côte d'Or (cultures céréalières, élevage) **cherche compagnon** (éventuellement veuf avec enfants) d'une quarantaine d'années, agric, exploitant, actif, dynamique, bon caractère, formation supérieure, intelligent, chaleureux, spirituel **pour futur mariage** et qui verrait la vie au sein d'une famille sympathique non pas uniquement comme un défi, mais comme un enrichissement. **Il pourrait** le cas échéant, assurer la direction ou l'exploitation du domaine tout en continuant d'exercer sa profession ou d'exploiter sa propre ferme. **Elle 39 ans,** 1,65 m, mince, yeux bleus, allure jeune, mère modèle, bonne maîtresse de maison, parlant bien le français, goûts variés, n'a pas perdu l'espoir d'une affection sincère, d'un amour véritablement partagé. Prière d'envoyer lettre détaillée avec photo à FA 1824 qui transmettra.

mesure l'aspirant correspond à ses souhaits, et éventuellement de fixer un rendez-vous. De son côté l'homme veut vérifier les détails de l'annonce et en découvrir d'autres, avant de proposer une rencontre.

2. Jouez la première rencontre de ces deux personnes.

3. Vous téléphonez en réponse à l'une des annonces et vous tombez sur un répondeur automatique. Laissez un message: qui vous êtes, quelles sont vos intentions.

## *A l'oral*

Jeu de rôle: 1. Un étudiant joue le rôle de l'homme qui a répondu à l'annonce ci-dessus et qui reçoit un coup de téléphone de la dame concernée, dont le rôle est joué par une étudiante. Il s'agit pour la dame de savoir dans quelle

## *A l'écrit*

Ecrivez une lettre de réponse à l'une des annonces qui vous intéresse (Pas sér. s'abst).

---

# Demandes d'emploi

## *A l'oral*

L'entrevue d'embauche. Vous avez un poste à offrir à l'un des demandeurs d'emploi.

## *A l'écrit*

Rédigez le texte d'une demande d'emploi pour vous-même en France pendant les grandes vacances.

---

# Offres d'emploi

## *A l'oral*

1. Téléphonez pour un des stages à la ferme *(18, 19, 20, 21)*.

2. L'entrevue d'embauche. Vous vous présentez comme candidat à l'un des postes annoncés ci-dessus.

## *A l'écrit*

1. Ecrivez une lettre de candidature à l'un des postes annoncés ci-dessus. N'oubliez pas de joindre votre C. V.

2. Rédigez le texte français des offres d'emploi qui suivent:

# Head of Operations—France

In less than 4 years over 3.5 million Sinclair designed computers have been sold making it Europe's leading home computer supplier by volume. Sinclair is now poised to enhance dramatically this already impressive performance.

We are seeking an exceptionally talented person who will make a significant contribution to the marketing of Sinclair products in France. With an existing growth rate of over 100% per annum, this is quite a challenge.

You will be responsible for developing the marketing strategy and for ensuring its implementation. Working alongside the existing distributor you will ensure the optimum development of Sinclair's business interests in France.

The successful candidate is likely to be in the 30–40 age range, totally fluent in French and English and have an outstanding record of success in his/her career to date. Personal qualities and skills are far more important than industry background. Attributes called for include considerable flair and flexibility, a high level of energy and drive, as well as highly developed intellectual and business skills.

**Please send personal and career details, written in English, to Bill Govern at Graduate Executive Search, 52 Haze Crescent, Montridge MR5 3LH, England. Alternatively telephone 00359 644 255257 for an application form. Initial interviews will be held in Paris.**

---

## 4. La Consommation

Krispi de Kellogg's, ce sont des grains de riz soufflés sur lesquels on verse du lait et . . . Snap! Crac! Pop! Ils font un petit déjeuner riche en vitamines, sels minéraux et protéines. Une vraie fête pour les oreilles des petits . . . qui n'ont plus qu'une envie: manger Krispi. Avec Krispi de Kellogg's, le petit déjeuner devient un repas complet et délicieux qui régale les petits enfants en musique. LEVEZ-VOUS KELLOGG'S.

\* \* \*

Sans le Club, je n'aurais jamais su qu'apprendre était un plaisir. Logement + Petits déjeuners + Déjeuners + Dîners-restaurant + Soirées + Spectacles + Night-Club + Concert + Piscine + Tennis + Voile + Ski nautique + Planche à voile + Plongée + Tir à l'arc + Atelier informatique + Arts appliqués + Mini-Club = . . . Nous, tout est compris. Et vous? Avant de décider, faites vos comptes et comparez.

\* \* \*

paco rabanne crée *soin pour homme.*

Faites aujourd'hui pour votre visage ce que tous feront demain. Les rasages répétés, les efforts violents, les activités intenses et toutes les agressions subies par la peau d'un homme, c'est un fait. Mais que les hommes oublient de prendre soin d'eux-mêmes quand cela leur prend du temps, c'en est un autre.

Paco Rabanne l'a bien compris. Et il apporte la réponse: Soin pour Homme.

Calmante et adoucissante, la Crème Protectrice Après Rasage éteint le feu du rasoir et hydrate la peau. La Crème Hydro-Biologique, encore plus active, repose la peau, la rééquilibre et l'assouplit.

Il y a quatre autres produits, tout aussi simples, tout aussi utiles. Mais faites déjà pour votre visage ce que tous feront demain: l'essentiel avec un minimum.

Paco Rabanne/Paris.

\* \* \*

Les essuies Santens. Symphonie de couleurs pour salles de bain. Si Mozart avait composé des couleurs, voilà comment se serait présentée sa gamme de serviette éponge. Parfaitement harmonieuse. Avec des tonalités douces, fraîches. Une structure caressante. Des motifs de grand style. Des mouvements simples. Sa musique, Mozart l'aurait vue dans la gamme des couleurs Santens. Et comme il aurait eu raison! SANTENS Côté passion, la douceur. Côté raison, le prix.

* * *

« Mon deuxième, je le paye 1800F par mois ».

La micro, vous en avez besoin, mais par tempérament ou par nécessité, vous analysez, vous comparez, afin d'obtenir les meilleures conditions financières. Faites donc vos comptes, et allez chercher votre IBM XT en crédit-bail, chez Agena, pour 1800F par mois. Agena, la façon la plus naturelle de s'équiper en micro-informatique, vous propose un nouveau service: pour tout renseignement, appelez son téléphone vert: 16.05.18.31.39, Agena vous offre la communication. Dès aujourd'hui, bénéficiez chez Agena de la baisse des prix IBM.

* * *

Il y a un peu plus dans cette bouteille qu'un grand whisky. Il a la transparente blondeur d'un crépuscule sur la lande. Il a la force et le caractère sauvage de son pays. Race pure depuis cinq générations, ce n'est pas un whisky comme les autres. C'est Glenfiddich. Le seul pur malt des Hautes Terres d'Ecosse à être mis en bouteille à l'endroit même où il est né. Une distinction naturelle qui ne s'adresse qu'aux véritables amateurs de whisky. Glenfiddich. Le boire est un art. « Sachez apprécier et consommer avec modération.»

* * *

---

# EXERCICES PRATIQUES

## A l'oral

Le consommateur obéit à divers mobiles quand il achète. Les annonces, par l'image et par la parole, font appel à des mobiles multiples que les publicitaires devinent ou suscitent chez le consommateur cible. Ces mobiles peuvent être de nature économique (le rapport qualité–prix), égoïste (santé, propreté, confort, efficacité, plaisir, gourmandise, vanité, sécurité, snobisme, instinct de domination, instinct sexuel, . . . ), ou altruiste (désir de protéger ou de se dévouer). (Voir R. Leduc, *La Publicité, une force au service de l'entreprise,* Paris: Dunod, 1969).

1. Pour les publicités de la catégorie **Consommation**, quels mobiles sont mis en jeu?

2. Recensez les publicités d'un hebdomadaire français du point de vue des mobiles que vous jugez intervenir et confrontez vos constatations avec ce que vous savez du genre de lecteurs du même «support» (Texte Un, *19*).

## A l'écrit

1. Rédaction: En vous inspirant des annonces ci-dessus, rédigez un court texte publicitaire pour l'un des biens de consommation ou services suivants:

(a) un yaourt parfumé pour enfants;

(b) cours d'été: l'anglais langue étrangère, cours assuré par des professeurs de votre université ou institut;

(c) un savon;

(d) une nouvelle gamme de chemises ou de chemisiers;

(e) la location d'un téléviseur;

(f) un nouvel apéritif sans alcool, bien de chez vous.

2. Rédaction (minimum 300 mots): Commentez la psychologie du consommateur tel qu'il est révélé ou présumé dans deux ou trois annonces que vous aurez relevées dans la presse française ou à la télévision britannique ou française. A quels mobiles les publicitaires font-ils appel chez le consommateur?

---

# Dossier: La Publicité

### A QUOI SERT LA PUBLICITÉ?

Chaque publicité a un but précis, dont voici quatre exemples:

### 1. Faire connaître un produit nouveau:

Lorsqu'une entreprise lance un produit, elle doit le faire connaître. Sinon, comment les consommateurs l'achèteraient-ils? Une publicité de lancement est simple: elle donne le nom du produit, dit à quoi il sert et montre à quoi il ressemble.

### 2. Fidéliser la clientèle:

Rien ne sert de conquérir des consommateurs, il faut les garder! Les entreprises continuent donc à faire de la publicité, même si leurs produits sont déjà très connus. Elles font alors des *publicités d'image,* qui servent à «faire aimer» leurs produits (la RATP et sa publicité «Ticket chic, ticket choc», par exemple). Le cas extrême est celui de Coca-Cola: sa boisson est archicélèbre dans le monde entier. Pourtant, Coca-Cola continue à faire beaucoup de publicité car des études ont montré que s'il arrêtait, ses ventes tomberaient aussitôt!

### 3. Rajeunir un produit fatigué:

Un produit aussi, cela vieillit! Mais la publicité peut l'en empêcher, en lui donnant une nouvelle image: La publicité «Maggi soup» dit ainsi que la soupe n'est pas une affaire de grand-mère, mais bien une mode pour aujourd'hui!

### 4. Donner une bonne image d'une entreprise:

Ici, la publicité ne parle pas d'un produit, mais elle vante la qualité de l'entreprise qui le fabrique. Des grandes entreprises comme EDF ou IBM font fréquemment ce type de *publicité institutionnelle*, qui sert à inspirer confiance.

### QUI UTILISE LA PUBLICITÉ?

Les dix premiers *annonceurs* français sont:

1. B. S. N. Gervais-Danone (Evian, Panzani/Pie qui chante).

2. Peugeot (la 205/Citroën).

3. L'Oréal (déodorant Fun/shampooing Equilibre/Mixa bébé).

4. Nestlé (Maggi Soup/Nescafé/Bolino/ Montblanc . . . ).

5. Unilever (Omo, Persil, Skip/Signal, Gibbs, glaces Motta).

6. Renault (la Supercinq).

7. Thomson (Brandt/Continental/Edison/Thomson).

8. Philips (électroménager/Ladyshave/Compact Disc).

9. Colgate (Palmolive/Ultra Brite/couches Caline/Paic citron).

10. Darty (électroménager/service après-vente).

Depuis quelques années, l'Etat (c'est-à-dire le gouvernement, les ministères . . . ) est devenu l'un des plus gros annonceurs français. Il utilise la publicité pour informer le public de ses décisions (sur la formation pour les jeunes, par exemple), pour éduquer (campagne anti-tabac) ou pour améliorer l'image de son administration (publicité PTT). En période d'élection, les partis politiques font aussi de vastes campagnes publicitaires (affiches, tee-shirts).

### Les interdits de séjour

La publicité est un domaine très réglementé. Certains produits n'ont absolument pas le droit d'en faire! Ainsi, sont interdits à la télévision les publicités pour: le tabac, l'alcool, les bijoux, les livres, les produits amaigrissants ... et la margarine!

## OÙ PASSE LA PUBLICITÉ?

La publicité se répartit entre cinq grands *média:* Presse: 56 % Télévision: 17,5 %. Affichage: 15,5 %. Radio: 9 %. Cinéma: 2 %. (*Chiffres 1984*, IREP).
Rares sont les produits qu'on retrouve dans les cinq média à la fois (un exemple cependant: l'automobile). Chaque annonceur fait habituellement un choix en fonction de la *cible* (le public) qu'il veut toucher et ... du budget dont il dispose!

**La presse:** Elle permet de sélectionner très précisément sa « cible » grâce aux magazines spécialisés. Ainsi, un fabricant de tennis fera de la publicité dans *Okapi* s'il veut toucher un public jeune.

**La télévision:** Un spot diffusé le soir à 20 h 30 permet de toucher des millions de personnes en quelques secondes! La télévision est le média idéal pour les produits de très grande consommation. Elle ne convient pas en revanche aux produits très « ciblés » (un piano, par exemple).

**L'affichage:** Une belle affiche, bien placée, ça se remarque! Mais dans la rue, on n'a pas le temps de lire. Le message doit donc se résumer à un slogan!

**La radio:** Des millions de personnes branchent leur radio le matin, au réveil. Mais souvent, ils n'écoutent les messages publicitaires que d'une oreille distraite.

**Le cinéma:** C'est un superbe média qui offre mouvement, musique et grand écran. Mais il ne touche qu'une partie de la population (les jeunes de moins de 25 ans, essentiellement).

## LES MOTS CLÉS DE LA PUBLICITÉ

**L'annonceur:** C'est l'entreprise qui fait de la publicité pour ses produits ou ses services.

**La campagne:** L'ensemble des actions publicitaires qui sont déclenchées en même temps.

**La cible:** La partie du public à laquelle s'adresse plus particulièrement le message publicitaire.

**Le casting:** Mot anglais désignant le choix des acteurs, mannequins ou figurants d'une publicité.

**L'espace publicitaire:** L'emplacement (page d'un journal, par ex.) ou le temps (30 secondes à la radio, par ex.) que l'annonceur achète.

**Les média:** Il y en a 5: presse, radio, télévision, cinéma et affichage. On dit aussi « mass media ».

**Le message publicitaire:** C'est ce qu'on appelle couramment une « publicité ».

**Le pack-shot:** Le gros plan sur le produit qu'on montre généralement à la fin d'un film publicitaire.

**La régie:** La société qui s'occupe de la vente des espaces publicitaires (pour la télévision, elle s'appelle la RFP).

**Le spot:** Mot d'origine anglaise qui désigne un passage publicitaire à la radio ou à la télévision.

**Le story-board:** Bande dessinée qui reprend, image par image, le déroulement d'un film publicitaire. On le présente à l'annonceur avant le tournage, pour avoir son accord définitif.

**La surimpression:** Technique qui consiste à faire apparaître un texte sur les images d'un film (le nom du produit, par ex.)

Beaucoup de mots de la publicité sont en anglais, parce que les premiers « grands » publicitaires étaient américains.

*Okapi,* 1–15 avril

# GRAMMAR SECTION 7: *Word Order*

§1. **Declarative Sentence: Subject, Object, Adverbs**
§2. **Exclamatory Sentence**
§3. **Interrogative Sentence**
§4. **Word Groups**

## §1. Declarative Sentence

### *1.1 Position of the subject*

#### 1.1.1 Normal word order
The subject normally precedes the verb,
e.g. *Le soldat s'en va en permission*
   ('. . . on leave').

#### 1.1.2 Inversion of subject and verb
Inversion is obligatory in careful French when a sentence begins with one of the following: *ainsi, à peine, aussi* ('so'), *aussi bien, du moins, en vain, encore, peut-être, quel que* ('whatever'), *tel, sans doute . . .*,
e.g. *Sans doute l'aurait-on fusillé, s'il n'avait été Anglais.*
   *Tels* **sont les résultats** *de la domination technologique.*

N.B. After all the above, except *quel que* and *tel*, if the subject is a noun there is not, strictly speaking, an inversion, but a **repetition** of the subject, in the form of a pronoun, after the verb. This is known as **complex inversion**,
e.g. *Aussi les hôteliers* **ont-ils** *protesté.*
   ('So the hoteliers protested.')

Generally, inversion occurs with verbs of saying or thinking inset (in parenthesis) in direct speech,
e.g. *Sire,* **dit le renard**, *vous êtes trop bon roi.* (La Fontaine)
   *Je ne sais pas,* **pensa-t-il**.

(But inversion is not obligatory in the following phrases when they are part of the direct speech: *je pense, je suppose, je crois, je l'avoue, j'en conviens, il est vrai . . .*
e.g. *Nous allons assister,* **je pense**, *à une soirée intéressante.*)

Inversion occurs in certain phrases containing the subjunctive,
e.g. *Vive la France! Périssent les tyrans!*

Inversion of noun subjects is optional in relative clauses introduced by *que* or *où*,
e.g. *Les livres que mon père m'a donnés/ que m'a donnés mon père.*

Inversion may also be used for emphasis: see GS 10, §2.2, pp. 186–187.

EXERCISE A: Translate the following into French, inverting subject and verb wherever possible:

(a) I opened the cupboard where the cakes and sweets were to be found.

(b) So the students went home.

(c) Perhaps he'll come tomorrow.

(d) No doubt the ecologists are right.

(e) Whatever be the truth in the matter, I must say no.

(f) Vainly the population of the village struggled against the building of the new motorway.

## *1.2  Position of direct and indirect objects*

**1.2.1**  Direct objects, other than personal pronouns (see GS 1, §3.1, p. 17), follow the verb, but may be separated from it,

e.g. *Mais ces pancartes répandent, **chez ceux qui les voient, chez ceux qui les posent**, un sentiment de responsabilité qui va croissant.*

**1.2.2** Certain verbs (*donner, envoyer, payer écrire . . .*) may be followed by a direct object and an indirect object. Usually, the direct precedes the indirect object,

e.g. *On a accordé une permission aux troupes.* But, in many cases, the length of the objects decides their position. The shorter object usually precedes the longer,

e.g. *On a accordé aux troupes une permission de 48 heures.*

## *1.3  Adverbs and adverbial phrases*

Such phrases are usually arranged in order of increasing length,

e.g. *Ce jour-là, au bois de Chaville, une famille pique-nique **dans la mousse des sous-bois*** (long adverbial phrase placed at the end).

There is a tendency to delay essential information (subject-verb group) until the end of the sentence,

e.g. *Chaque fois que le général passe la porte sur son cheval, **la garde lui rend les honneurs*** (delayed subject-verb group).

EXERCISE B: Construct sentences by re-arranging the groups of words given in brackets. More than one arrangement may be possible.

(a) (**1.** une centaine de bateaux attendent) (**2.** que leurs 500.000 tonnes de marchandises soient déchargées) (**3.** en rade depuis deux mois) (**4.** dans les principaux ports iraniens)

(b) (**1.** des hauts-parleurs installés dans toutes les rues) (**2.** hurlent des slogans) (**3.** et déversent les flots de la nouvelle musique populaire) (**4.** de six heures du matin à neuf heures du soir) (**5.** à longueur de journée)

(c) (**1.** à la presse) (**2.** une divergence de vues si considérable) (**3.** avant la fin de la Conférence) (**4.** qu'on a promis aux délégués) (**5.** les débats ont fait apparaître) (**6.** de ne rien divulguer)

(d) (**1.** plus de trois quarts du pétrole vénézuélien) (**2.** sortent) (**3.** de ces rives desséchées)

(e) (**1.** la France a misé à fond sur le pétrole) (**2.** sous la pression des pays arabes) (**3.** au cours des années 60)

### 1.4  *Negative adverbs*

Normal word order in a negative sentence is the following:
e.g. *Je **ne** sais **pas**.*

or, in a compound tense:
e.g. *Il **n'a rien** envoyé.*

– If two negatives are required in the same sentence, there is a fixed order,
e.g. *Il ne dit **jamais rien**. (plus rien, plus jamais)*
Cp. *Il ne dit **plus jamais rien** à **personne**.*

– If the negative applies to an infinitive, both parts of the negative precede the infinitive,
e.g. *Elle m'a conseillé de **ne plus** venir.*

– Certain negatives are always placed at the end of a phrase or clause:
*personne, aucun, nulle part,*
e.g. *Elle m'a conseillé de **ne** voir **personne**.*
    *Je **n'**en ai vu **aucun**. (for aucun see also p. 85)*
    *On **ne** la trouve **nulle part**.*

## §2.  Exclamatory Sentence

Exclamatory sentences in French usually follow the normal subject-verb order, but are introduced by such terms as *Comme, Que, Qu'est-ce que* and *Quel,*
e.g. *Comme les gens sont devenus égoïstes!*
    *Qu'elle est belle!*
    *Qu'est-ce qu'il est bête!*
    *Quelle surprise!*

For greater emphasis, a noun subject, anticipated by a pronoun, may occur at the end of a sentence,

e.g. *Qu'il est sale, ce gosse!*

EXERCISE C: Put the following sentences into exclamatory form, the exclamation concerning the word or phrase printed in italics.

(a) On a eu une *surprise*.
(b) Nous avons été *surpris*.
(c) C'est *une belle forêt*.
(d) Elle a *de très grands arbres*.
(e) C'est *vilain*.

## §3.  Interrogative Sentence

**3.1**  If the subject of the sentence is the interrogative *qui* or a noun accompanied by a question-word, normal subject-verb order is observed,
e.g. *Qui est là?*
    *Combien de personnes attendent à la porte?*

In other interrogative sentences, French has three principal constructions: inversion (simple and complex) of subject and verb, use of *est-ce que*, retention of normal subject-verb order. The first construction belongs to the more formal level of French, the third to the less formal.

### 3.2  *Simple inversion*

In using this construction it is important to note whether the subject is a pronoun or whether it is a noun.

**3.2.1**  If the subject is a **pronoun**, simple inversion can be used without restrictions,

e.g. *Vient-elle?*
    *A-t-il mangé?*
    *Pourra-t-elle venir?*
    *Comment vient-elle?*
    *Quand a-t-il mangé?*
    *Pourquoi veut-elle venir?*

Note that whatever its final letter, the verb is separated by a hyphen from its pronoun. All third person verbs ending in a vowel require the insertion of *-t-* as a liaison form.

**3.2.2**  If the subject is a **noun**, use of simple inversion is necessary after *Que*,
e.g. *Que veut cet homme?*
   *Qu'a dit l'écologiste?*

It is possible to use simple inversion after the question words *qui* and *quoi* (preceded by a preposition), *quand, combien, comment, où,* etc.,
e.g. *De quoi ont parlé les ministres?*
   *Où conduit cette route?*

Complex inversion may also be used after all these words except *Que* (see §3.3 below).

**3.2.3**  It is **not** possible to use simple inversion with noun subjects in the following cases:

– in questions calling for a yes/no answer,
e.g. Is the man coming?

– when the direct object of the verb is also a noun,
e.g. When will the mechanic mend the car?

– when the verb is **to be** or **to become** with a noun or adjective as complement,
e.g. When did Louis XIV become king?

– after *Pourquoi?*

In the foregoing cases recourse must be had to complex inversion.

## 3.3  Complex inversion

This construction involves the recapitulation of a noun subject after the verb by means of a pronoun: (Question word)+ subject noun+ verb+subject pronoun,
e.g. *L'agent de police viendra-t-il?*

It is obligatory to use this construction in the cases listed in §3.2.3:

e.g. *L'homme vient-il?*
   *Quand le mécanicien réparera-t-il la voiture?*
   *Quand Louis XIV est-il devenu roi?*
   *Pourquoi mon fils est-il mauvais élève?*

This construction is optional with noun subjects after question words other than *Que*,
e.g. *De quoi les ministres ont-ils parlé?*
   *Où cette route conduit-elle?*

## 3.4  Addition of 'est-ce que'

This is the most common interrogative construction in the spoken language. When the question concerns the whole sentence and calls for a yes/no answer, *Est-ce que* is placed at the head of the sentence,
e.g. *Tu viendras =*
   *Est-ce que tu viendras?*

When the question concerns only part of the sentence *est-ce que* is inserted between the question word and the subject,
e.g. *Quand est-ce que tu viendras?*
   *Quand est-ce que le monsieur est passé?*

## 3.5  Retention of normal subject-verb order

At a more informal level normal subject-verb word order is retained and the question expressed by a variety of other devices.

With questions requiring a yes/no answer a rising intonation is given to a declarative statement,
e.g. *Tu viens?*
   *Tu as eu du courrier?*

With questions bearing on only part of the sentence, the normal subject-verb order is retained and the question word placed either at the head or at the end of the sentence,

e.g. *Tu viens quand?*

*Quand vous venez?*

EXERCISE D: Compose the questions which gave rise to the following answers and which bear upon the italicised words. Give the appropriate form using inversion, then the form resulting from the insertion of *est-ce que*,

Example:

Mon père s'en va *demain*:

Quand s'en va votre père?

OR

Quand est-ce que votre père s'en va?

(a) Le chargé d'affaires a porté la lettre *à son ambassadeur.*
(b) Elle regarde *son frère.*
(c) Cela s'apprend *en Angleterre.*
(d) Giraudoux a publié la plupart de ses pièces *avant la guerre.*
(e) Ces gens dépendent *de leur consulat.*
(f) J'ai appris la nouvelle *par quelqu'un au ministère.*

# §4. Word Groups

## 4.1 Word groups involving numerals

Word order is generally the same as in English, but note the following divergent form, which is the reverse of the English order:

Definite article + cardinal number + ordinal number + noun

e.g. *Les deux premiers jours* (The first two days).

## 4.2 Word groups involving the adjective

**4.2.1** Most adjectives follow the noun,

e.g. *une culotte bleue, une voiture neuve.*

However, some of these may precede for reasons of emphasis. See GS 10, §2.2, pp. 186–187.

**4.2.2** The following very common adjectives normally precede the noun:

*autre, beau, bon, gentil, grand, haut, jeune, joli, mauvais, petit, tel, tout, vaste, vieux, vrai.*

However, these may follow the noun in the following circumstances:

– when the adjective is followed by a qualifying phrase,

e.g. *du vin **bon à mettre en bouteilles***

– when the adjective is preceded by an adverb (especially adverbs ending in -*ment*),

e.g. *une musique étonnamment belle*

*une fille presque jolie*

– in comparisons, such adjectives may precede or follow the noun,

e.g. *J'ai un gâteau **aussi gros** que celui de ma sœur.*

*J'ai un **aussi gros** gâteau que celui de ma sœur.*

**4.2.3** There is also a group of adjectives that may precede or follow a noun. Their meaning changes according to their position:

*ancien, brave, certain, cher, dernier, différent, digne, divers, faux, honnête, même, nouveau, nul, pauvre, propre, pur, sacré, seul, simple,* etc.

e.g. *une église ancienne* 'an old church'

*une ancienne église* 'a building that once was a church'

*une certaine date* 'a certain (= imprecise) date'

*une date certaine* 'a fixed date'

**4.2.4** When two adjectives qualify a noun both may relate independently to the noun,

e.g. *les espèces animales et végétales,*

**or** the second may qualify not merely the noun, but the unit formed by the noun and the first adjective together,

e.g. *l'esprit national* **français**, and
*le bulletin météorologique* **national**.

**4.2.5.** In the first case, the adjectives are separated by *et*, or by commas and *et* if more than two adjectives are involved,

e.g. *un homme doux, aimable, persuasif et par conséquent suspect aux femmes.*

In the second case, the two adjectives are merely juxtaposed (without *et*). Sometimes one of the adjectives figures before the noun to improve the balance or alter the emphasis,

e.g. *un continuel effort physique.* (See GS 10, §2.2).

EXERCISE E: Complete the sentences by arranging the words given in brackets around the noun printed in italics, adding, if necessary, punctuation and linking by using *et*. Several forms are possible.

Example:

On n'a pas encore trouvé de (intégralement; bénéfiques; *pesticides*)

On n'a pas encore trouvé de pesticides intégralement bénéfiques.

(a) On risquait de détruire l'un de(s) (naturels; fragiles; *équilibres*).

(b) Un contrôle qui repose sur une (intelligente; étroite; *coopération*).

(c) Les (libérales; politiques; *institutions*) ne fonctionnent que dans les pays techniquement développés.

(d) Il se sentait mordu d'un (vague; de fuite; *désir*).

(e) Elle le fixait de ses (petits; étonnamment; *yeux*).

(f) La (jaune; vaste; au portique grec; *maison*) lui revenait à l'esprit.

(g) Elle savait qu'elle était arrivée au terme d'un (long; *voyage*).

(h) Les (premiers; douze; *hommes*) purent débarquer sans difficulté.

(i) L'an dernier nous avons eu (de plus; trois; *jours de vacances*).

Other aspects of word order are dealt with in GS 1, GS 4 and GS 10 and on p. 115.

# VIII Aspects de la littérature

## TEXTE UN: Françoise Sagan

Quelques semaines ont suffi pour assurer au premier roman de Françoise Sagan: *Bonjour Tristesse* (1954), le plus grand succès de librairie connu depuis la guerre et une célébrité internationale. Ce court récit, écrit d'un trait par une jeune fille de dix-huit ans, a été depuis

4 suivi de romans et de plusieurs pièces de théâtre. Le succès ne s'est pas démenti. Faut-il saluer le génie? Faut-il admirer le lancement publicitaire d'un éditeur particulièrement avisé? La vérité, semble-t-il, est ailleurs: dans la conjonction d'une certaine sensibilité d'observation chez l'auteur et d'un certain style. Un visage d'adolescente où l'attention, la

8 méfiance, l'ironie, l'indifférence se découvrent tour à tour dans le regard, a été reproduit par les journaux en tous les lieux du monde. Plus indiscrets, des photographes ont révélé les attaches féminines d'un corps frêle. Et nul ne s'étonnerait, dans ce siècle du mythe, si cette jeune femme avait conquis sa gloire et sa légende sur les écrans de cinéma. Mais Françoise

12 Sagan n'est pas une star comme les autres. Et l'auteur de *Bonjour Tristesse* fut la première à condamner la curiosité qui traînait, derrière ses blue-jeans, les échotiers en mal de copie: «Le seul miroir possible, déclarait-elle dans une interview, c'est ce qu'on a écrit . . .»

L'essentiel, donc, est dans ces minces ouvrages, de longueur égale, qui, sous leur

16 couverture blanche et verte, relatent les premiers affrontements d'un jeune être avec la vie et le destin. Et pourtant, quoi de plus ténu que la matière de ces romans? Dans le premier, une fille de dix-sept ans défend sa liberté et ses plaisirs — favorisés par un père léger, aux faciles et nombreuses aventures — contre qui les menace; la rupture provoquée par Cécile entre

20 son père et Anne, la gêneuse, entraîne la catastrophe: Anne se suicide sur la route de l'Estérel. Dans *Un certain Sourire* (1956), Dominique, lasse de la mollesse d'un premier amant, se donne à Luc, quadragénaire, vit quelques semaines avec lui, puis se sépare de lui. Plus embrouillée, l'intrigue de *Dans un Mois, dans un an* (1957) revêt un caractère

24 insignifiant: Josée passe du lit de Jacques à celui de Bernard, Béatrice chasse du sien le jeune Edouard pour y accueillir Jolyet, son directeur de théâtre, Alain se console d'un grand amour déçu dans les bras d'une jeune fille et cherche son dernier secours dans l'ivrognerie . . . Un machiavélisme, à la fois pervers et innocent, des chassés-croisés de lit, tels sont les

28 ressorts d'une œuvre qu'un lecteur pressé et grognon pourrait comparer à certains romans du début du siècle.

Seule, ajouterait-il, l'atmosphère a changé: la voiture de sport a remplacé le fiacre trottinant, le whisky a succédé au champagne, le jazz a relégué la valse aux oubliettes, les

32 déshabillés vaporeux et les corsets sifflants se sont retirés devant le maillot deux pièces et le linge de nylon. Pourtant, si Françoise Sagan appartient à son temps et s'en révèle ainsi le

témoin, la description attentive et lucide de ce petit univers clos où la fortune favorise une existence aisée, confortable, et où le travail n'apparaît que très rarement, nous retient moins que la peinture des luttes et des déchirements du cœur humain.

36

J. Majault, J. M. Nivat, C. Geronimi, *Littérature de notre temps*, Castermann, 1966

# A. PREPARATION DU TEXTE

## Notes

*les attaches féminines d'un corps frêle (9–10):* certains photographes ont révélé non seulement le visage de Sagan, mais aussi son *corps frêle* pour montrer qu'il s'agissait bien d'une jeune femme.

*les échotiers en mal de copie (13):* 'gossip columnists short of copy'.

*'Le seul miroir possible' (14):* la seule image véridique de l'auteur.

*contre qui les menace (19): qui* a ici le sens de 'whoever, anyone who'.

*le fiacre trottinant (30–31):* peut-être une allusion à une célèbre chanson interprétée par Charles Trenet aux années '30 intitulée *Le Fiacre* ('The Hansom Cab'). Le premier vers en est *Un fiacre allait trottinant*. Au *début du siècle (29)* on employait souvent un fiacre pour des rencontres ou promenades amoureuses.

## Vocabulaire

1. Traduisez en anglais les mots et expressions suivants:
*succès de librairie (2), d'un trait (3), éditeur (5), conjonction (6), sensibilité (6), photographes (9), quoi de plus ténu (17), matière (17), aventures (19), intrigue (23), revêt (23), déçu (26), ressorts (28), succédé (31), relégué aux oubliettes (31).*

2. Expliquez en français le sens des expressions suivantes dans leur contexte:
*Le succès ne s'est pas démenti (4)*
*le lancement publicitaire (5)*
*son directeur de théâtre (25)*
*des chassés-croisés de lit (27)*
*les corsets sifflants (32)*
*la fortune favorise une existence aisée (34–35)*

## Commentaire grammatical

### (i) Use of the conditional

*s'étonnerait . . . si . . . avait conquis . . . (10–11):* several combinations of tenses are possible in French conditional sentences, see GS 8, §4.1, pp. 152–153. Each has a different meaning, but remember that in such sentences the conditional verb never occurs in the *si*–clause itself.

*pourrait (28), ajouterait (30):* uses of the conditional in sentences where the **if**–clause is not even implied. Such sentences are as common in French as they are in English. See GS 8, §§2.3 and 5.2.

*si (33):* this word is not used here to introduce a condition. It serves to produce a contrast between the idea in the *si*–clause (Françoise Sagan belongs to her time, etc.) and that in the main clause (the external details in her stories, which have a tendency to date, are less important than her portrayal of human emotion). English might well use **while** . . . in rendering this contrast of ideas. See GS 8, §4.3, p. 153.

### (ii) Other grammar points

*Quelques semaines (1):* English speakers have a tendency to confuse the uses of *quelques* and *quelques-uns*, no doubt because English **some** functions both as an adjective (e.g. **some weeks**) and as a pronoun (e.g. I saw **some**). French *quelques* acts only as an adjective (e.g. *quelques semaines*), the pronoun function being carried by *quelques-uns/unes* (e.g. *J'en ai vu quelques-uns*). See also GS 5, §4.2.1, p. 95. The French frequently use *certains* in a similar sense. Its function is mainly adjectival, but it can be used as a pronoun (e.g. *Certains disent . . .*) to denote 'Some people'.

*les autres (12):* when *autre(s)* occurs without a noun it raises difficulties concerning the choice of the appropriate article:

*l'autre* ('the other one') — *les    autres* ('the others')
*un autre* ('another')    — *d'autres* ('others')
This latter pair breaks with the usual pattern of articles *un garçon* — *des garçons. Des* never occurs before *autres* except when prepositional *de* combines with the definite article, e.g. *les livres des autres.* See GS 5, §1.3, p. 91.

*quoi de plus ténu (17):* cp. the common expression *Quoi de neuf?* 'What's new?' See GS 6, §3.4.2, p. 111.

*aux faciles et nombreuses aventures (18–19):* emphasis is achieved by placing before a noun adjectives which usually follow it. See GS 10, §2.2, pp. 186–187.

## Compréhension du texte

1. Comment les auteurs expliquent-ils le succès de *Bonjour Tristesse*? Quelles sont les deux explications qu'ils rejettent?

2. Expliquez le sens de l'expression *dans ce siècle du mythe (10).* Une simple traduction ne suffira pas.

3. En quoi Françoise Sagan n'est-elle pas *une star comme les autres (12)*?

4. Expliquez l'emploi de l'expression *Un machiavélisme, à la fois pervers et innocent (27)* à propos des amants dans les romans de Françoise Sagan.

# B. EXERCICES DE RENFORCEMENT

## A l'oral

1. Préparez des réponses orales aux questions suivantes:

(a) Comment Françoise Sagan a-t-elle écrit son premier roman?
(b) Décrivez le visage de Sagan reproduit dans les journaux du monde entier.

(c) D'après le résumé de *Bonjour Tristesse (17–21)* qui est *Cécile (19)*? Justifiez votre réponse.
(d) Qu'est-ce qui distingue les romans de Sagan de *certains romans du début du siècle (28–29)*?

## Exercices lexicaux

2. Trouvez dans le texte dix exemples de 'faux amis' — mots français dont la forme est semblable à celle de mots anglais mais dont le sens usuel est différent. Traduisez-les en anglais dans le sens qu'ils ont dans le texte, puis donnez une traduction française du mot anglais de forme semblable.

Par exemple: *lecture* = 'reading';
              'lecture' = *conférence.*

3. Utilisez chacune des expressions suivantes dans une phrase de votre invention pour illustrer le sens qu'elle a dans le texte:
*tour à tour (8), nul (10), en mal de (13), quoi de . . .? (17), à la fois (27).*

## *Exercices grammaticaux et structuraux*

4. Mettez les verbes entre parenthèses au temps et au mode appropriés en changeant l'ordre des mots là où il le faut:

(a) Voici un livre qui n(e) (*devoir*) jamais être écrit.

(b) Si Jane Austen (*vivre*) à Paris au milieu du 20ᵉ siècle elle (*écrire*) comme Françoise Sagan.

(c) Son premier roman est plein de fautes d'orthographe. Avant de le publier elle (*pouvoir*) les corriger.

(d) Maintenant je ne (*lire*) plus Sagan même si on me (*payer*).

(e) Si les romans de Sagan (*valoir*) la peine d'être lus je les (*acheter*) déjà.

5. Récrivez les phrases suivantes en exprimant les conditions par *si* sans en changer le sens. Pour vous aider, consultez GS 8, §§4.1, 4.2 et 4.4.

(a) Sans la censure de leur publication la maison d'édition serait la plus puissante du monde.

(b) Je vais lui faire remarquer les défauts de son style, ne serait-ce que pour le rendre moins orgueilleux.

(c) Mariée elle n'aurait pas eu le temps de poursuivre sa carrière d'écrivain.

(d) N'eût-il pas renoncé à ce projet, son élection à l'Académie française eût été assurée.

6. Traduisez en français les phrases suivantes:

(a) Some people like Sagan's novels, others hate them.

(b) I know some of them and have heard of the others.

(c) I have read some of the other novels of Sagan.

(d) 'Hell is other people.'

(e) Give me some other books to read.

(f) I have already been here for some weeks and am getting impatient.

(g) After only a few weeks she was an international celebrity.

(h) I saw a few of his friends in the library.

---

# C. EXPLOITATION DU TEXTE

## *A l'oral*

1. Récit oral: Racontez l'intrigue d'un roman d'amour que vous avez lu.

2. Sujet de discussion: Lequel vaut mieux — l'écrivain qui se révèle le témoin de son temps ou celui qui peint les *luttes et déchirements du cœur humain (36)*?

---

## *A l'écrit*

3. Résumé: Résumez ce texte en 150 mots en faisant ressortir les idées principales de ses auteurs sur Françoise Sagan.

4. Rédaction dirigée: 'Une fille de dix-sept ans défend sa liberté et ses plaisirs — favorisés par un père léger, aux faciles et nombreuses aventures — contre qui les menace; la rupture provoquée par Cécile entre son père et Anne, la gêneuse, entraîne la catastrophe: Anne se suicide sur la route de l'Estérel.' Racontez cette histoire en 300 mots en imaginant les détails. Utilisez le passé simple.

5. Rédaction: 'L'étude de la littérature contemporaine est pour nous la seule valable.' Discutez (200 mots).

6. Version: Traduisez en anglais les lignes *21–36*, y compris les titres des ouvrages.

7. Thème: Traduisez en français en vous servant le plus possible d'expressions tirées du texte:

A quick glance was sufficient to make her realise that the salesgirl had seen her putting Françoise Sagan's latest novel into her handbag. She rushed out of the bookshop and unfortunately ran into M. Pontier, the unsavoury forty-year-old from the flat next door. He greeted her in a very friendly way: 'If I were you I wouldn't run about like that,' he said. 'You could have an accident.'

'Oh hello,' she replied — her thoughts were all mixed up — 'I'm in a bit of a hurry, would you mind if I didn't stop to chat?'

M. Pontier looked rather disappointed, but too bad, she had to get away from that shop. She dodged aside and ran as fast as she could to the end of the street. She did not feel safe until she had got round the corner. Would the salesgirl report the matter to the police? Would M. Pontier act as a witness and identify her? The incident was beginning to take on an unpleasant form. M. Pontier would certainly exploit any power he had over her. Others would be sympathetic, but not him. He was well known for his affairs with women and she should not be surprised if he tried to blackmail her.

# *TEXTE DEUX:* Le roman réaliste

Le romancier qui transforme la vérité constante, brutale et déplaisante, pour en tirer une aventure exceptionnelle et séduisante, doit, sans souci exagéré de la vraisemblance, manipuler les événements à son gré, les préparer et les arranger pour plaire au lecteur, l'émouvoir ou l'attendrir. Le plan de son roman n'est qu'une série de combinaisons         4
ingénieuses conduisant avec adresse au dénouement. Les incidents sont disposés et gradués vers le point culminant et l'effet de la fin, qui est un événement capital et décisif, satisfaisant toutes les curiosités éveillées au début, mettant une barrière à l'intérêt, et terminant si complètement l'histoire racontée qu'on ne désire plus savoir ce que deviendront, le         8
lendemain, les personnages les plus attachants.

Le romancier, au contraire, qui prétend nous donner une image exacte de la vie, doit éviter avec soin tout enchaînement d'événements qui paraîtrait exceptionnel. Son but n'est point de nous raconter une histoire, de nous amuser ou de nous attendrir, mais de nous         12
forcer à penser, à comprendre le sens profond et caché des événements. A force d'avoir vu et médité, il regarde l'univers, les choses, les faits et les hommes d'une certaine façon qui lui est propre et qui résulte de l'ensemble de ses observations réfléchies. C'est cette vision personnelle du monde qu'il cherche à nous communiquer en la reproduisant dans un livre.         16
Pour nous émouvoir, comme il l'a été lui-même par le spectacle de la vie, il doit la reproduire devant nos yeux avec une scrupuleuse ressemblance. Il devra donc composer son œuvre d'une manière si adroite, si dissimulée, et d'apparence si simple, qu'il soit impossible d'en apercevoir et d'en indiquer le plan, de découvrir ses intentions.         20

Au lieu de machiner une aventure et de la dérouler de façon à la rendre intéressante jusqu'au dénouement, il prendra son ou ses personnages à une certaine période de leur existence et les conduira, par des transitions naturelles, jusqu'à la période suivante. Il montrera de cette façon, tantôt comment les esprits se modifient sous l'influence des         24
circonstances environnantes, tantôt comment se développent les sentiments et les passions, comment on s'aime, comment on se hait, comment on se combat dans tous les milieux sociaux, comment luttent les intérêts bourgeois, les intérêts d'argent, les intérêts de famille, les intérêts politiques.         28

L'habileté de son plan ne consistera donc point dans l'émotion ou dans le charme, dans un début attachant ou dans une catastrophe émouvante, mais dans le groupement adroit de petits faits constants d'où se dégagera le sens définitif de l'œuvre. . . .

G. de Maupassant, «Le Roman» dans *Pierre et Jean*, Ollendorff, 1888

# A. PREPARATION DU TEXTE

## Notes

*Le roman réaliste (titre):* le réalisme est une 'doctrine d'après laquelle l'écrivain ou l'artiste vise à peindre la nature et la vie telles qu'elles sont, sans les embellir' (*DFC*). Guy de Maupassant (1850–93) fut un des plus grands écrivains réalistes.

*vérité constante (f) (1):* 'everyday reality', voir aussi *faits constants (31):* 'everyday events'. Il s'agit de la matière brute de l'expérience humaine utilisée par un auteur pour en faire une histoire.

*vision personnelle du monde (15–16):* 'personal outlook on life'.

## Vocabulaire

1. Dressez une liste de 10 substantifs tirés du texte qui ont un rapport direct avec le roman, par exemple *romancier (1), vraisemblance (2).* Notez leur sens en anglais.

2. Trouvez une traduction anglaise des mots suivants qui convienne au contexte:

*exceptionnelle (2, 11), séduisante (2), sans souci exagéré de (2), émouvoir (4, 17, 30), attendrir (4, 12), avec adresse (5), disposés et gradués (5), attachants (9, 30), amuser (12), réfléchies (15), machiner (21), dérouler (21), les esprits (24), circonstances environnantes (25), d'où se dégagera (31).*

## Commentaire grammatical

### (i) Use of the future

*deviendront (8):* this is the normal use of the future tense locating the action at some point in future time (here *le lendemain*) without relating that action to the present. The construction *vont devenir* would have related the future action more closely with the present. See GS 8, §2.2, p. 151.

*devra (18), prendra (22), conduira (23), montrera (24), consistera (29), se dégagera (31):* in these cases the future is used not to indicate future time but to express Maupassant's suppositions about what those who aspire to writing a *roman réaliste* would do. See GS 8, §§3.1 and 3.2, pp. 151–152.

### (ii) Other grammar points

*conduisant (5), en la reproduisant (16):* when the present participle is used as a verb (for the distinction between verbal and adjectival uses see p. 148), the speaker must choose between using it with or without *en*. When used with *en* it is called a **gerund**. Both the present participle and the gerund indicate that a secondary action is taking place at the same time as that of a principal verb, e.g. *Une foule, hurlant* (participle) *de fureur, poursuivait le voleur* and *Ils se promenaient en chantant* (gerund). The difference between them lies in the way they each relate to their principal verb. The participle has no explicit link with its principal verb apart from simultaneity. The subjects of the two verbs need not be the same, e.g. *Je l'ai rencontré sortant de chez Marie* means that **I** met him as **he** came out of Marie's house. The gerund on the other hand is linked explicitly with its principal verb by **en**: it tells us something about the way the action of the main verb is carried out and its subject is the same, e.g. *Je l'ai rencontré en sortant de chez Marie* can only mean that **I** met him as **I** came out of Marie's house. Preceded by *tout* the gerund emphasises the simultaneity or expresses the contrast between two actions, e.g. *Tout en acceptant votre argument, je dois tout de même exprimer un avis contraire.*

## Compréhension du texte

1. Qu'est-ce qui distingue les buts des deux types de romancier décrits dans le texte?

2. En quoi diffèrent les plans des romans produits par chacun des deux types?

3. Expliquez le sens de l'expression *un événement capital et décisif, . . . mettant une barrière à* *l'intérêt (6–7)* dans le contexte du premier paragraphe.

4. Expliquez la différence d'attitude manifestée par les deux sortes d'auteur envers les personnages principaux de leurs romans.

---

# B. EXERCICES DE RENFORCEMENT

## A l'oral

1. Préparez des réponses orales aux questions suivantes:

(a) Expliquez l'effet sur le lecteur du dénouement d'un roman du premier type.

(b) Que fait l'auteur du deuxième type de roman pour nous émouvoir?

(c) Que fera l'auteur réaliste pour faire ressortir *le sens définitif de l'œuvre (31)*? Que ne fera-t-il pas?

---

## Exercices lexicaux

2. Utilisez chacune des expressions suivantes dans une phrase de votre invention pour illustrer le sens qu'elle a dans le texte:

*prétend (10), A force d' (13), propre (15), tantôt . . . tantôt . . . (24–25).*

3. Traduisez en français les phrases suivantes en utilisant des mots ou expressions tirés du texte pour rendre les mots imprimés en italique:

(a) A novelist may handle facts *as he pleases.*
(b) He should *scrupulously avoid* annoying his readers.
(c) She should have expressed herself *like this.*
(d) It would be easy to find *its* source.
(e) He wrote simply, *so as* not *to* confuse his readers.

4. Complétez le tableau suivant:

| substantif | adjectif |
|---|---|
| *apparence (19)* | *apparent* |
|  | *déplaisante (1)* |
| *vraisemblance (2)* |  |
|  | *exacte (10)* |
|  | *profond (13)* |
| *ressemblance (18)* |  |
|  | *émouvante (30)* |
|  | *adroit (30)* |

---

## Exercices grammaticaux et structuraux

5. Expliquez la valeur du futur dans chacune des phrases suivantes. Voir le Commentaire grammatical p. 146 et GS 8, §§2 et 3, pp. 150–152.

(a) Vous *tâcherez* d'être adroit car cette femme est très sensible.
(b) On *soldera* les exemplaires restés invendus.
(c) Je vous *prierai* de ne pas fumer à table.
(d) Il *sera* là maintenant.
(e) L'avion *décollera* avant l'aube.
(f) Vous *prendrez* ces médicaments tous les matins.
(g) Je vous *demanderai* un peu de patience.

6. Employez dans de courtes phrases d'abord le participe présent, ensuite le gérondif (= the gerund) issus des verbes suivants:
*boire, conclure, cueillir, feindre, hair, introduire, ouvrir, pouvoir, résoudre, savoir.*

7. Mettez les phrases suivantes au style indirect. Commencez: *Elle annonça/déclara que . . . Il demanda . . .* etc. Voir GS 8, §2.4, p. 151.

(a) 'Mon recueil de poèmes paraîtra demain chez Gallimard.'
(b) 'Hier j'ai vu le correspondant littéraire du *Monde.*'
(c) 'Bien avant la fin de l'année tous les exemplaires·auront été vendus, j'espère.'
(d) 'Le grand écrivain français François Mauriac est décédé au cours de la nuit dernière.' (Flash à la radio.)

(e) (Juge à l'accusé) 'Pourquoi ne dites-vous rien?'
(f) 'Votre roman n'est-il pas du genre policier?'

8. *Le romancier . . . doit éviter . . . (10–11)* = 'The novelist must avoid . . .',
cp. *Le romancier . . . a dû éviter . . .* = 'The novelist must **have avoided** . . .'
Voir GS 8, §5, pp. 154–155, ensuite traduisez les phrases suivantes d'anglais en français ou de français en anglais:

(a) Il a dû nous entendre.
(b) Elle aurait dû nous prévenir.
(c) Il devait avoir 20 ans à l'époque.
(d) Elle a pu l'égarer.
(e) I must have lost it.
(f) She may have forgotten him.
(g) You should have told me.
(h) It must have been eight o'clock.

# C. EXPLOITATION DU TEXTE

## A l'oral

1. Récit oral: Racontez l'intrigue d'un roman policier que vous avez lu.

2. Sujet de discussion: 'Lire les romans est agréable, mais les étudier détruit tout le plaisir.'

## A l'écrit

3. Rédaction dirigée: 'Le but du romancier n'est point de nous raconter une histoire, de nous amuser ou de nous attendrir, mais de nous forcer à penser.' Discutez (200 mots). Modèle à suivre:

– La différence fondamentale entre le roman traditionnel et le roman réaliste: plaire ou instruire.

– Le roman réaliste cherche surtout à instruire: pourquoi et comment?

– Le roman traditionnel cherche surtout à plaire: pourquoi et comment?

– La citation est trop dogmatique: plaire et instruire en même temps.

4. Rédaction: Prenez un roman populaire que vous avez lu (un roman policier par exemple), et décrivez comment l'auteur réussit à éveiller la curiosité au début, à graduer les incidents et à terminer de façon décisive, sans que vous désiriez connaître l'avenir des personnages (300 mots).

5. Version: Traduisez en anglais les lignes *10–20.*

6. Thème: Traduisez en français en vous servant le plus possible d'expressions tirées du texte:

Traditional novelists were only interested in telling a moving story. While accepting that they had to base their adventures up to a point on what happens in real life, they nevertheless felt free, once this basic condition had been met, to invent plots without worrying too much about plausibility. They made their stories interesting by skilfully arranging events in such a    4
way that they led up to the climax of the novel without anyone being able to predict the outcome. The future lives of the characters were of no interest once the story was over. The realist novelist, on the other hand, saw his task in quite a different way. Instead of manipulating the events of real life as he pleased, he had to reproduce them in his novel as    8
accurately as he could. By dint of recording the minutest details of the lives of his characters, the realist novelist hoped to make his readers understand a little more about the nature of man. If the artist couldn't succeed in this, who could?

# GRAMMAR SECTION 8: *The Future and Conditional Tenses*

§1.  **Introduction**
§2.  **Temporal Values**
§3.  **Other Values**
§4.  **Tense Sequence in Conditional Sentences**
§5.  ***Devoir, pouvoir***

## §1.  Introduction

The four tenses to be dealt with in this section are generally referred to as:

The future            (*je ferai*)
The future perfect    (*j'aurai fait*)
The conditional       (*je ferais*)

The conditional perfect   (*j'aurais fait*)

We may distinguish two types of use: one serving to order events in time (§2) and the other largely unconnected with time (§3).

## §2.  Temporal Values

**2.1**  Study the following sentences:

(a) *Je suis certain que les sapeurs-pompiers **seront** bientôt sur place.*
(b) *Bien avant leur arrivée, les victimes de l'incendie **auront succombé**.*
(c) *J'étais certain que les sapeurs-pompiers **seraient** bientôt sur place.*
(d) *Bien avant leur arrivée, les victimes de l'incendie **auraient succombé**.*

In sentence (a) the future tense (*seront*) views an event as being in progress at some future time. In sentence (b) the future perfect tense (*auront succombé*) views an event as already completed at some future time (i.e. by the time the fire-brigade arrives).

If these events are transposed into the past (sentences (c) and (d)), the conditional (*seraient*) views an event as being in progress at some later time, whereas the conditional perfect (*auraient succombé*) views an event as already completed at some later time (i.e. by the time the fire-brigade had arrived).

**2.2** In sentences like (a) and (c) above, the *aller*+infinitive construction is used more frequently than its English equivalent,
e.g. *Je suis certain que les sapeurs-pompiers **vont arriver** d'un moment à l'autre.*

*J'étais certain que les sapeurs-pompiers **allaient arriver** d'un moment à l'autre.*

This construction does not necessarily denote the immediate future but rather serves to relate the future event to the present.

---

**2.3** In certain adverbial clauses of time, the future and future perfect are used in French where English prefers the present and the perfect:
e.g. *Quand vous **voudrez**, on partira.* 'When you like . . .'
*Je te le montrerai lorsque j'**aurai terminé**.* '. . . when I have finished.'

Likewise in the past, the conditional is required in French in sentences such as the following in which the past tense is used in English,
e.g. *On lui dit qu'il pourrait voter dès qu'il **aurait** 18 ans.* '. . . when he was 18.'

Usage is similar after *aussitôt que* and *après que*.

EXERCISE A: Transpose into the past making any other necessary adjustments, beginning: 'C'était la veille . . .' Translate your last two sentences into English:

C'est la veille du grand départ. Bientôt Jean-Claude va faire sa valise car il va partir demain à l'aube. Demain soir, il sera à Naples. Il aura passé douze heures dans le train et dès qu'il aura mangé, il ira se coucher à l'hôtel. On lui a dit que, de sa fenêtre, il pourra voir la mer aussitôt qu'il fera jour.

---

### 2.4 Indirect speech
(See also GS 2, §3.2.5, p. 33.)

A further use of these tenses occurs in indirect speech; a future tense of direct speech becomes a conditional, and a future perfect of direct speech becomes a conditional perfect,
e.g. *'Je viendrai': Il a dit qu'il **viendrait**.*
*'J'aurai terminé dans quinze jours': Il a dit qu'il **aurait terminé** dans quinze jours.*

EXERCISE B: Re-write in indirect speech, beginning: 'Il nous a indiqué qu'il . . .' and making any other necessary changes:

Je le ferai quand j'en aurai l'occasion; j'aurai peut-être terminé mon travail avant jeudi mais en aucun cas je ne l'interromprai. J'ai l'intention de réussir brillamment mes études et vous ne m'en empêcherez pas, Henri. Il vous faudra de la patience.

---

# §3.  Other Values

## 3.1  Supposition

Study the following sentences:
*Il est déjà à Toulouse.* 'He is already in Toulouse.'
*Il **sera** déjà à Toulouse à cette heure-ci.* 'He'll be in Toulouse by this time.'
*Il **aura manqué** son train.* 'He'll certainly have missed his train.'

***Serait-il** malade?* 'Might he possibly be ill?' Cp. *Est-il malade?*
***Serait-il entré** sans frapper?* Cp. *Est-il entré sans frapper?*

The future and future perfect are used here to indicate that the statements are **probably** true, while the conditional and conditional perfect in questions express pure **conjecture**.

EXERCISE C: Transform these sentences so that they express probability or conjecture, whichever is more appropriate:

(a) Ai-je la grippe?
(b) En ce moment, elle est en train de danser avec mon meilleur ami.
(c) Tu as tourné à gauche là où il fallait continuer tout droit.
(d) Est-ce possible? Ont-ils eu l'audace d'aller confronter le chef?

---

### 3.2   *Commands and instructions*

*Vous **ferez** ce que je vous ordonne; vous **irez** directement à la police et vous leur **avouerez** tout.*

Only the future tense may replace the imperative mood in this way.

---

### 3.3   *Politeness*

***Voudriez**-vous m'indiquer la route qui mène vers le centre-ville?*

Here, the conditional replaces the blunter, more direct tone of the present: *Voulez-vous . . .?*

---

### 3.4   *Allegation*

*D'après 'Le Figaro', il y **aurait** une centaine de morts.*
*Selon les bruits qui courent, nous **serions** au bord de la guerre.*

The conditional and conditional perfect are thus used for statements which are **unsubstantiated**. This usage is particularly common in the press and broadcasting.

EXERCISE D: Re-write this factual report as if it

were unsubstantiated, beginning: 'Selon un porte-parole . . .':

Les pourparlers n'ont pas abouti. Les représentants syndicaux et le patronat ont passé trois heures à huis clos mais n'ont pas pu se mettre d'accord sur un seul point. Les négociations sont au bord de la rupture et l'un des représentants est sorti en claquant la porte.

---

# §4.   Tense Sequence in Conditional Sentences

It is important to realise that French *si* occurs not only in conditional sentences but may also represent either 'if', 'whether' or 'whereas' in English: see §4.3 below.

---

### 4.1   *Basic rule*

Study the following sentences:

(a) *Si je **m'entraîne**, **j'aurai** de meilleures chances de gagner.*
(b) *Si je **m'entraînais**, **j'aurais** de meilleures chances de gagner.*
(c) *Si je **m'étais entraîné**, **j'aurais eu** de meilleures chances de gagner.*

From these three sentences, we may deduce a model for the sequence of tenses after *si* in most conditional sentences:

| Si+PRESENT . . . . . FUTURE |
| Si+IMPERFECT . . . . CONDITIONAL |
| Si+PLUPERFECT . . . CONDITIONAL PERFECT |

As may be seen in the sentences listed here, other combinations of tenses occur, BUT the future, future perfect, conditional and conditional perfect NEVER occur in the *si* clause.

*Si*+present . . .
*Si vous* **voulez** *la paix,* **préparez** *la guerre.*
*S'il* **veut** *entrer sans payer, il* **peut** *toujours essayer.*

*Si*+perfect . . .
*Si vous m'***avez menti***, je ne vous* **compte** *plus parmi mes amis.*
*Si ce soir il n'***est** *pas rentré, nous* **avertirons** *la police.*

---

## 4.2 Exceptions (for recognition only)

In literary French, the pluperfect subjunctive may figure in one or both clauses of conditional sentences in the past,

e.g. *S'il avait voulu, il* **eût réussi***.*
*S'il* **eût voulu***, il aurait réussi.*
*S'il* **eût voulu***, il* **eût réussi***.*

---

## 4.3 Other uses of 'si'

When *si* does not introduce a condition but merely serves to **compare** or **contrast** two statements with the sense of 'whereas', the basic rule (§4.1) does not apply,
e.g. *La carrière des deux amis n'a pas été brillante car si l'un manquait d'enthousiasme, l'autre était bien trop ambitieux pour plaire à son chef:*

'. . . whereas one was lacking in enthusiasm, the other was too ambitious . . .'

*Si* is also used to introduce indirect questions with the sense of 'if' or 'whether'; this should not be confused with the use of *si* to introduce conditions,
e.g. *Je ne sais pas si je pourrai venir.* 'I don't know if I'll be able to come.'

---

## 4.4 Other kinds of conditional sentence

*Quand même il le* **nierait***, je ne le* **croirais** *pas* 'Even if he denied it . . .'
(BUT: *Même s'il le* **niait***, je ne le* **croirais** *pas*)
**Devrais-je** *y laisser ma vie, je n'abandonnerai pas mon idéal.*
*On se souviendra toujours de lui ne* **serait-ce** *que pour son intégrité politique.* 'even if only for . . .'
**Dussé-je** *être blâmé, je vous soutiendrai.* 'Even if I am criticised . . .'

In double conditional sentences, the second condition is usually introduced by *que*+ subjunctive:

*S'il fait beau et qu'il* **soit** *d'accord, nous irons tous ensemble.*

EXERCISE E: Using the rule set out in the table in §4.1, link the following pairs of phrases into conditional sentences with *si* in the three tense sequences:

(a) on publie ce livre/il en résulte un scandale
(b) nous nous trompons de chemin/nous nous perdons dans la brousse
(c) cet homme arrive au pouvoir/je prends le maquis.

# §5.  *Devoir, pouvoir*

The translation into French of English 'could', 'should', 'ought to', 'ought to have', etc. often causes difficulty.

Study the sentences below with their suggested English translations.

---

**5.1**  *Devoir* may denote, according to context, either obligation, supposition or futurity (intention):

*Il **doit** rebrousser chemin.* 'He must turn back' (obligation).

*Il **doit** déjà le savoir.* 'He must already know' (supposition).

*Il **devait** y aller tous les jours.* 'He had to go every day' (obligation; see also below).

*Il **a dû** rebrousser chemin.* 'He had to turn back' (obligation)
OR: 'He must have turned back' (supposition).

*Il **avait dû** rebrousser chemin.* 'He had had to turn back' (obligation)
OR: 'He must have turned back' (supposition).

*Il **devra** rebrousser chemin.* 'He will have to turn back' (obligation).

*Il **aura dû** rebrousser chemin.* 'He'll have had to turn back' (supposition+obligation).

*Il **devrait** rebrousser chemin.* 'He should/ought to turn back' (moral obligation).

*Il **aurait dû** rebrousser chemin.* 'He should have/ought to have turned back' (moral obligation).

In the present and imperfect tenses, *devoir* followed by an infinitive may express notions of futurity akin to those expressed by *aller*+ infinitive,
e.g. *Son dernier livre **doit** être publié sous peu.* 'His latest book **is to be** published shortly.'

*Après cet incident stupide, ils ne **devaient** jamais plus s'adresser la parole.* 'After this stupid incident, they **were never to** speak to one another again.'

---

**5.2**  *Pouvoir* may denote, according to context, either ability, permission or possibility:

*Elle **peut** partir.* 'She may/can leave.'

*Cela **peut** arriver.* 'It may happen' (i.e. possibly).

*Elle **pouvait** partir.* 'She could/was able to leave.'
OR: 'She had permission to leave.'

*Elle **a pu** partir.* 'She was able to leave.'
OR: 'She may have left' (i.e. possibly).

*Elle **avait pu** partir.* 'She had been able to leave.'
OR: 'She might have left' (i.e. possibly).

*Elle **pourra** partir.* 'She will be able to leave.'

*Elle **aura pu** partir.* 'She will have been able to leave.'

*Elle **pourrait** partir.* 'She would be able to leave.'
OR: 'She could leave' (i.e. would be allowed to).
OR: 'She might leave' (i.e. would possibly do so).

*Elle **aurait pu** partir.* 'She would have been able to leave.'
OR: 'She could/might have left' (but did not in fact do so).

EXERCISE F: Translate into French:

(a) You shouldn't do that!
(b) I should never have left home.
(c) Jean-Pierre ought to have had his book published.
(d) It could be a great success.
(e) From the moment of publication, the novel was to be a great success.

(f) He must have gone back for his umbrella.
(g) Paul was told he did not have permission to leave.
(h) Such things may happen.
(i) You might have told me!
(j) In theory, he is to be chairman of the committee.

— Vous auriez su la différence entre le frein et l'accélérateur, on ne se serait jamais rencontrés.

# IX Sports et loisirs

## TEXTE UN: Un petit mois de bonheur

Alain Laurent, trente-quatre ans, est un philosophe déçu par les vacances de ses contemporains. Il sait de quoi il parle. Pendant huit ans, il a été animateur culturel. Sociologue, il a passé un diplôme sur la notion de loisirs et une thèse sur les clubs de
4  vacances.

D'où vient sa déception? Pendant onze mois de l'année, on vit quotidiennement dans une société close, fermée, grise, oppressive (métro-boulot-dodo etc.). Et voici que «surgies grâce au monde industriel, mais aussi contre lui», voici que les vacances arrivent, le
8  douzième mois, comme une oasis rêvée dans la grisaille, comme l'instant privilégié où tout va enfin être possible. La liberté, le bonheur retrouvés. Or, on constate que tout le temps libre n'est qu'à peine exploité. Qu'on ne le fait pas accoucher de toutes ses possibilités. Que les vacances sont fermées, grégaires, réactives ... Des vacances engluées dans les
12  migrations moutonnières, la perversion organisatrice, la passivité ...

Suffit de regarder autour de soi comme il l'a fait. Les vacances apparaissent colonisées comme notre vie quotidienne par la technocratie et le profit. On croyait s'évader mais on reste dans le même monde. Prenons par exemple les clubs. Ils ont surgi comme une
16  espérance. Laurent ne nie pas leurs aspects positifs: la mer et le soleil, cette satisfaction vivace à la portée de (presque) tous, la libération et la jouissance du corps, la solitude rompue ... Seulement, il leur reproche «d'en faire trop», de dire aux gens: «Venez consommer le soleil et la mer chez nous.» De penser, d'imaginer, de décider à la place des
20  individus.

Où sera la différence entre la vie quotidienne et les vacances? Objection: et si les gens se trouvent bien comme ça? Et si, pour eux les vacances ne doivent être qu'un entracte vécu passivement dans les tracas de la vie quotidienne? Et si les vacances fermées, emprisonnées
24  n'étaient que le simple reflet de la société? Et si le reste n'était qu'une vue d'intellectuel? Laurent répond: «Il est certain qu'il y a un tel conditionnement dans la vie quotidienne qu'il est difficile d'en changer pendant les vacances. De plus je ne dis pas que tout le monde doive être actif ni qu'il faille être actif tout le temps ... Je comprends bien qu'on puisse célébrer le
28  culte de la paresse ...» Seulement pour lui il y a deux conceptions du bonheur. La première est un bonheur passif, infantile. La deuxième est celle où va son cœur. Elle est plus exigeante. Que seraient des vacances vraiment libres? Quatre critères: «L'aventure, parce qu'on crève de l'absence d'aventure. L'autonomie, parce que l'on va à son propre rythme.
32  La responsabilité qui permet d'être réellement soi-même. La création.»

Comment déclencher le processus de libération? Alain Laurent trouve des raisons d'espérer dans la révolte des jeunes, de plus en plus nombreux, contre les vacances traditionnelles organisées. Dans cette foule de petites agences qui font une percée dans la clientèle vacancière, qui commencent à proposer des circuits «autogérés» en petits groupes, des expéditions insolites, voire risquées. L'une d'elles avertit carrément: «Si vous aimez les voyages organisés, les clubs où l'on s'emmerde, les circuits traditionnels, les balades «en troupeaux», allez vous faire foutre!»

36

Yvon le Vaillant, *Le Nouvel Observateur*, 2–8 juillet 1973

# A. PREPARATION DU TEXTE

## Notes

*animateur culturel (m) (2):* personne responsable de l'activité culturelle dans un club de vacances ou dans une maison des jeunes.

*clubs (m) de vacances (3-4):* centres de vacances pour gens aisés, tel le Club Méditerranée. Voir pp. 193–194.

*métro-boulot-dodo (6):* routine quotidienne ('tube, job, bye-byes'). Voir p. 126.

*réactives (11):* terme impliquant un mouvement de réflexe passif ou conditionné, sans la moindre participation de l'intelligence.

*Objection: et si (21):* 'But supposing . . .'

*celle où va son cœur (29):* c'est-à-dire, la conception du bonheur que préfère Laurent.

*font une percée (35):* réussissent à attirer la clientèle.

*où l'on s'emmerde . . . allez vous faire foutre!
(38-39):* équivalents grossiers des expressions anglaises 'which are so deadly boring' et 'get stuffed!' Cp. p. 200.

## Vocabulaire

1. Vérifiez le sens des mots suivants:
*déçu (1), a passé un diplôme (3), quotidiennement (5), surgies (6), constate (9), grégaires (11), engluées (11), vivace (17), déclencher (33), balades (38).*

2. Trouvez la traduction anglaise des expressions suivantes:
*voici que les vacances arrivent (7)*

*une oasis rêvée dans la grisaille (8)*
*le temps libre n'est qu'à peine exploité (9-10)*
*on ne le fait pas accoucher de toutes ses possibilités (10)*
*les migrations moutonnières (11–12)*
*il leur reproche 'd'en faire trop' (18)*
*des expéditions insolites, voire risquées (37)*
*L'une d'elles avertit carrément (37)*

## Commentaire grammatical

### (i) Uses of the infinitive

*tout va enfin être possible (8-9):* this is one way of expressing the future, relating the future event to the present. See GS 8, §2.2, p. 151.

*Qu'on ne le fait pas accoucher de toutes ses possibilités (10):* in the construction *faire*+ infinitive, object pronouns normally precede *faire*. This also applies to *faire*+reflexive verb, e.g. *allez **vous** faire foutre (39).*

Note that if *faire* and the infinitive each have an object, French avoids a double accusative by using an indirect object for the object of *faire*, e.g. I made **him** write a **letter** becomes *Je **lui** ai fait écrire une lettre (Je **la lui** ai fait écrire).* See GS 9, §3.1.5, p. 166.

*Suffit de regarder autour de soi (13):* when an infinitive is dependent on a finite verb, it is governed by *de*, or by another preposition, or there is no preposition at all. The choice between these alternatives is determined by the finite verb. Thus *On croyait s'évader (14), Venez consommer (18-19), les vacances ne doivent être qu'un entracte (22), qu'il faille être actif (27),* and *qu'on puisse célébrer (27)* do not require a preposition. *Reproche (18)* takes *de, commencent (36)* takes *à*. Check the finite verb in *DFC*. Note that the preposition is repeated before each infinitive (*18–19*).

*des raisons d'espérer (33–34):* the infinitive in this case is dependent on a noun, and is governed by *de*. Check on the correct preposition in *DFC*.

*Comment déclencher (33):* the infinitive may be used with a question word. Cp. *Que faire?* See GS 9, §2.2, p. 165.

### (ii) Other grammar points

*il est difficile d'en changer (25-26):* note the difference between *il est* + adjective + *de* + infinitive and *c'est* + adjective + *à* + infinitive, e.g. *Lui parler, c'est souvent difficile **à** faire, mais il est encore plus difficile **de** ne rien dire.* Cp. GS 1, §2.3.2, pp. 15–16.

*je ne dis pas que tout le monde doive (26):* used negatively or interrogatively, the verbs *dire, penser, croire, espérer* and *être sûr* normally require the subjunctive in a following dependent clause. See GS 4, §3.3, pp. 70–71.

*Je comprends bien qu'on puisse (27):* use of a subjunctive implies a concession ('For the sake of argument, I'm prepared to accept that . . .').

---

## Compréhension du texte

1. Expliquez la signification du jugement de l'auteur que les vacances surgissent *grâce au monde industriel, mais aussi contre lui (7).*

2. Expliquez la deuxième phrase du troisième paragraphe *(13–14).*

3. Quelles raisons sont avancées pour justifier les vacances passives et paresseuses?

4. Quel genre de vacances Laurent veut-il substituer aux vacances *moutonnières,* organisées et passives?

---

# B. EXERCICES DE RENFORCEMENT

## A l'oral

1. Préparez des réponses orales aux questions suivantes:

(a) A quel titre Alain Laurent prétend-il s'ériger en expert sur les Français en vacances?

(b) Quel est l'aspect qui déplaît à Alain Laurent dans les vacances traditionnelles?

(c) Comment la *responsabilité (32)* peut-elle permettre *d'être réellement soi-même?*

(d) Relevez dans le texte des exemples de vacances libérées. Donnez aussi des exemples basés sur votre propre expérience.

## *Exercices lexicaux*

2. *Décevoir (déçu (1))* est un faux ami. 'To deceive' se traduit en français par *tromper*. Inventez des phrases qui démontrent le sens usuel des mots qui suivent:
*audience, chance, expérience, faillir, ignorer, particulier, prétendre, scène, user.*

3. Quel est le genre des substantifs suivants?: *privilège, culte, manque, problème, page, après-midi, dictionnaire, grammaire, silence, lycée.*

4. Certains mots prennent un sens différent suivant le genre qu'on leur attribue. Donnez la définition en français des mots suivants, au masculin comme au féminin:
*somme, tour, critique, livre, manche, mémoire, merci, poêle, poste, vase.*

## *Exercices grammaticaux et structuraux*

5. Composez des phrases qui utilisent les expressions suivantes et qui en montrent le sens:

(a) se faire tuer     (d) se faire envoyer
(b) se faire renverser     (e) se faire entendre
(c) se faire faire     (f) se faire

6. Recomposez les phrases ci-dessous en remplaçant les verbes imprimés en italique par *faire* + infinitif.
Par exemple:
Je l'ai *obligé à* retaper la page = Je lui ai fait retaper la page.
Je l'ai *obligé à* venir = Je l'ai fait venir.

(a) Vous l'*obligerez à* passer ses vacances en Bretagne.
(b) *Obligez*-le *à* partir en weekend.
(c) Je l'ai *obligé à* se taire.
(d) On l'*obligera à* y penser.
(e) Je l'*obligerai à* envoyer une carte postale.
(f) Nous l'*obligerons à* comprendre notre point de vue.
(g) On l'*obligea à* louer un appartement au Canet.
(h) Je l'ai *persuadé de* parler au moniteur.
(i) Je lui ai *demandé de* marcher plus vite.

# C. EXPLOITATION DU TEXTE

## *A l'oral*

1. Exposé: Existe-t-il dans notre pays des équivalents des vacances 'moutonnières' dont parle Alain Laurent? Décrivez-les. Dites ce que vous en pensez.

2. Sujets de discussion:

(a) A quel point notre pays est-il en mesure d'offrir des vacances aussi originales, et aussi 'libérées' que celles que préfère Alain Laurent?
(b) Quelle sorte de vacances préférez-vous et pourquoi?

## *A l'écrit*

3. Rédaction dirigée: En tant que correspondant d'une revue mensuelle vous faites la comparaison entre un camp de vacances établi suivant les préceptes d'Alain Laurent, et les vacances traditionnelles (250 mots).
Modèle à suivre:

– Description d'une journée au camp. Sa situation, ses activités, sa clientèle et son ambiance.

– Commentaires offerts par les vacanciers.

– Réflexions sur d'autres possibilités de vacances toujours aussi actives.

– Les résultats de votre sondage de l'opinion des vacanciers et de vos expériences personnelles au cours de la visite.

– Conseils et réflexions offerts aux lecteurs de la revue.

4. Rédaction: Vous êtes lecteur du *Nouvel Observateur*. Ayant lu l'article d'Alain Laurent, vous écrivez une lettre indignée au rédacteur en chef pour exprimer vos objections à cet article, en vous basant sur vos expériences personnelles (250 mots).

5. Version: Traduisez en anglais les lignes *5–20.*

6. Thème: Traduisez en français en vous servant le plus possible d'expressions tirées du texte:

You only have to glance at the brochures published by some *clubs de vacances* to feel the desire to get away from it all. And we have to admit, too, that a holiday spent worshipping the sun and a golden tan provides the faithful with fuel for bar conversation over the winter.
4   My prejudices may be misleading me, but isn't there something pagan about bodily enjoyment and the desire to escape? I don't deny that the language of the brochures is very tempting, but how should we react to it? Is it right to give way to every temptation? Yet to rest content with gloomy, sunless holidays is to deprive oneself of a great deal. As a result of
8   reading all the propaganda, we all find traditional holidays just a little disappointing. It is so easy to let ourselves be carried away by the promise of the brochures. After all, to go away is to escape for a while.

# TEXTE DEUX: La montagne

*Le guide Jean s'est fait tuer à cause de la témérité d'un client américain; le porteur Georges se trouve seul avec l'Américain qu'il prend pour un fou, responsable de la mort du guide.*

Alors Georges pensa à redescendre. Une idée tenace l'animait. Rien n'était perdu, il pouvait encore se sauver! Tant pis pour le client. Il n'y avait qu'à l'attacher sur une plate-forme et l'abandonner à son sort. Tout seul, le porteur savait qu'il gagnerait des heures et des heures de manœuvre de corde; peut-être même pourrait-il éviter le bivouac dangereux et gagner le   4
refuge de la Charpoua. Oui, c'était bien ça. Il n'y avait qu'à se laisser glisser doucement, attacher le fou, lui laisser le contenu du sac et fuir! Fuir le mauvais temps, cette montagne maudite; fuir le cadavre de Jean Servettaz qui, là-haut, fixait de ses yeux vitreux des horizons inconnus des vivants.   8

Georges, à cette pensée, sentit un immense espoir renaître.

Fuir, c'était retrouver la moraine, l'alpage, la forêt, la vallée et le chalet de bois au milieu des vergers. Fuir, c'était vivre. Continuer, c'était presque infailliblement périr, risquer de se dérocher dans cette infernale cheminée, ou, s'il en réchappait, crever de froid en compagnie   12
de l'Américain. Ah! oui! l'Américain . . . Il n'y pensait plus: il fallait le ramener. Ramener le client? Bien sûr! c'était le devoir, mais ce n'était pas juste, pour ça non, pas juste du tout! par la faute de cet entêté, Jean se pétrifiait sur la vire de neige; était-il nécessaire qu'il pérît lui aussi, à vouloir à toute force ramener un fou?   16

Georges ruminait toutes ces pensées tumultueuses, accroché à sa fissure et jaugeant de l'œil les quelques mètres terriblement exposés qui lui restaient à gravir. Cette défaillance ne dura qu'un instant. Une honte épouvantable l'envahit. Il en trembla nerveusement.

Abandonner, lui, le responsable! Lui à qui Jean, en entrant dans la mort, avait tacitement   20
confié son voyageur! Etait-il devenu fou comme l'Américain pour perdre ainsi toute dignité, tout amour-propre? Non, il dégagerait la corde au risque de se dérocher, ensuite il tâcherait de ramener le client. Ils mourraient tous deux ou tous deux se sauveraient.

Ayant accepté l'idée du sacrifice, Georges se sentit soudain plus fort. Il oublia qu'il n'était   24
qu'un pauvre petit d'homme accroché en pleine paroi d'une montagne inhumaine, et à haute voix il jura: «T'inquiète pas, Jean, on le ramènera.»

Il examina longuement le haut de la fissure par où dégoulinait un torrent de grésil et de neige. Il s'empoigna avec la montagne, et lutta dans un corps à corps effroyable qui dura de   28
longues minutes; ses pieds parfois lâchaient prise, mais de son bras droit enfoncé dans la fissure il se raccrochait, pesant de tout son poids sur le coude coincé comme un verrou,

mordant la neige à pleine bouche, balayant le rocher de son corps, oscillant au-dessus du
32   vide, mais gagnant à chaque mouvement de reptation quelques décimètres en hauteur.

    Enfin il atteignit le rebord supérieur de la cheminée.

R. Frison-Roche, *Premier de cordée*, Arthaud, 1963

# A. PREPARATION DU TEXTE

## Notes

*cheminée (f) (12):* corridor vertical et étroit dans les montagnes.

*mouvement (m) de reptation (32):* action de ramper, mode de locomotion de certains animaux, tels le ver, le lézard.

---

## Vocabulaire

1. Trouvez le sens des mots suivants dans leur contexte:

*tenace (1), maudite (7), infernale (12), tumultueuses (17), terriblement (18), épouvantable (19), inhumaine (25), effroyable (28).*

2. Dressez une liste de toutes les expressions verbales dans le texte qui ont trait à l'alpinisme: e.g. *gagner le refuge (4–5).*

3. Expliquez en français le sens des mots et expressions suivants:
*moraine (10), alpage (10), vire (15), fissure (17), paroi (25), rebord (33).*

---

## Commentaire grammatical

### (i) Uses of the infinitive

*Georges pensa à redescendre (1):* the infinitive is dependent on the finite verb *pensa* which takes *à. Pouvait (1)* takes no preposition, and *risquer (11)* takes *de.* Check the finite verb in *DFC.*

*Il n'y avait qu'à l'attacher . . . (2):* 'All he had to do was secure him . . .' See p. 200 for a contracted form of this construction.

*Fuir, c'était retrouver . . . (10):* this is a use of the infinitive similar to the phrase *Voir, c'est croire* = 'Seeing is believing', where the English equivalent is a present participle. See GS 9, §2.1, p. 165.

*à vouloir . . . ramener un fou (16):* 'through insisting on bringing back a madman'.

*pour perdre ainsi toute dignité (21):* 'to lose all dignity in this way'.

### (ii) Other grammar points

*bien* (5, 14): in addition to being frequently used with verbs and past participles, e.g. *Je me sens bien, Il est bien bâti, bien* is commonly used as an intensifier with adverbs and adjectives and in certain noun groups:

(a) strengthening the force of an adverb, in a similar way to *très*,
    e.g. *bien souvent, bien gentiment.*

(b) strengthening the force of an adjective,
    e.g. *Vous êtes bien bon.*

(c) expressing quantity with certain nouns, cp. *beaucoup*,
    e.g. *bien de l'intelligence = beaucoup d'intelligence; bien des enfants = beaucoup d'enfants.*

Note the use of definite articles with *bien.*

(d) expressing surprise or making a confirma-
tion,
e.g. *C'est bien le moment de le dire!* 'You've

chosen a fine moment to tell us that!'
*C'est bien Jean, n'est-ce pas?*
*Ça vaut bien 1000 francs.*

## Compréhension du texte

1. Comment Georges se propose-t-il d'abord
de résoudre les difficultés de cette situation
dangereuse?

2. Quel problème moral se pose à Georges?

3. Décrivez les émotions qui se succèdent dans
ses pensées, et donnez-en les causes.

4. Pourquoi faut-il que Georges remonte la
cheminée?

# B. EXERCICES DE RENFORCEMENT

## A l'oral

1. Préparez des réponses orales aux questions
suivantes:

(a) Expliquez ce qui pourrait arriver à Georges
s'il fuyait (*10–11*) et s'il continuait (*11–13*).

(b) Donnez une description des mouvements
physiques de Georges pour atteindre le
rebord supérieur de la cheminée.

## Exercices lexicaux

2. Cherchez dans un dictionnaire des substantifs qui dérivent des verbes suivants et utilisez
chacun dans une phrase de votre invention pour
en illustrer le sens:
*animait (1), gagner (4), renaître (9), tâcherait
(22), oublia (24), atteignit (33).*

3. En vous référant au texte, écrivez un paragraphe en français ou vous emploierez, dans
n'importe quel ordre, tous les verbes suivants.
Commencez par *Il ruminait . . .*
*décider, attacher, éviter, laisser, fixer, sentir,
risquer, envahir, jauger.*

## Exercices grammaticaux et structuraux

4. Dressez une liste de tous les infinitifs du texte
qui dépendent d'un autre verbe, avec ou sans
préposition. Classez vos exemples. Ensuite
composez de nouvelles phrases pour utiliser les
premiers verbes avec des infinitifs différents.

5. Complétez les phrases suivantes en vous
servant de constructions infinitives:

(a) Inutile . . .

(b) Après . . .
(c) Ne rien . . .
(d) J'ai l'impression . . .
(e) Il avait l'ambition . . .
(f) Il préfère . . .
(g) Il était obligé . . .
(h) On l'a obligé . . .
(i) Elle souhaite . . .
(j) Thé ou café? C'est à vous . . .

# C. EXPLOITATION DU TEXTE

## A l'oral

1. Exposé: Quels sports pratiquez-vous? Quels sports aimez-vous regarder? Quels sont vos héros sportifs? Qu'est-ce que vous admirez en eux?

2. Sujets de discussion:

(a) Qu'est-ce qui pousse un homme à quitter sa famille pour aller risquer sa vie en montagne?

(b) L'état devrait-il déconseiller la pratique des sports dangereux — tels l'alpinisme, la boxe, les courses automobiles, etc.?

---

## A l'écrit

3. Rédaction dirigée: Vous êtes allé dans les Alpes avec un groupe de jeunes gens pour faire de l'alpinisme. Il arrive un accident en montagne. Vous écrivez une lettre à vos parents afin de les rassurer, en donnant les détails. Introduisez dans votre lettre les termes suivants: *paroi, rocher, bivouac, guide, alpage, refuge, corde, grésil, rebord, cheminée, coincé, manœuvre.* (250 mots)

4. Rédaction: 'Le sport et la politique font bon ménage à la seule condition de s'embrasser aussi peu que possible' (300 mots).

5. Version: Traduisez en anglais les lignes *24-33*.

6. Thème: Traduisez en français, en vous servant le plus possible d'expressions tirées du texte:

Climbing is one of the most difficult sports I know. All you have to do is to look at the accident figures in the French Alps alone: more than fifty dead in a single year. Seeing climbers precariously perched on overhanging rocks, loaded with all manner of equipment,
4    you feel they must be out of their minds. But it's precisely the fact that it's very dangerous that obliges people to do it. To understand the thrill of climbing you have to experience it. Setting off at dawn and returning at dusk are normal conditions for the sport. Risking one's life on moraine or in a crumbling fissure, freezing in the mountain air, pressing on until
8    fatigue is no longer tolerable — these are the trials to be faced, the difficulties to be overcome. But, in the end, standing near the summit of a great mountain and gauging the last few metres to be crossed, you begin to feel an indescribable sense of achievement.

# GRAMMAR SECTION 9: *The Infinitive*

§1. **Introduction**
§2. **The Infinitive used without another Verb (independently)**
§3. **The Infinitive used with another Verb (dependently)**

## §1. Introduction

There are TWO forms of the infinitive: Present and Past (or Perfect). The present infinitive is the form under which a verb is listed in a dictionary. French present infinitives end in: -ER *(parler)*, -IR *(finir)*, -RE *(vendre, boire)*, -OIR *(falloir, devoir)*.

The past infinitive involves the use of *avoir* or *être* + past participle,

e.g. *avoir mangé* 'to have eaten'
  *être tombé* 'to have fallen'.

## §2. The Infinitive used without another Verb (independently)

**2.1** Used as a noun phrase:
*Partir, c'est mourir un peu.*

*T'écrire me fait du bien.*
*Arriver chez lui à 7h. du matin, mais tu es folle!*

**2.2** Used after question words:
*Que faire?*

*Pourquoi le dire comme ça?*
*Comment réaliser ce projet?*

**2.3** Used with the sense of an imperative:
*Ne pas se pencher au dehors* (in trains): 'Do not lean out of the window'.
*A découper suivant le pointillé* (on dress pat-

terns): 'Cut along the dotted line'.
*Servir très frais* (on bottles of white wine): 'Serve chilled'.

**2.4** Used after various prepositions, especially à, *de, sans* and *pour:*

*A le voir, on dirait qu'il est malade.* 'If you look at him . . .'

*A l'en croire, il serait prêt à tout.* 'If he is to be believed . . .'
*De tant travailler, il aboutira bien à quelque chose.* 'From working so hard . . .'
*Pour aller à l'Opéra, prenez la rue d'en face.* 'To go to . . .'

---

**2.5**  Used after *après* in the *perfect* infinitive form *(avoir fait, être venu):*
*Après avoir beaucoup mangé, je fais toujours la sieste.*
*Après être partis, ils ont découvert qu'ils avaient oublié les passeports.*
*Après s'être lavée, elle se maquilla avec soin.*

EXERCISE A: Complete the following sentences by inserting the correct perfect infinitive form:

(a) Après _____ *(marcher)* une heure, ils étaient fatigués.
(b) Après _____ *(sortir)* sans manteau, elle a eu un beau rhume.
(c) Ils ont changé d'avis après _____ *(lire)* le rapport.
(d) J'ai trouvé qu'elle était bien mise après _____ *(la regarder)* de près.
(e) Après _____ *(démolir)* la maison, ils ont dû enlever les décombres.
(f) Après _____ *(tomber)* d'accord, nous sommes allés manger ensemble.

---

# §3.   The Infinitive used with another Verb (dependently)

## 3.1   *Verbs followed by a direct infinitive* (i.e. without *à, de,* etc.)

### 3.1.1   *Aller, venir:*
*Je vais lui parler.*
*Il allait en acheter.*

*Il vient s'excuser.*
*Elles sont venues s'installer.*

Note also: *J'ai été le chercher* (familiar for: *Je suis allé le chercher).*

### 3.1.2   *Croire, penser:*
*Elle croyait l'avoir vu.*
*Il croit bien faire.*

*Nous pensons en prendre.*
*Ils pensaient y aller.*

### 3.1.3   *Devoir, pouvoir*
and similar verbs, (sometimes called 'modals'):
*Il a dû s'absenter.*
*Elle pourrait le faire.*
*Nous voudrions lui parler.*
*Ils ont su s'évader.*
*Il faudrait s'en occuper.*

### 3.1.4   *Voir, sentir*
and other verbs of perception: note that the object pronoun accompanies the first verb. (See also p. 14):
*Vous les voyez venir.* 'You can see them coming.'
*Je l'entends chanter.* 'I can hear him singing' OR 'I can hear it being sung.'
*Elle le sent bouger.* 'She can feel it moving.'

The rules governing past participle agreement are the same as for *laisser* (see below).

### 3.1.5   *Laisser* and *faire* (the 'factitives'):
note that the object pronoun accompanies the first verb:
*Ils l'ont fait démolir.* 'They had it demolished.'
*Je l'ai fait chanter.* 'I made her sing' OR 'I had it sung.'
*Elle s'est fait avoir.* 'She was tricked.'
*On les a laissés faire.* 'We let them get on with it.'
*Laissez-les se battre.* 'Let them fight.'

If both *faire* and the infinitive following it have direct objects, the object of *faire* becomes an indirect object:

e.g. *Je **l'**ai fait manger.* 'I made him eat.'

BUT *Je **lui** ai fait manger **le gâteau**.* 'I made him eat the cake.'

See also p. 157 and GS 1, §3.2, p. 17.

The past participle form *fait* NEVER agrees when it governs an infinitive:

e.g. *La maison qu'ils ont **fait** construire.*

The past participle form *laissé* agrees if the OBJECT of *laisser* is also the SUBJECT of the following verb:

e.g. *Elle s'est laissée mourir.* (She just let herself die.)

BUT *Elle s'est laissé séduire.* (She let someone else seduce her.)

**3.1.6**   Other verbs followed by a direct infinitive:

$$Il\ a \begin{cases} manqu\acute{e} \\ failli \end{cases} se\ tuer\ \text{'He almost killed himself.'}$$

Also: *désirer, espérer, préférer, aimer, affirmer, avouer, déclarer, dire, nier, sembler, paraître, compter,* etc.

---

## 3.2   Verbs followed by 'à' + infinitive

### 3.2.1   *Etre:*
*Cela est à voir.* 'That should be looked at/into.'
*Il est bien à plaindre.* 'He is to be pitied.'

### 3.2.2   *Avoir, rester* and other verbs:
*J'ai eu à lui en parler.* 'I had to . . .'
*Il ne reste plus qu'à partir.* 'It only remains to . . .'

Intention or purpose are often expressed by this use of *à*:

*demander à* (also *aspirer, conspirer, chercher, parvenir, persister*) and a kind of 'negative purpose' with *hésiter à* and *tarder à*.

Note the construction *Il a passé la soirée **à lire*** ('He spent the evening **reading**'), where the infinitive *lire* expresses the purpose to which he devoted the evening. English uses a present participle.

### 3.2.3   Verb + direct object + à + infinitive
As in §3.2.2, there are examples of this construction with *avoir*,

e.g. *Elle a **quelque chose à** faire.*
*J'ai eu **de la peine/difficulté à** venir.*

Other verbs followed by *à* often involve getting someone to do something: *contraindre, aider, exciter, inciter, destiner, engager, décider, déterminer, habituer,*

e.g. *Pierre a aidé **son frère à** réparer sa voiture.*

*A* is used after certain reflexive verbs where personal effort ('self purpose') is involved: *(s'appliquer, se fatiguer, se mettre, s'accoutumer, s'amuser),*

e.g. *Elle s'est fatiguée à transporter tous les objets d'une salle à l'autre.* 'She tired herself out carrying . . .'

### 3.2.4   Verb + indirect object (à qn) + à + infinitive
The only verbs in this category are *apprendre* and *enseigner,*

e.g. *Je **lui** ai appris **à** lire.*

and *rester,*

e.g. *Il ne lui reste plus qu'**à** partir* (cp. §3.2.2).

---

## 3.3   Verbs followed by 'de' + infinitive

### 3.3.1   Intransitive verb (no object) + de + infinitive
A common verb is *venir de,* used only in the present and imperfect, as in:

*Il vient/venait **de** recevoir 2000 francs.* 'He has/had just received . . .'

There are numerous other verbs followed by *de*. Here are some of the commoner ones:

*essayer, tenter, décider, résoudre*
*accepter, entreprendre, offrir, refuser*
*attendre, choisir, arranger, projeter, envisager, rêver, parler*
*jurer, menacer, comploter*
*désespérer, craindre*
*négliger, oublier, éviter*

*Regretter* is often used with the perfect infinitive, as in: *Je regrette beaucoup de vous avoir oublié.*

*Suffire* is used impersonally: *Il suffit de venir.* 'All you have to do is come.'

### 3.3.2 Verb + direct object + de + infinitive

Many verbs involving praise and blame fall into this category: *accuser, blâmer, reprocher, soupçonner, louer, féliciter, excuser* (and *s'excuser*), *remercier*,
e.g. *Ils ont accusé leur collègue de cacher les détails essentiels.*

Other verbs taking this construction involve getting people to do things: *prier, conjurer, supplier, persuader*,
e.g. *Je l'ai prié de venir* (cp. *Prière de faire suivre*: 'Please forward').

The following are similar, except that people are **stopped** from doing things: *empêcher, arrêter, dispenser*,
e.g. *Elle a empêché son père d'aller en ville.*

Note the following reflexive verbs: *s'efforcer, se souvenir* (+perfect infinitive), *se contenter, se glorifier, se dépêcher, se charger, se garder*,
e.g. *Malgré toutes ces injures, Yves s'est contenté de sourire.*

### 3.3.3 Verb + indirect object *(à qn)* + de + infinitive

Here again, there are a number of verbs which involve getting people to do (or not to do) things: *dire, crier, écrire, téléphoner, télégraphier*,
e.g. *Il a dit à la femme de ménage de lui apporter une couverture.*

Also:
*conseiller, déconseiller, demander, défendre, permettre, proposer, ordonner, interdire*,
e.g. *On leur avait défendu/ permis de sortir.*
    *Il m'a proposé de faire des traductions.*
    'He suggested to me that I (NOT he) should do some translations.'

---

## 3.4   Verbs used in more than one construction

### 3.4.1   A/de

There is a shift from *à* to *de* in certain constructions. Cp. *Cela est facile à faire* and *Il est facile de faire cela.* See GS 1, §2.3.2, pp. 15–16.

### 3.4.2   Obliger, forcer, etc.

e.g. *Roger l'a forcé/obligé, etc. à le faire.* (active)
    *Roger est forcé/obligé, etc. de le faire.* (passive)

In the **active** sentence, Roger forces someone else to do something; in the **passive** one, Roger himself is forced to do something.

### 3.4.3   Plaire

Cp. the reflexive and non-reflexive forms of the verb:

*Elle se plaît à dire leurs vérités aux gens.* 'She positively enjoys telling people what she thinks of them.'
*Cela lui plaît de voir d'autres qui souffrent autant qu'elle.* 'She likes seeing . . .'

### 3.4.4   Demander

This verb has a different preposition according to whether or not it has an indirect object,
e.g. *Il lui demande de partir.* 'He asks him to leave.'
    *Il demande à partir.* 'He asks to leave.'

### 3.4.5   Décider

The construction here depends on whether the verb is being used intransitively (no object), reflexively, or transitively (with an object),

e.g. *J'ai décidé **d'**arrêter.* 'I decided to stop.'
*Je **me** suis décidé **à** arrêter.* 'I made up my mind to stop.'

*Cela **m'**a décidé **à** arrêter.* 'That decided me to stop.'

---

## 3.5 Verbs used with 'par'+ infinitive

*Finir* and *commencer* are normally used with *de* and *à* respectively, but they express a different meaning when used with *par*,

e.g. *J'ai fini **de** le croire.* 'I finished believing/no longer believed.'

*J'ai fini **par** le croire.* 'I finished by believing/finally believed.'

EXERCISE B: (This exercise practises verbs from all sub-sections of §3). Translate into French:

(a) This house is for sale. (3.2.1)
(b) It's impossible to stop them. (3.4.1)
(c) They'll have to hurry up. (3.2.2)
(d) She might lie to you. (3.1.3)
(e) It's going to rain soon. (3.1.1)
(f) She got run over by a car. (3.1.5)
(g) I can hear her moving. (3.1.4)
(h) They denied having been there. (3.1.6)
(i) We hope to have further news tomorrow. (3.1.6)
(j) It only remains to lock everything up. (3.2.2)
(k) They persisted in chattering. (3.2.2)
(l) I helped him to move house. (3.2.3)
(m) This life accustomed him to going without food. (3.2.3)
(n) She taught me to dance much better. (3.2.4)
(o) He had just been let out of jail. (3.3.1) (let out = *libérer*)
(p) They undertook to come with us. (3.3.1)
(q) I dream of buying a cottage in the country. (3.3.1)
(r) It'll be enough to send him a short note. (3.3.1)
(s) I congratulated him on beating his opponent. (3.3.2)
(t) They begged us to change our minds. (3.2.2)
(u) I remember having left it somewhere. (3.3.2)

(v) She forbade us to talk of it again. (3.3.3)
(w) He enjoys travelling. (3.4.3)
(x) I ended up by paying for all of us. (3.5)

EXERCISE C: Insert the correct preposition (*à*, *de*, etc.) in each of the following sentences. Sometimes no preposition is needed:

(a) Je me garderai bien _____ en parler.
(b) Croyez-vous _____ l'avoir vu?
(c) Ne l'as-tu pas entendu _____ crier?
(d) Il est impossible _____continuer ainsi.
(e) Cela m'a décidé _____ partir.
(f) Il ne te reste qu(e) _____ tout avouer.
(g) Ce travail est facile _____ faire.
(h) Jean décidera sans doute _____ venir.
(i) Nous les avons remerciés _____ nous avoir aidés.
(j) Après ces critiques, l'enfant a commencé _____ pleurer.
(k) Il menace _____ nous dénoncer.
(l) Oh! Laisse-le _____ partir!
(m) Je compte _____ en recevoir bientôt.
(n) Les enfants s'amusent _____ dessiner des animaux.

SI JE NE REVIENS PAS AVANT L'AUBE, COURS PRÉVENIR LE SHÉRIF POUR QU'IL PRENNE TOUTES LES DISPOSITIONS POUR DÉFENDRE LA VILLE CONTRE UNE ATTAQUE DES INDIENS. FAIS-LUI COMPRENDRE QU'IL DOIT PRÉVENIR LE BUREAU DES AFFAIRES INDIENNES ET LA CAVALERIE.

# X La vie politique

## *TEXTE UN:* Démocratie et dictature internationales

Quels sont aujourd'hui les moyens d'atteindre cette unité du monde, de réaliser cette révolution internationale, où les ressources en hommes, les matières premières, les marchés commerciaux et les richesses spirituelles pourront se trouver mieux redistribués? Je n'en vois
4 que deux et ces deux moyens définissent notre ultime alternative. Ce monde peut être unifié, d'en haut, comme je l'ai dit hier, par un seul Etat plus puissant que les autres. La Russie ou l'Amérique peuvent prétendre à ce rôle. Je n'ai rien, et aucun des hommes que je connais n'a rien à répliquer à l'idée, défendue par certains, que la Russie ou l'Amérique ont les moyens
8 de régner et d'unifier ce monde à l'image de leur société. J'y répugne en tant que Français, et plus encore en tant que Méditerranéen. Mais je ne tiendrai aucun compte de cet argument sentimental.

Notre seule objection, la voici, telle que je l'ai définie dans un dernier article: cette
12 unification ne peut se faire sans la guerre ou, tout au moins, sans un risque extrême de guerre. J'accorderai encore, ce que je ne crois pas, que la guerre puisse ne pas être atomique. Il n'en reste pas moins que la guerre de demain laisserait l'humanité si mutilée et si appauvrie que l'idée même d'un ordre y deviendrait définitivement anachronique. Marx pouvait
16 justifier comme il l'a fait la guerre de 1870, car elle était la guerre du fusil Chassepot et elle était localisée. Dans les perspectives du marxisme, cent mille morts ne sont rien, en effet, au prix du bonheur de centaines de millions de gens. Mais la mort certaine de centaines de millions de gens, pour le bonheur supposé de ceux qui restent, est un prix trop cher. Le
20 progrès vertigineux des armements, fait historique ignoré par Marx, force à poser de nouvelle façon le problème de la fin et des moyens.

Et le moyen, ici, ferait éclater la fin. Quelle que soit la fin désirée, si haute et si nécessaire soit-elle, qu'elle veuille ou non consacrer le bonheur des hommes, qu'elle veuille consacrer
24 la justice ou la liberté, le moyen employé pour y parvenir représente un risque si définitif, si disproportionné en grandeur avec les chances de succès, que nous refusons objectivement de le courir. Il faut donc en revenir au deuxième moyen propre à assurer cet ordre universel, et qui est l'accord mutuel de toutes les parties. Nous ne nous demanderons pas s'il est possible,
28 considérant ici qu'il est justement le seul possible. Nous nous demanderons d'abord ce qu'il est.

Cet accord des parties a un nom qui est la démocratie internationale. Tout le monde en parle à l'ONU, bien entendu. Mais qu'est-ce que la démocratie internationale? C'est une
32 démocratie qui est internationale. On me pardonnera ici ce truisme, puisque les vérités les plus évidentes sont aussi les plus travesties.

Qu'est-ce que la démocratie nationale ou internationale? C'est une forme de société où la loi est au-dessus des gouvernants, cette loi étant l'expression de la volonté de tous, représentée par un corps législatif.

36

Albert Camus, Actuelles, Chroniques (1944-1948), Gallimard, 1950

# A. PREPARATION DU TEXTE

## Notes

*Méditerranéen (9):* Camus est né en Algérie, près de la mer, en 1913, à l'époque où ee pays faisait toujours partie de la France — le monde de Camus était donc centré sur la Méditerranée.

*(Karl) Marx, 1818–83 (15):* développa ses idées sur la guerre de 1870 et ses suites dans son livre *La Guerre civile en France.*

*guerre de 1870 (16):* qui opposa la France de l'empereur Napoléon III et la Prusse de Guillaume I^er et de Bismarck. La défaite française entraîna la Commune de Paris, et la proclamation de la Troisième République.

*fusil Chassepot (16):* fusil de guerre français, qui porte le nom de son inventeur.

*l'ONU (31):* Organisation des Nations Unies. Comparez les abréviations suivantes dans les deux langues: l'ONU = UNO, l'OTAN = NATO, la TVA = VAT, la CEE = EEC.

---

## Vocabulaire

1. Traduisez en anglais, selon leur contexte, les expressions suivantes:
*atteindre (1), réaliser (1), les matières premières (2), d'en haut (5), prétendre à (6), à l'image de (8), J'y répugne (8), dernier (11), J'accorderai encore (13), Dans les perspectives de (17), au prix de (17–18), ignoré par Marx (20), le problème de la fin et des moyens (21), ferait éclater (22),* *consacrer (23), objectivement (25), en revenir à (26), propre à (26), justement (28), gouvernants (35).*

2. Cherchez dans le texte au moins douze mots concernant la politique ou les relations internationales.

---

## Commentaire grammatical

### (i) Devices for emphasis

At the level of the sentence:

(a) By positioning: *Dans les perspectives du marxisme (17).* The position of this phrase at the beginning of the sentence shows this sentence is meant to explain the previous one, involving Marx's views. The unusual position of *ici (22),* breaking the flow of the sentence, draws attention to the idea it so economically represents. An example of the emphatic device of placing before the noun an adjective that would normally be positioned after it is to be found in *notre ultime alternative (4).* See GS 10, §2, pp. 186–187.

(b) By duplication: *Notre seule objection, la voici (11).* The stressed phrase is displaced to the initial stress position, involving duplication in *la,* the 'normal' order being: *Voici notre seule objection.* See GS 10, §3, pp. 187–188.

At the level of the paragraph:
Throughout the article Camus uses the language of a political speech. Declamatory and

oratorical forms, transferred from the spoken word to the written, enhance the rhetorical impact of the passage. Devices such as duplication or repetition, simplification and opposition help structure the paragraphs, build suspense, and achieve directness of impact.

Repetition (or near-repetition) of the same structure is a device used in the four concessive clauses in lines 22–24. Camus also repeats the question *qu'est-ce que la démocratie internationale? (31, 34)*, as well as the word *deux (4)* separating into two clauses what might have been one: *Deux moyens définissent notre ultime alternative.*

The opposition of two terms in balanced contrast is seen in *la mort **certaine** de centaines de milliers de gens, pour le bonheur **supposé** de ceux qui restent (18–19)*. Another rhetorical device involving balance is *Je n'ai rien, **et aucun des hommes que je connais n'a rien** à répliquer (6–7)*.

The words *fin* and *moyen* recur as *leitmotivs* in the central part of the passage, particularly structuring one sentence *(22–26)* in which Camus builds up suspense to emphasise the concluding phrase.

### (ii) Other grammar points

Whatever, however, whether, etc., in concessive clauses:

*quelle que soit la fin désirée (22):* 'whatever the end in mind may be'.

*quoi qu'il fasse:* 'whatever he may do'.

*qui que vous soyez:* 'Whoever you are'.
Also: *Je ne veux parler à qui que ce soit:* 'I don't want to speak to anyone (whoever they may be)'.

*où qu'il soit/où que ce soit:* 'wherever he/it may be'.

*si haute et si nécessaire soit-elle (22–23):* 'however noble and necessary it may be'.
Cp. also: *si (quelque) important soit-il/si (quelque) important qu'il soit:* 'however important he may be'.

*qu'elle veuille ou non consacrer le bonheur des hommes (23):* 'whether or not it seeks to establish human happiness', *qu'elle veuille consacrer la justice ou la liberté (23–24):* 'whether it seeks to establish justice or freedom'. See GS 4, §3.5, pp. 71–72.

---

## Compréhension du texte

1. Pourquoi Camus qualifie-t-il d'*ultime* le mot *alternative (4)*?

2. L'expression *Je n'ai rien ... à répliquer à l'idée (6–7)* veut-elle dire que Camus accepte l'idée ou qu'il la rejette?

3. En quoi l'argument de Camus *(8–9)* est-il *sentimental*?

4. La prochaine guerre mondiale sera-t-elle, selon Camus, atomique, oui ou non?

5. Dans le cas de la guerre de 1870, comment (d'après le texte) Marx et les penseurs marxistes ont-ils posé le problème de la fin et des moyens?

6. A quelle éventualité Camus fait-il allusion par le mot *ici (22)*?

---

# B. EXERCICES DE RENFORCEMENT

## A l'oral

1. Préparez des réponses orales aux questions suivantes:

(a) Comment l'auteur a-t-il désigné plus haut ce qu'il appelle à la ligne *26 cet ordre universel?*

(b) Pourquoi ce que dit Camus aux lignes *31–32* constitue-t-il un *truisme*?

## Exercices lexicaux

2. Récrivez les phrases suivantes en substituant aux mots imprimés en italique une expression puisée dans le texte:

(a) Il faut poursuivre quand même l'idéal, tout en sachant qu'on n'y *arrivera* jamais (¶1).

(b) Il *revendiquait* la responsabilité de chef du groupe, étant l'un de ses membres fondateurs (¶1).

(c) Il n'*avait* pas *horreur de* l'idée d'une guerre nucléaire (¶1).

(d) Je *reconnais* que j'ai eu tort (¶2).

(e) En prenant des précautions immédiates on a pu *empêcher* l'incendie *de s'étendre* (¶2).

(f) En me faisant connaître Roger Peyrefitte vous avez ouvert dans ma vie des *horizons nouveaux* (¶2).

(g) La coutume de chahuter le nouveau maître a été *perpétuée* par l'usage de milliers d'écoliers (¶3).

(h) Puisque l'automatisation n'est plus rentable, il faut *reprendre* les anciennes méthodes (¶3).

(i) Le lac du Bourget est vraiment un lieu *fait pour* la rêverie, *pour* la nostalgie (¶3).

(j) Sa notoriété dans le monde politique lui *garantissait* un nombre exceptionnel d'invitations (¶3).

3. Retrouvez les substantifs qui ont la même racine que les verbes suivants pris dans le texte (par exemple *réaliser: réalisation; atteindre: atteinte*) et inventez des phrases pour en montrer le sens:
*redistribuer, unifier, défendre, supposer, représenter, employer, justifier, poser, refuser, accorder, localiser, consacrer.*

## Exercices grammaticaux et structuraux

4. Récrivez les phrases suivantes pour donner plus de force aux mots imprimés en italique:

(a) Voilà *notre nouveau chef.*

(b) L'ennemi est *le cléricalisme.*

(c) Il faut poser cette question à *un Parisien proprement dit.*

(d) Ce sont ses propositions *ultimes.*

(e) On nous a accordé un congé d'une demi-journée pour *la visite d'un élu du corps législatif.*

(f) Le manque d'investissement après la guerre *a appauvri la région.*

(g) Les matières premières provenant des pays membres de la CEE sont *moins chères.*

(h) *Je m'inquiète* du travestissement de la pensée de Marx dans un dernier article d'Althusser.

5. Complétez les phrases suivantes, d'après le modèle, en utilisant des expressions telles que *si, quelque, quel que, qui que (ce soit qui), où que, que (. . . ou non).* Voir le Commentaire grammatical.
Modèle:
Il *est nécessaire* que vous le fassiez.
. . . . . . . . . . . . . ., je ne le fais pas aujourd'hui =
Si nécessaire qu'il soit, je ne le fais pas aujourd'hui.

(a) Le pont *est* dans un état *dangereux.*
. . ., mais je vais traverser.

(b) Je vous assure que l'objectif désiré *est* tout à fait *louable.*
. . ., je vous interdis d'y procéder.

(c) J'ai *commis* pourtant *des fautes*, mon père.
. . ., Dieu te pardonnera, ma fille.

(d) Alors, papa, que penses-tu de mon ami? Il *est beau*, non?
. . ., il a un air un peu louche.

(e) Je l'ai *rencontré dans un endroit* très convenable.
. . ., mais il ne me plaît pas, ton copain.

(f) Si tu ne me laisses pas choisir mes amis, je *quitte la maison* pour de bon.
. . ., je ne changerai pas d'avis.

(g) Bien alors, je m'en vais, *c'est décidé.*
. . ., tu reviendras.

(h) Au revoir donc, je *trouverai* bien *quelqu'un* pour m'offrir un lit.
. . ., je le plains.

6. Etudiez l'emploi du participe présent dans *considérant (28)* et *cette loi étant (35):* il exprime un rapport de causalité ( = 'since/as' en anglais). Combinez les phrases suivantes en utilisant des participes présents pour exprimer entre elles un rapport de causalité.

(a) C'est un acteur professionnel qui se trouve sans engagement. Il a eu de très mauvaises revues dernièrement.

(b) Une femme qui résiste à ton charme fait preuve d'une extraordinaire fermeté. Ton charme est irrésistible.

(c) Le corps législatif français est impuissant par rapport aux pouvoirs de la présidence. Ces pouvoirs sont très vastes.

(d) La culture, c'est ce qui reste quand on a tout oublié. La culture est la plus durable des acquisitions humaines.

---

# C. EXPLOITATION DU TEXTE

## A l'oral

1. Exposés:

(a) Si le monde était unifié à l'image de la société russe, comment serait-il, d'après vous? Et à l'image de la société américaine?

(b) En quoi l'ordre universel, le monde unifié selon les idées de Camus, pourrait-il différer d'un monde unifié à l'image des sociétés russe ou américaine?

2. Sujets de discussion:

(a) En ce moment la loi internationale est-elle au-dessus des gouvernements? Donnez des exemples concrets pour justifier votre réponse.

(b) Que pensez-vous de l'idée de Camus de vouloir constituer un parlement au moyen d'élections mondiales auxquelles participeraient tous les peuples? Est-ce souhaitable? Ou réalisable? Comment faire

respecter les lois internationales formulées par un tel corps législatif?

3. Débat: La classe se divise en groupes de 4 ou 5 étudiants, chaque groupe prenant le rôle d'une délégation nationale (française, russe, américaine, britannique ou chinoise, etc.) à l'ONU. On choisit aussi un Président de l'Assemblée pour diriger le débat. Chaque groupe élabore les éléments d'une réponse à la proposition de Camus visant à constituer un corps législatif mondial. Ensuite, à l'appel du Président, un délégué de chaque groupe doit présenter dans un petit discours la réaction de l'état qu'il représente, en commentant un à un les arguments de Camus tels qu'ils apparaissent dans notre texte. Les représentants d'autres délégations qui prennent la parole ensuite peuvent commenter aussi le discours de leur(s) devancier(s) à la tribune.

---

## A l'écrit

4. Rédaction: Pendant le débat (voir 3 ci-dessus) les autres membres des groupes prennent des notes pour pouvoir plus tard rédiger un compte rendu des interventions, comme s'ils devaient l'envoyer à leur gouvernement.

5. Rédaction: Récrivez sous la forme d'un compte rendu (au passé, et à la troisième personne) la première partie du texte de Camus (lignes *1–15*). Commencez par une phrase telle que: 'M. Camus a d'abord posé la question de

savoir quels étaient . . .' Les expressions suivantes pourront vous être utiles:
*il croyait/pensait que, il a dit/affirmé/estimé/ déclaré que, il était prêt à, examiner, traiter de, exposer, pour lui, à ses yeux, ensuite, puis, alors, pour finir.*

6. Rédaction: La fin justifie-t-elle les moyens? Donnez des exemples concrets tirés de la vie politique ou bien d'autres domaines (personnel, professionnel ou autres) (250 mots environ).

7. Version: traduisez en anglais les lignes
*17–29.*

8. Thème: Traduisez en français, en utilisant le plus possible d'expressions et de constructions tirées du texte:

No economic problem, however unimportant[1] it may appear, whichever nations are involved, whether or not they wish to live in isolation from[2] the rest of the world, can be solved without reference to other nations. We therefore come back to the notion of international laws. What means are available to create laws that are[3] above the various    4
national governments? I can see only one: setting up a legislative body, elected by all the world's citizens. This parliament alone could claim to be establishing justice and human happiness. The only drawback is this. Elections, as I have defined them, must take place with the mutual agreement of all existing governments, whether or not they themselves be    8
democratic. However, as a student of international politics, I can find nothing to say to counter the idea held by some statesmen that this universal agreement between nations would never come about through peaceful means: as long as[4] the prospect of democratic elections represents a risk for some governments, they would refuse point blank to enter into    12
such an agreement. For indeed how can a government that takes no account of the wishes of its own citizens contribute to world unity at the price of its own existence?

We therefore have to pose the problem of international relations in new terms — in realistic terms rather than idealistic ones.    16

Notes: [1]*secondaire,* [2]*à l'écart de,* [3]voir GS 4, §3.6, p. 73, [4]*tant que.*

# *TEXTE DEUX:* Elections municipales

## ELECTIONS MUNICIPALES DU 6 MARS 1983
## *L'AVENIR DE PESSAC*

Liste d'union de toute l'opposition derrière vos deux conseillers généraux

4
### Pessacaises, Pessacais,

**Les prochaines élections municipales sont plus importantes que jamais.**

Elles vont vous donner l'unique occasion, en 1983, de sanctionner, par un vote démocratique, l'action du gouvernement avec la majorité socialo-communiste au pouvoir.

8 Les difficultés s'accroissent pour la grande majorité des Français:

- **Difficultés** pour les salariés qui voient pour la première fois leur pouvoir d'achat amputé.

- **Difficultés** pour les cadres, soumis à une pression fiscale insupportable et inquiets
12 pour leur avenir.

- **Difficultés** pour les professions libérales et médicales qui voient leur rôle dans la société et leurs libertés remises en cause, en même temps que la qualité des soins pour les patients.

16 - **Difficultés** pour les commerçants et artisans, les P.M.E. paralysés par une réglementation tatillonne, et dont l'outil de travail est lourdement frappé.

- **Difficultés** pour les familles, les personnes âgées, inquiètes pour leur épargne dont l'intérêt est réduit.

20 - **Difficultés** pour les parents devant la menace grave qui pèse sur la liberté de l'enseignement.

- **Le chômage** dont l'aggravation est continue a déjà dépassé nettement, en 1983, les 2 millions de demandeurs d'emploi.

24 - **L'insécurité**, l'aggravation de la violence et de la délinquance vous préoccupent.

- **L'intolérance et l'arrogance** des partis au pouvoir et leur mainmise sur la télévision d'Etat doivent cesser.

**C'est le moment de marquer votre désapprobation.**
28 **C'est le moment de prendre vos affaires en main.**

## Pour l'avenir de Pessac, nous voulons faire
## QUE LES PESSACAIS VIVENT MIEUX ENSEMBLE
### et pour cela . . .

- **Maintenir** l'administration municipale au-dessus des luttes de partis.  32

- **Une concertation** plus étroite avec les comités de quartiers, les groupes de défense, les syndicats, les mouvements de bienfaisance, par la création d'un **grand conseil** avec un bureau à la mairie . . . et l'utilisation des bonnes volontés dans les commissions extra-municipales.

- **Contribuer** à remettre M. Chaban-Delmas en tête de la C. U. B. et PESSAC à ses côtés, pour éviter la marxisation de nos communes, ce qui nous permettra:  36

- **D'améliorer** les transports (chemin de fer de ceinture, transversales inter-communales . . .).

- **D'accélérer** l'assainissement dans les zones critiques pour combattre les inondations.

- **D'aménager** les rues, chaussées, trottoirs (éclairage des passages cloutés, surveillance à la sortie des écoles, etc.).  40

## SUR LE PLAN STRICTEMENT MUNICIPAL

**Qualité de la vie et urbanisme**

- **Chercher** toutes les solutions pour supprimer la décharge du Bourgailh et les décharges sauvages.  44

- **Aménager** le centre et réaliser en priorité des parkings souterrains, des places piétonnières et entreprendre le passage de voitures sous la voie ferrée à proximité directe de la place de Pessac, en concertation avec les habitants.  48

- **Protéger et rénover** le patrimoine et faire connaître les richesses de PESSAC.

- **Finir** l'implantation des maisons de quartiers dans lesquelles seront tenues des permanences sociales.  52

**Emploi**

- **Redonner** vie à notre parc industriel et assurer la relance de la zone artisanale pour favoriser la création d'emplois.

- **Favoriser** la formation professionnelle des jeunes et leur maintien dans le monde du travail.  56

- **Mettre** en place sur PESSAC une agence locale pour l'emploi.

**Jeunesse et sports**

- **Faire** de PESSAC une ville pour la jeunesse, tant sur le plan culturel que sportif.

- **Entretenir** enfin nos établissements scolaires et obtenir, sans délai, le lycée.  60

- **Développer** les installations de SAIGE (Cosec et piscine), rénover les anciens équipements et les compléter.

- **Favoriser** la formation des éducateurs sportifs des clubs de PESSAC et créer un centre médico-sportif.  64

**Social**

- **Multiplier** les haltes d'enfants dans les quartiers et relancer les crèches à domicile.

- **Etendre** les actions en faveur des personnes âgées (clubs, logements, repas à domicile, télé-alarme de sécurité).  68

72

● **Reconsidérer** le fonctionnement du Bureau d'Aide sociale pour venir en aide, de façon efficace, aux familles en difficulté, notamment par le fait du chômage.

● **Améliorer** les conditions de vie des handicapés.

**Sécurité**

● **Tout faire** pour obtenir du ministère de l'Intérieur des commissariats de quartiers (PESSAC-CENTRE et SAIGE entre autres . . . ) condition nécessaire pour assurer la sécurité des personnes et des biens.

76

**Art et culture**

● **Etudier et réaliser** une grande salle culturelle.

● **Diversifier** les activités culturelles sur le territoire de la commune (expositions, ateliers, visites, écoles de musique) création d'un climat favorisant l'ouverture des enfants à la culture, en liaison avec le corps enseignant.

80

● **Ouvrir** la ville de PESSAC aux étudiants et à l'Université.

Et cela en limitant la pression fiscale par une gestion saine non démagogique. Après 6 ans de
84    mauvaise gestion et de mésentente socialo-communiste, alors que les propres amis du maire l'ont écarté d'eux-mêmes de la gestion municipale, nous pensons indispensable de faire établir un bilan économique et financier de la commune. Au moment où nous allons la reprendre en charge, nous nous engageons à faire publier ce constat par des organismes au-dessus de toute contestation.

88                                              **Conclusion**
**Défendre et améliorer** la qualité de la vie, en facilitant les relations humaines et redonner à PESSAC son rôle de grande cité.
**Pour un nouvel élan, votez la liste du Dr J.-C. DALBOS**
92    **entière, sans rature, sans surcharge, sans signe préférentiel et . . . dès le premier tour.**

# A. PREPARATION DU TEXTE

## *Notes*

*Pessac (2):* arrondissement (51.444 habitants) situé dans la banlieue de Bordeaux, à proximité d'un des campus de l'Université.

*liste d'union de toute l'opposition (f) (3):* les élections municipales (et européennes) en France se font selon un système de représentation proportionnelle. Chaque parti présente une liste de candidats et, en simplifiant beaucoup, on peut dire que le nombre d'élus correspond, suivant un calcul assez complexe, à la proportion des suffrages qu'il reçoit. A Pessac en 1983 les partis d'opposition se sont réunis pour présenter aux électeurs une liste unique, ce qui comportait pour eux des avantages électoraux évidents. A une époque (1983) où la majorité était constituée par les Socialistes et les Communistes (voir 1.9),

l'Opposition regroupait les partis de droite — l'Union pour la démocratie française (UDF) et le Rassemblement pour la République (RPR).

*conseillers généraux (3):* le 'conseil général' est une assemblée élue pour s'occuper de l'administration d'un département. Voir le dossier, p. 183.

*PME (f) (16):* petites et moyennes entreprises ('small businesses').

*la liberté de l'enseignement (20–21):* en France les «écoles libres» sont des écoles privées tenues en général par l'église catholique.

*M. Chaban-Delmas (36):* maire de Bordeaux, membre du RPR et premier ministre de 1969 à 1972.

*CUB (36):* Communauté urbaine de Bordeaux.

*communes (f) (37):* voir le dossier p. 183.

*patrimoine (m) (49):* il s'agit ici de l'héritage architectural de Pessac.

*permanences sociales (52):* organismes chargés d'assurer à des heures fixes un service de conseils sur les problèmes soulevés par la sécurité sociale etc.

*obtenir le lycée (60–61):* puisqu'il n'y a pas de lycée à Pessac, les Pessacais sont obligés d'envoyer leurs enfants à des établissements d'enseignement secondaire à Bordeaux.

*Saige (62):* quartier de Pessac.

*Cosec (62):* complexe sportif.

*commissariats de quartiers (m) (74–75):* il s'agit de commissariats de police situés dans chacun des quartiers de la ville.

*corps enseignant (m) (80–81):* les professeurs.

*grande cité (90):* il ne faut pas confondre le sens de ce mot avec celui du mot anglais 'city'. Voir *DFC*. Il s'agit ici de rendre à Pessac toute son importance.

*entière, sans rature, sans surcharge, sans signe préférentiel (92):* allusion aux instructions données aux électeurs au moment de voter. Il s'agit de ce qui en Grande-Bretagne serait un « spoilt paper », en France un « vote nul ».

*dès le premier tour (92):* certaines élections en France s'effectuent selon un système de deux tours. Le premier sert à éliminer les candidats ou listes secondaires et le second tour à choisir entre les listes ou candidats principaux. Les élections s'échelonnent en général sur deux dimanches successifs.

---

## Vocabulaire

1. Traduisez en anglais, selon leur contexte, les expressions suivantes:
*sanctionner (6), cadres (11), pression fiscale (11, 83), remises en cause (14), tâtillonne (17), mainmise (25), passages cloutés (40), places piétonnières (46), mauvaise gestion (84), bilan (85).*

2. Expliquez en français le sens des expressions suivantes:
*professions libérales (13), comités de quartiers (33), groupes de défense (33), transversales intercommunales (38), zones critiques (39), décharges sauvages (44), zone artisanale (53–54), haltes d'enfants (66).*

3. L'auteur du tract s'est servi de plusieurs mots et expressions pour augmenter les inquiétudes du public pessacais sur la situation politique et sociale au début de 1983. Dressez une liste de 10 de ces mots et expressions utilisés dans la première page du tract.

---

## Commentaire grammatical

### (i) Devices for emphasis

**Typography:** since this is a written (not a spoken) text, the principal devices for emphasis are visual rather than audible. The authors have recourse to frequent variation in the size of the type-face. They highlight important ideas by separate paragraphs, and patterns of ideas by symmetrical arrangement on the page.

**Repetition:** a major device for emphasis in both writing and speech is the simple repetition of the words one wishes to stress. The obvious examples in this text are *Difficultés (9, 11, 13, 16, 18, 20)* and *C'est le moment (27, 28)*. Repetition of a syntactic structure occurs with the repeated infinitives of lines *32–82*.

**Sentence structures:** in a political tract like this, emphasis is achieved through the invention of slogans. Slogans in French are characterised by having a very simple grammatical structure (i.e. no subordination) and in frequently containing simply an infinitive (i.e. no finite verb). Numerous examples of these are to be found throughout the text (e.g. lines *43–82*).

### (ii) Other grammar points

*Pessacaises, Pessacais (4):* theoretically at least, all names of French towns have their adjectival equivalent. A list of the main ones is given in *DFC* p. 1262. Here the adjective is used as a noun to designate the inhabitants and so has a capital letter.

*sur Pessac (57):* the preposition *sur* is nowadays frequently used with names of towns to indicate an activity which takes place 'in and around' the town, i.e. which concerns Pessac and the localities situated around it (cp. sur Toulouse, p. 126).

*tant . . . que . . . (58):* this is a common way of expressing 'both . . . and . . . '.

*la liste du Dr J.-C. Dalbos (91):* personal titles in French are generally accompanied by an article, e.g. *le professeur Frappier, le président Mitterrand, le général de Gaulle, le docteur Aubignat.*

---

## Compréhension du texte

1. Comment comprenez-vous l'expression *ce constat* (fait) *par des organismes au-dessus de toute contestation*? *(87)* Quel est ce *constat* et quels seraient ces *organismes* selon vous?

2. Expliquez ce qui distingue le contenu des lignes *1–28* de celui du reste du tract.

3. Quels sont les éléments dans le tract du Dr Dalbos qui indiquent qu'il s'agit bien d'un candidat de droite?

---

# B. EXERCICES DE RENFORCEMENT

## A l'oral

1. Préparez des réponses orales aux questions suivantes:
(a) Pourquoi les prochaines élections municipales sont-elles plus importantes que jamais?
(b) Quelles seraient les difficultés éprouvées par les différents groupes d'électeurs vivant à Pessac?

(c) Selon vous, qu'entend le Dr Dalbos par une *administration municipale au-dessus des luttes de partis (32)*?

---

## Exercices lexicaux

2. Donnez le nom des habitants des villes suivantes: *Albi, Besançon, Bordeaux, Boulogne, Bruxelles, Fontainebleau, Limoges, Monaco, Saint Etienne, Saint Malo.*

3. Relevez (a) cinq mots ou expressions du texte qui se rapportent à la structure de l'administration locale en France; (b) cinq mots se rapportant au système des partis et aux élections.

4. Traduisez en français les phrases suivantes en utilisant des mots ou expressions puisés dans le texte pour les mots imprimés en italique:

(a) The values of our society are being *called into question*.
(b) There are many more *unemployed people* today than five years ago.
(c) The right-wing *grip* on our economy is the cause of much despair.
(d) *Charitable organisations* come to the aid of *local government* very often.
(e) Industry is currently disrupted by *wildcat strikes*.
(f) We need to *encourage* the establishment of new industries.
(g) The women of the town have organised a *meals on wheels* service.

## *Exercices grammaticaux et structuraux*

5. Dans les six phrases des lignes *9–21* remplacez les mots *Difficultés pour* par la tournure *Ce que . . . trouvent difficile c'est de . . .* Voir GS 10 §4.3, p. 189. Vous serez parfois amené à modifier légèrement le reste de la phrase, mais veillez à ne pas en changer le sens.
Exemple: Difficultés pour les salariés qui voient pour la première fois leur pouvoir d'achat amputé. *(9–10)→Ce que* les salariés *trouvent difficile c'est de* voir pour la première fois leur pouvoir d'achat amputé.

6. Réécrivez les lignes *43–82* comme s'il s'agissait non d'un tract électoral mais d'un article de journal décrivant le programme du Dr Dalbos. Vous aurez à constituer des paragraphes et à former des phrases complètes à partir des expressions infinitives du texte. Votre article commencera ainsi:
« Le programme du Dr Dalbos porte sur six aspects de la vie communale . . . ».

7. L'anglais transforme sans difficulté un verbe en substantif par la simple adjonction de *-ing*.
e.g. *to open* → *(the) opening*,
      *to work* → *(the) working*.
La situation est plus complexe en français. Cherchez dans le texte les substantifs qui correspondent aux infinitifs suivants et utilisez-les chacun dans une phrase de votre invention: *aggraver, concerter, utiliser, marxiser, assainir, surveiller, implanter, former, fonctionner, ouvrir*.

# C. EXPLOITATION DU TEXTE

## *A l'oral*

1. Récit oral: Vous êtes le Dr Dalbos et votre parti vous a réservé un spot publicitaire de trois minutes sur les ondes de la radio locale. Exprimez, de la manière la plus claire et la plus convaincante que vous pouvez, l'essentiel de ce qui paraît dans ce tract.

2. Saynète: Imaginez une conférence de presse où le Dr Dalbos répond aux questions posées par les journalistes de la région à la suite de la distribution de son tract. Un étudiant prendra le rôle du Dr Dalbos, deux ou trois autres ceux des journalistes.

## *A l'écrit*

3. Rédaction dirigée: Vous êtes un habitant de Pessac (donnez-vous une identité précise) et, trois mois avant la distribution du tract du Dr Dalbos, vous lui écrivez une lettre (300 mots) pour exprimer votre désapprobation de la situa-tion politique et économique actuelle dans votre ville. Pour ce faire, choisissez et développez à votre guise cinq des thèmes évoqués sur la première page du tract.

4. Rédaction: Expliquez avec des exemples concrets ce qui fait pour vous la différence entre la droite et la gauche en matière de politique (300 mots).

5. Version: Traduisez en anglais les lignes *32–82*.

6. Thème: Traduisez en français cet article de journal.

## FRENCH RIGHT UNITES

*Paris*

France's rightwing opposition parties signed an electoral pact yesterday as the government confirmed its intention to introduce voting reforms.

4      Announcing a united front for the 1986 parliamentary election, leaders of the neo-Gaullist RPR party and the centre-right UDF rejected any alliance with the Socialists or extreme right in the absence of a clear majority.

'We refuse to consider any compromise or to deal with other political groups, whether they

8      be of the extreme right or the Socialist party', the UDF leader Mr Jean Lecanuet, told reporters.

The Interior Minister, Mr Pierre Joxe, yesterday confirmed plans for the abolition of the first-past-the-post system and for an increase in the number of parliamentary seats.

12     The UDF and RPR yesterday reaffirmed their hostility to proportional representation, saying they would reintroduce majority voting if they win power in 1986.

The right accuses the Government of manipulating changes in an attempt to stay in power despite declining popularity. The Government on the other hand says it is merely making

16     voting fairer.

Under the new system each political party will submit a list of candidates in each of the country's 96 administrative regions, or departments.

*The Guardian*, 11 April 1985 (adapté et raccourci)

# Les divisions politiques et administratives en France

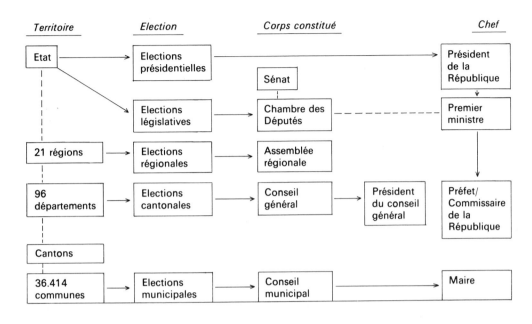

# Dossier: La politique en France

## INTRODUCTION

Le régime de la Cinquième République, qui est né en 1958, a vu des Présidents et des gouvernements de droite ou de centre-droite jusqu'en 1981. M. François Mitterrand, membre du parti socialiste, est, depuis les élections présidentielles de mai 1981, le chef de l'état, et le troisième successeur du Général de Gaulle (après G. Pompidou – 1969, et V. Giscard d'Estaing – 1974).

Le système des partis politiques paraît plus fluide en France qu'en Grande-Bretagne. Les grandes formations politiques ont subi des renouvellements dans les années 1970. Le système électoral d'avant 1986 encourageait une bipolarité, avec des alliances à droite entre anciens gaullistes et centristes. Un système à la proportionnelle, comme celui des législatives de 1986, aurait tendance à favoriser des alliances au centre.

## LES GRANDES FORMATIONS POLITIQUES

Le PC: le Parti communiste français (1920)
Le PS: le Parti socialiste (1971)
Le RPR: le Rassemblement pour la République (1976)
L'UDF: L'Union pour la Démocratie française (1978)
sans oublier les MRG (Radicaux de Gauche), Lutte Ouvrière (trotskiste), le Front National (extrême-droite), les Ecologistes, et le PSU (Parti Socialiste Unifié), et les partis qui forment l'UDF, dont le PR (Parti républicain) et le CDS (Centre des Démocrates sociaux).

## QUELQUES PERSONNALITÉS POLITIQUES NATIONALES

François Mitterrand (PS — Président de la République, 1981 –    )

Valéry Giscard d'Estaing (UDF — Président de la République, 1974–1981)
Laurent Fabius (PS — Premier Ministre, 1984–1986)
Pierre Mauroy (PS — Premier Ministre, 1981–1984)
Raymond Barre (UDF — Premier Ministre, 1976–1981)
Jacques Chirac (RPR — Premier Ministre, 1974–1976; 1986–   )
Georges Marchais (PC), Jean-Marie Le Pen (FN), Brice Lalonde (Ecol.), Simone Veil (UDF), Michel Rocard (PS), Lionel Jospin (PS), François Léotard (UDF), Marie-France Garaud (Ind.), Jacques Chaban-Delmas (RPR), Michel Debré (RPR), Huguette Bouchardeau (PSU), Jean Lecanuet (UDF), Edith Cresson (PS), Jean-Pierre Chevènement (PS), Charles Fiterman (PC).

## PETIT LEXIQUE POLITIQUE

Les citoyens français votent (ou s'abstiennent) lors des élections pour élire le Président de la République, leurs députés (au niveau national) ou des conseillers (au niveau local). Il peut y avoir aussi des élections partielles ('bye-elections'). La majorité électorale est de 18 ans.

Pour les élections de 1986 le mode de scrutin aux *élections législatives* a changé. Auparavant il s'agissait d'un scrutin majoritaire à deux tours. Désormais c'est un scrutin de liste départemental, à un tour, à la représentation proportionnelle, c'est-à-dire que dans chaque département chaque parti présente une liste de candidats. Dans son bureau de vote, l'électeur (M. Blanc) entre dans l'isoloir, prend le bulletin de vote sur lequel est imprimée la liste qu'il choisit, met ce bulletin dans une enveloppe, sort de l'isoloir, dépose l'enveloppe dans l'urne. « Blanc, André a voté », dit le scrutateur.

Dans chaque département les sièges (de 2 dans les départements peu peuplés jusqu'à 21 à Paris et 24 dans le Nord) sont attribués à la proportionnelle aux différentes listes selon le nombre de voix exprimées pour chaque liste. Les élus sont le ou les candidats se trouvant en tête de liste. Le mandat législatif est de 5 ans. Tandis qu'avant 1985 il y avait un député pour chacun des 491 circonscriptions, il y a désormais 571 députés pour les 96 départements métropolitains et les 5 départements d'outre-mer.

Tous les sept ans a lieu l'*élection présidentielle*. C'est une élection directe à 2 tours. Les 2 candidats qui au premier tour se trouvent en tête, s'affrontent seuls quinze jours plus tard au deuxième tour, le vainqueur devenant chef de l'Etat.

La constitution de la Cinquième République prévoit que le *Président de la Republique* nomme le *Premier Ministre*, qui conduit la politique du gouvernement. Le Premier Ministre, qui réside à l'Hotel Matignon, choisit donc ses ministres pour former un gouvernement, qui ne peut durer sans le soutien de la majorité à l'Assemblée nationale. Chaque ministre choisit son cabinet, une petite équipe de conseillers personnels. Le *Conseil des ministres* (en anglais, 'the Cabinet') se réunit tous les mercredis au Palais de l'Elysée (résidence officielle du Président de la République), pour décider la politique du gouvernement et adopter des projets de loi, que tel ou tel ministre présente par la suite au parlement.

Tous les ans une centaine de *projets de loi* d'origine gouvernementale sont débattus à l'*Assemblée nationale* et au *Sénat* (la Chambre Haute, élue tous les 9 ans par les élus locaux). La plupart de ces projets de loi, ayant peut-être subi des amendements, recevront l'assentiment du parlement, et seront promulgués. Certaines lois, avant leur promulgation, sont examinées (à la demande de 60 députés ou 60 sénateurs) par le *Conseil constitutionnel* («9 sages»), qui peut déclarer une loi partiellement ou globalement non conforme à la Constitution.

Pour plus d'informations voir:
V. WRIGHT, *The Government and Politics of France*, Hutchinson, 1983, (2nd edition).
A. LANCELOT, *Les Elections sous la V^e République*, PUF, Paris, (*Que sais-je?*), 1983.

## Exercice

Enquêtez sur ce qui est arrivé en matière de politique et de gouvernement aux élections de 1986 et après.

(a) Qui remplit actuellement les postes suivants (et à quelles formations politiques appartiennent-ils)?

    (i) Président de la République: _____ ( ).

    (ii) Premier Ministre: _____ ( ).

    (iii) Ministre des relations extérieures (ou affaires étrangères): _____ ( ).

    (iv) Ministre de l'Intérieur: _____ ( ).

    (v) Ministre de l'Economie: _____( ).

(b) Quels partis forment:

    (i) la majorité parlementaire?: _____.

    (ii) l'opposition parlementaire?: _____.

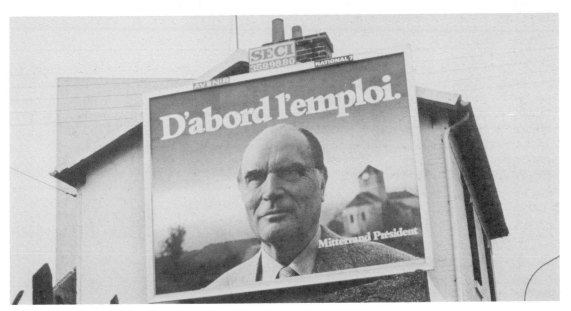

# GRAMMAR SECTION 10: *Emphasis*

**§1. Preliminaries**
**§2. Giving Prominence by Initial Positioning**
**§3. Reinforcement by Duplication or Substitution**
**§4. Framing or Introduction**

## §1. Preliminaries

There are three principal ways of emphasising a word or word-group within a French sentence:

INITIAL POSITIONING, or changing word order to place at the beginning of a sentence a unit which normally occurs elsewhere.

REINFORCEMENT, or the use of duplication or substitution to reinforce a word or word-group.

FRAMING OR INTRODUCTION, the use of a 'framing' structure or an introductory expression.

Generally speaking the same means are used in both formal and informal French to create emphasis. However, examples more typical of the formal written language are indicated by (W), and those of the informal spoken language by (S). Spoken forms should not normally be used in writing.

## §2. Giving Prominence by Initial Positioning

### 2.1 Adverbs and adverbial phrases:

*Partout, les assemblées retrouvent leur influence.*
*Très tôt, il apparaît comme l'un des hommes qui montent au sein du parti.*
*Le quatre août, l'Angleterre déclarait la guerre.*

*Jamais les agressions à main armée ne furent plus nombreuses.* (W)

(See also GS 7, §1.3, p. 135.)

### 2.2 Adjectives and adjectival phrases:

*Grande fut sa surprise* instead of *Sa surprise fut grande.*
*Gêné, je répondis que je ne m'en souvenais pas* instead of *Je répondis, gêné, que je ne m'en*

*souvenais pas.*
*Affaibli par la maladie, Mozart mourut à l'âge de 35 ans* instead of *Mozart, affaibli par la maladie, mourut à l'âge de 35 ans.*

186

N.B. A similar device of emphasis is found in the positioning before a noun of an adjective which would usually occur after a noun, as in:

*C'était l'enjeu innocent des ces **contradictoires** espérances.*   (W)

*Beaucoup d'efforts vont être déployés pour retarder encore cette **redoutable** échéance.*   (W)

(See also GS 7, §4.2, pp. 138–139.)

EXERCISE A: Emphasise the italicised unit by placing it at the head of the sentence. This may at times entail a certain change in the general word order or the addition of other terms.

(a) Le Président a *sans doute* compris que les tâches qui l'attendent vont être rudes.

(b) Un tel dialogue commencera *peut-être* avec la campagne présidentielle.

(c) Il faut abandonner *ces arguments-là* à l'opposition.

(d) La politique doit refléter et guider *ces nouvelles aspirations.*

(e) Une cinquantaine d'espions ont été *démasqués* et expulsés, a-t-on appris de source autorisée.

(f) On en connaît *le principe.*

(g) Jean Dol, qui était *incarcéré* depuis le 31 octobre, a été libéré samedi de la prison de la Santé.

---

## §3. Reinforcement by Duplication or Substitution
(cp. also GS 1)

**3.1**  If the subject of the sentence is a PRO-NOUN, a reinforcing pronoun may be used in the following positions:

– immediately before the subject pronoun:
*Moi, je ne pense pas.*   (S)
*Ça, ça m'est égal.*   (S)

– immediately after the verb (and before a following infinitive or preposition):

*Il n'espérait pas, **lui**, pouvoir sortir de cette situation difficile.*
*Vous y croyez, **vous**, aux horoscopes?*

– at the end of the sentence:
*Elle n'a pas encore rencontré son patron, **elle**.*   (S)
*Tu t'abaisserais ainsi, **toi**?*   (S)

---

**3.2**  The pronoun subject of the sentence may be emphasised simply by using the stressed form of the personal pronoun (in the third person masculine only),
e.g. *Eux l'ont tué.*   (S)
    *Lui l'a fait.*   (S)

---

**3.3**  If the subject of the sentence is a NOUN, a reinforcing pronoun may occur:

– immediately after the subject:
*Jean-Pierre, **lui**, préfère s'asseoir par terre.*

– immediately after the verb (and before a following infinitive or preposition):
*Jean-Pierre préfère, **lui**, s'asseoir par terre.*
*Les enfants y vont, **eux**, au jardin public.*

---

**3.4**  A subject noun may be reinforced by placing it at the end of the sentence:
*Il ne savait que faire, **le pauvre homme**.*

*Par un si beau temps, c'était magnifique, **ce sport**.*

**3.5**  Reinforcing, by recalling a subject (noun or pronoun) through the use of *c'est*:
*Ma distraction, c'est la télé.*  (S)

*Aller à pied, ce serait bien long.*
*Ces gens-là, c'est le cynisme même.*  (S)

---

**3.6**  Reinforcing an object noun, an attributive adjective or a noun clause by the insertion of a pronoun, and by placing the object at the beginning or end of the sentence:
**Ton sort,** *la victoire l'a fixé.*

*Je **la** voyais déjà, **ma table**.*
***Ses idées,** je ne **les** comprendrai jamais.*
***Sévère,** il **l'**est comme tu le dis.*
*Je **le** sais bien, **que les fleurs vont éclore**.*

---

**3.7**  Reinforcing a prepositional object by placing it at the beginning or end of the sentence and inserting the personal pronouns *y* and *en*:

(a) ***Votre proposition,** il n'y pense pas.* (S)
   or
   *Il n'y pense pas, **à votre proposition**.* (S)
   instead of
   *Il ne pense pas à votre proposition.*

(b) ***Leurs arguments,** il s'en moque bien.* (S)
   or
   *Il s'en moque bien, **de leurs arguments**.* (S)
   instead of
   *Il se moque bien de leurs arguments.*

EXERCISE B: Re-write the sentences, adding a reinforcing pronoun to emphasise the italicised word:

(a) *Je* crois qu'il pense très différemment.
(b) Je crois qu'*il* pense très différemment.
(c) *Ses enfants* n'ont pas perdu de temps.
(d) *Votre politique* reflète les aspirations de la masse.
(e) D'autres *commentaires* l'attribuent à une volonté délibérée de changer de politique.
(f) On ne peut pas *lui* en vouloir de tenter un ultime effort pour limiter les dégats.
(g) Ses *parents* ne partagent pas la conviction de leur fille.

# §4.  Framing or Introduction

## 4.1  *Stressed position*

The position of the stress accent in a French sentence is much less free than in English. In English any word may be stressed according to the emphasis the speaker wishes to give. For example, the sentence 'Paul lent me this bicycle' contains five possible statements:

1. **Paul** (not **Ian**) lent me this bicycle.
2. Paul **lent** (did not **give**) me this bicycle.
3. Paul lent **me** (not **you**) this bicycle.
4. Paul lent me **this** (not **that**) bicycle.
5. Paul lent me this **bicycle** (not this **pony**).

When a French person speaks, however, his sentences are divisible not into separate words which are audibly distinct, but into longer units — sense-groups — where several words may be run together. In French, although there is an initial stress, the main stress generally falls on the last syllable of each sense-group. Thus, if a French speaker wishes a particular word to catch the stress he arranges his sentence in such a way that the word in question figures at the end of a sense-group. The English sentence quoted above may be translated into French in five ways (the vertical strokes mark off the sense-groups):

1. (a) *Ce vélo m'a été prêté par **Paul**.*
   (b) *C'est **Paul** | qui m'a prêté ce vélo.*
2. *Ce vélo, | Paul me l'a **prêté**.*
3. *C'est à **moi** | que Paul a prêté ce vélo.*
4. *Paul m'a prêté **ce vélo-ci**.*
5. *C'est ce **vélo** | que Paul m'a prêté.*

**4.2** Emphasis by use of a **'framing' structure**, e.g. *c'est . . . qui . . .*, or *c'est . . . que. . . :*
***C'est*** *une bonne fessée* **qui** *lui ferait du bien.*
***C'est*** *à Besançon* **que** *je l'ai rencontré pour la première fois.*

EXERCISE C: Emphasise the unit printed in italics by using the 'framing' structure *C'est . . . qui . . .* or *C'est . . . que. . . .*

(a) Il a tenu son premier conseil des ministres *à Lyon*.
(b) Un soir il emmène son fils Henri *dans un bistro des Halles*.
(c) Il est allé faire un banquet *en Alsace*.
(d) Il établit *lui-même* les menus de l'Elysée.
(e) Je vous ai écrit *pour vous demander ce rendez-vous*.
(f) Le secrétaire d'Etat fera *une escale de 4 heures* dans la capitale danoise.
(g) Les carabiniers n'ont pas identifié *sans une certaine stupeur* l'homme qu'ils avaient arrêté.
(h) Ils se préoccupent *moins de la construction de l'Europe* que de leurs rapports avec les partis communistes.

---

**4.3** Emphasis by using an **introductory structure**:
*Ce qui . . ., c'est (ce sont) . . .*; or *Ce que . . ., c'est (ce sont) . . . :*
***Ce qui*** *est moins clair dans les esprits,* **c'est** *ce que veut faire le Président.*
***Ce qu'*** *il y a de vivant et de constructif dans la politique,* **c'est** *la part de dynamisme . . .*

N.B. It is the unit (word, word-group, phrase or clause) which follows *c'est* which is emphasised, i.e. *ce que veut faire le Président*
*la part de dynamisme . . .*
Note also that the verb tense involved in the structure may well be other than the present tense illustrated above.

EXERCISE D: Emphasise the unit printed in italics in each of the sentences by using the introductory structure *Ce qui . . . c'est . . ., Ce que . . . c'est . . .*, or *Ce dont . . . c'est . . . :*

(a) *Les tendances politiques dans la région* sont plus complexes.
(b) Les produits fabriqués suivant les normes de nos usines sont vendus à *des prix* très compétitifs.
(c) *Le train* coûte moins cher et est beaucoup plus sûr que l'avion en hiver, avec tous ces risques de brouillard.
(d) Personne ne prévoyait *une issue aussi résolue à cette journée de protestation*.
(e) Ils se préoccupent moins de *la construction de l'Europe* que de leurs rapports avec les partis communistes.

---

**4.4** Emphasis by using an **introductory term**, e.g. *quant à, voilà,* etc.

**4.4.1** *Quant à . . .; En ce qui concerne . . .; Pour . . . :*
***Quant à*** *son parricide, il l'avait oublié.* (W)
***En ce qui concerne*** *ses accusations, je n'ai plus rien à vous dire.*
***Pour*** *mon mariage, c'est un peu différent.* (S)

**4.4.2** *Voilà . . .; Voici . . .;* (sometimes preceded by a pronoun: *Me voici); Voilà que . . .; Voici que . . . :*

***Voilà*** *le merle qui siffle: c'est le mois d'avril.*
***Voilà*** *donc ce que j'aperçois au fond de cette triste nuit.*
*Me* ***voici*** *bien inutile entre ces deux cadavres.*
***Voilà*** *qu'il a institué le petit déjeuner politique avec Kissinger.*

EXERCISE E: Emphasise the unit printed in italics by using the introductory terms *Quant à . . .* or *En ce qui concerne. . . . :*

(a) *Les déjeuners de travail avec ses ministres* se sont multipliés.

(b) On continue à ignorer où se trouve *le jeune José Luis* enlevé mardi par un commando mal identifié.

(c) On ignore la teneur des *conversations* entre le ministre de l'Intérieur et ses interlocuteurs français.

(d) Il est bien trop tôt pour faire état d'*une telle information.*

(e) Il a fallu beaucoup de courage *aux parents* pour essayer d'arracher leur fille à cette secte.

# *XI*  On se parle

Experience of the French language shows that it is no more a monolithic structure than our own language. Neither tongue has a single set of rules governing all occasions, but rather a complex and varied structure in which the rules must bend with the use to which the language is put. Some of the most basic differences in usage occur between the written and spoken languages. One is a visual medium, the other aural, and they are so different in their working that they are often described as separate *codes*. In this module we shall look first at the general differences between the written and spoken forms of French, and then at the variations that occur within the spoken language itself. In our next module we shall be looking at one particular variety of written French: the letter.

Face to face communication poses different problems from communicating on paper. In speech, shortened forms of words or sentences are often used, and statements may even be left incomplete as we make use of facial expression and gesture ('body language') to convey or complete meaning. Emphasis is expressed by intonation or by repetition, and we often insert filler-words to bridge gaps while we think what next to say, or how best to phrase an idea. Examples of all of these may be seen in the following passage from Sartre's *Huis clos*:

GARCIN: Ah! bon. Bon, bon, bon. *(Il regarde autour de lui.)* Tout de même, je ne me serais pas attendu . . . Vous n'êtes pas sans savoir ce qu'on raconte là-bas?
LE GARÇON: Sur quoi?
GARCIN: Eh bien . . . *(avec un geste vague et large)* sur tout ça.
LE GARÇON: Comment pouvez-vous croire ces âneries? Des personnes qui n'ont jamais mis les pieds ici. Car enfin, si elles y étaient venues . . .
GARCIN: Oui.

*Ils rient tous deux*

To convey anything like the same meaning, the written language has recourse to longer, 'fuller' sentences. Emphasis is conveyed by written expressions, not by intonation. In general the written code uses more complex constructions (i.e. with more subordinates) for the reader may go back over any passage not understood, unlike the listener. Moreover in French the difference between the written and spoken codes has become more marked than in many other European languages thanks to a strong tradition of prescriptive grammar (grammar books laying down the law as to how people should write). Over the past three and a half centuries French grammarians have succeeded in slowing down the evolution of their written language but they have naturally failed to influence the spoken language to the same

191

extent. This helps to account for the survival of the past historic and imperfect subjunctive in written French and their disappearance from spoken French.

A common mistake made by learners of French is to equate written French with formal or 'correct' French, and spoken French with informal or colloquial usage. In fact a whole range of styles from the formal to the informal are to be found in both written and spoken modes. Within the spoken language itself the same speaker would adopt very different styles in an academic lecture and in a chat in a *bistro*. What factors create these different sorts of spoken French? Three only need be mentioned here: the degree of formality of the occasion, the social origins of the speaker and the area in which he was brought up. Traditionally we have measured all varieties of spoken French against one particular variety: the *formal speech of an educated bourgeois from Paris*. The French of the educated Parisian enjoys a unique prestige, but linguistically it is no 'better' than any other form of French, just as London English is no 'better' than that of Scotland or Yorkshire.

Set against this standard of Parisian French you may hear of three broad varieties of spoken French: *le français familier* (informal), *le français populaire* (working class) and *les français régionaux* (regional). These are by no means watertight categories since they are closely inter-related and a Frenchman will switch from one to the other as the occasion demands, or the company changes. Moreover the *français familier* of an educated person from Lille might contain regional or popular elements. Similarly the *français populaire* of a working class Marseillais will be strongly coloured with regionalisms.

The two texts used here are examples of different styles of spoken French. The first is the relaxed style of a middle-class Frenchman speaking with someone with whom he has no close acquaintance. The second is that of a family from a working class district in Paris, in colloquial conversation.

# TEXTE UN: Entrevue entre M. P. Desgraupes et M. G. Trigano, PDG du Club Méditerranée

*C'est un petit homme de cinquante-deux ans, timide et empressé, et qui s'amuse comme un enfant à inventer ses rêves et ses jeux.*

*Desgraupes:*   Gilbert Trigano, lorsque vous avez besoin de remplir un formulaire d'identité, dans les aéroports par exemple, je voudrais savoir ce que vous inscrivez à la rubrique «profession».   4

*Gilbert Trigano:*   Je vais vous montrer ça tout de suite.
(*On a l'impression qu'il a déjà trouvé une occasion de s'échapper. Il va chercher son passeport sur lequel je lis: «Organisateur de vacances»*).   8

*P.D.*   C'est une profession?

*G.T.*   Oui, c'est une profession. C'est même nous qui l'avons créée!

*P.D.*   Pourquoi ne mettez-vous pas «industriel»? On dit bien: «L'industrie des vacances» . . .   12

*G.T.*   Parce que ce n'est pas une industrie . . .

*P.D.*   Ni un commerce?

*G.T.*   Pas non plus tout à fait un commerce, non.

*P.D.*   Au fond, vous voudriez à la fois faire des affaires et du prosélytisme. C'est ça?   16

*G.T.*   Je crois que les deux ne sont pas incompatibles.

*P.D.*   Vous gagnez beaucoup d'argent?

*G.T.*   Moi? Oui! beaucoup. Je gagne 30.000 F par mois.

*P.D.*   Et peut-être même un peu plus, non?   20

*G.T.*   Oh! il n'y a aucun mystère! Avec mon intéressement au Club, mes dividendes du Club, j'ai déclaré cette année 600.000 F au fisc sur lesquels il m'en prend 300.000 F. (*Il rit*). Ça va très bien!

*P.D.*   Le Club appartient à des banquiers, n'est-ce pas?   24

*G.T.*   Oui. Disons qu'il appartient à des grands groupes.

*P.D.*   Ces banques sont avec vous pour gagner de l'argent, j'imagine?

*G.T.*   Je crois que si les banques mettent de l'argent dans une affaire c'est toujours pour en gagner davantage. Mais je crois qu'en plus le Club les passionne et les amuse. Vous savez, au niveau de ces grandes entreprises, c'est une toute petite chose le Club, c'est quasiment rien pour eux.   28

*P.D.*   En somme, vous êtes leur danseuse.

| 32 | G.T. | Oui. On est un peu leur danseuse, leur part de fantaisie, de rêve. |
| | P.D. | Il arrive qu'on se lasse des danseuses. |
| | G.T. | C'est sûr, il appartient aux danseuses de se renouveler. Et puis, si on se lasse d'une danseuse, on se lasse peut-être moins d'un corps de ballet. Regardez le Bolchoï, ça |
| 36 | | dure. |
| | P.D. | Le Bolchoï n'est pas une entreprise capitaliste. Qu'est-ce que vous feriez si, tout d'un coup, le Club Méditerranée se trouvant en difficultés, vous perdiez votre place? |
| | G.T. | *(excité):* Oh là là! là là! deux mille choses! . . . |
| 40 | P.D. | Citez-m'en seulement deux ou trois. |
| | G.T. | Bon (*Il réfléchit*). J'essaierais de me faire embaucher par les Juifs et les Arabes pour faire du Sinaï . . . |
| | | (*Le voilà qui se lève à nouveau et va devant une carte.*) |
| 44 | | Vous voyez ce petit truc qui est là, vous en avez entendu parler? C'est un désert. Il y a 2.600 habitants d'origine, et c'est pourtant l'objet de pas mal de bagarres. Alors, moi, je proposerais d'en faire un Etat touristique palestinien. Je viendrais y travailler auprès des gars qui seraient là pour essayer d'en faire l'Etat touristique le plus |
| 48 | | fabuleux du monde. Et dans vingt-cinq ans les Palestiniens prêteraient de l'argent à tout le monde: aux Juifs, aux Arabes, aux Américains . . . |
| | P.D. | Moi qui ne suis pas Juif, l'idée de transformer le Sinaï en Baléares me paraît choquante. |
| 52 | G.T. | Pourquoi? Pourquoi? C'est un fabuleux lieu de tourisme parce qu'il offre tout. Et puis il y a aux Baléares des coins merveilleusement sauvages. |
| | P.D. | Ceux où vous n'êtes pas allés? |
| | G.T. | Mais qu'est-ce que vous croyez? Nous sommes de bons sauvages. Nous apportons |
| 56 | | une vie discrète, dans un coin. (*Un temps, puis, contre-attaquant.*) Et puis, vous savez, le désert qu'il faut garder pour qu'un esthète, quand il en a envie, puisse y aller une fois de temps en temps s'émouvoir, moyennant quoi le reste du temps ça crève, moi, ce cinéma-là, c'est pas mon idée! |

P. Desgraupes, *Le Point*, 26 mars 1973

# A. PREPARATION DU TEXTE

### Notes

*PDG (titre):* Président-directeur général, 'managing director'.

*prosélytisme (m) (16):* 'crusading for a cause'.

*30.000 F (19):* au moment où nous mettons sous presse la livre sterling vaut 9 F. Notez l'emploi du point et de la virgule dans les chiffres suivants: 2.500 F et 9, 50 F.

*intéressement (m) (21):* rémunération proportionnelle aux bénéfices.

*dividende (m) (21):* somme qui revient à chacun des actionnaires ('shareholders') des bénéfices réalisés par une entreprise.

*fisc (m) (22):* l'administration des impôts.

*danseuse (f) (31):* comme les actrices, les danseuses attiraient souvent le regard des hommes riches, à la Belle Epoque.

## Vocabulaire

1. Expliquez en français le sens des mots et expressions suivants dans leur contexte:
*empressé (1), appartient (24)* cp. *appartient (34), leur part de fantaisie (32), sauvages (53)* cp. *de bons sauvages (55), une vie discrète (56), coin (56), esthète (57).*

2. Trouvez le sens des mots familiers qui suivent; dans certains cas un dictionnaire du français parlé, tel J. Marks, *Harrap's French–English Dictionary of Slang and Colloquialisms*, London, 1970, vous sera utile:

*truc (44), pas mal de (45), bagarres (45), gars (47), ça crève (58), ce cinéma-là (59).*

3. Traduisez en anglais les mots et expressions suivants dans leur contexte:
*formulaire (3), rubrique (5), à la fois (16), Ça va très bien (23), passionne (28), quasiment (30), se renouveler (34), si vous perdiez votre place (37–38), embaucher (41), habitants d'origine (45), choquante (51), s'émouvoir (58), moyennant quoi (58).*

---

## Commentaire grammatical

### (i) Uses of prepositions

The use of prepositions in French cannot be reduced to a neat set of rules: it is most often a question of particular words or groups of words 'taking' a particular preposition.

**Preposition+noun:** in this text there are a number of cases where French uses a different preposition from English:
*à la rubrique (4–5)* ('under')
*sur lesquels (22)* ('from', 'out of')

Note that after a superlative the English 'in' becomes *de* in French:
*l'Etat touristique le plus fabuleux du monde (47–48).*

Generally with names of countries the expression of movement towards or location in a country is expressed by *en* with feminine countries, e.g. *en France, en Ecosse*, and by *à* (+definite article) with masculine and plural countries, e.g. *au Canada, aux Indes*. See *il y a aux Baléares des coins . . . (53)*. GS 11, §2.1, p. 204.

*transformer le Sinaï en Baléares (50):* 'make the Sinaï desert into a sort of Majorca.' When *en* is used the definite article is usually omitted.

*à tout le monde: aux Juifs, aux Arabes . . . (48–49):* note that prepositions are usually repeated in French before all words they govern.

### (ii) Other grammar points

There are a number of features of *français familier* in this text, apart from the vocabulary items listed earlier.

**Grammar:** *des grands groupes (25)*, the plural indefinite article does not always become *de* before an adjective coming before the noun, cp. *de bons sauvages (55)*. Cp. GS 5, §1.2, p. 91.

The negative particle *ne* is occasionally omitted,
e.g. *c'est quasiment rien (30), c'est pas mon idée (59)*, cp. *ce n'est pas une industrie (13)*.

**Syntax:** Note the relative simplicity in the structure of most sentences. Often the verb is omitted,
e.g. *Pas non plus tout à fait un commerce, non (15)*.

Sometimes clauses are simply juxtaposed with neither subordination nor co-ordination,
e.g. *le reste du temps ça crève, moi, ce cinéma-là, c'est pas mon idée (58–59)*.

Questions are almost always formed simply by altering the intonation,
e.g. *C'est une profession? (9)* See GS 7, §3.5, pp. 137–138.

## Compréhension du texte

1. Pourquoi M. Trigano préfère-t-il le titre d'*organisateur de vacances* à celui d'*industriel* ou de *business-man*?

2. Quelle est, d'après M. Trigano, l'attitude des banquiers envers le Club?

3. Expliquez la distinction établie par M. Trigano entre une *danseuse (32)* et *un corps de ballet (35)*. A quoi sert la distinction dans l'argument du PDG?

4. D'après le texte peut-on dire que M. Desgraupes approuve entièrement les activités de M. Trigano? Justifiez votre réponse.

---

# B. EXERCICES DE RENFORCEMENT

## A l'oral

1. Préparez des réponses orales aux questions suivantes:

(a) Expliquez le revenu annuel de M. Trigano à quelqu'un qui ne connaît que la livre sterling.

(b) Quelles pourraient être les *difficultés* auxquelles M. Desgraupes fait allusion *(38)*?

(c) Quel est *ce cinéma-là* que M. Trigano refuse de tolérer *(59)*?

---

## Exercices lexicaux

2. Utilisez chacune des expressions suivantes dans une phrase de votre invention, de façon à bien illustrer le sens qu'elle a dans le texte: *Au fond (16), si... c'est toujours pour... (27), Il arrive que (33), il appartient à... de... (34), moyennant quoi (58)*.

3. Trouvez dans un dictionnaire français tel que le *DFC* les substantifs désignant les actions des verbes suivants, et utilisez chacun d'eux dans une phrase pour illustrer la manière dont ils s'emploient en français. Par exemple *intéresser*: Il touche 3.000 F par mois, mais avec son *intéressement* à la compagnie il gagne 60.000 F par an.
*remplir (3), inscrire (4), croire (17), se lasser (33), proposer (46), prêter (48), choquer (51), apporter (55), s'émouvoir (58)*.

---

## Exercices grammaticaux et structuraux

4. Quelle préposition convient-il d'employer dans les phrases suivantes? Dans certains cas le choix de la préposition soulèvera aussi le problème de l'article. Indiquez dans chaque cas pourquoi vous avez choisi telle préposition plutôt qu'une autre:

(a) Que pensez-vous ... lui? Moi? Je n'ai jamais pensé ... lui!
(b) Il a été obligé ... faire des économies.
    On m'obligera ... ne rien dépenser.
(c) Ce bâtiment consiste ... vingt appartements.

'La libéralité consiste moins ... donner que ... donner à propos.' (La Bruyère)
(d) Avez-vous assez ... temps ... écrire à votre famille?
    Il avait trop bu ... oser conduire sa voiture.
(e) Il ne manque pas ... amis.
    Il a manqué ... son devoir.
    Je ne manquerai pas ... revoir ma mère.
    Le footballeur a manqué ... but trois fois de suite.
(f) Je pars ... France demain. (*movement towards*)

Il alla . . . Chine. *(movement towards)*
Aller . . . Moyen-Orient *(towards)* et revenir . . . Moyen-Orient *(away)*, ce n'est
pas comme si on va . . . Midi de la France.
*(towards)*

(g) Elle commençait . . . manger quand on
l'appela.
Le Théâtre de l'Absurde commença . . .
Ionesco.
Je commence . . . en avoir trop.

(h) Vous ne répondez pas . . . sa conduite.
Il a répondu . . . plusieurs questions pendant la séance.

(i) Pour éviter de faire un long détour, il passa
. . . la haie *((a) over (b) through)*.

(j) Il est absent deux jours . . . trois.

(k) La tour se détachait . . . le fond bleu du ciel.

5. Traduisez en français les phrases suivantes
en utilisant des expressions tirées du texte pour
rendre les mots imprimés en italique:

(a) I know a woman who *spends her time*
writing anonymous letters.

(b) He is always trying to do two things *at once*.

(c) One French person *in every* fifty took his
holidays with the Club Méditerranée last
year.

(d) It *is not up to* the holiday-makers to clean up
the polluted beaches.

(e) My daughter would like *to be taken on* as a
'monitrice' by the Club.

(f) There are *a fair number of* crooks in that
organisation.

---

# C. EXPLOITATION DU TEXTE

## A l'oral

1. Saynète: Une entrevue: Sans regarder le
texte, vous allez répondre aux questions posées
à M. Trigano par M. Desgraupes. (Ces questions vous seront posées en classe.)

2. Exposé: Quelle serait votre contribution
personnelle à l'aide au Tiers Monde?

---

## A l'écrit

3. Rédaction: M. Desgraupes écrit pour *Le
Point* un court article exposant les idées de M.
Trigano et rendant compte de son entrevue avec
lui. Rédigez cet article (200 mots).

4. Rédaction: Mettez-vous à la place de M.
Trigano et répondez à la question suivante:

'Les voyages étant de plus en plus chers, on
est tenté de chercher des pays où le coût de la vie
permet aux Européens de prendre des vacances
aussi luxueuses que possible pour une dépense
de moins en moins grande. Vous amenez donc
des Occidentaux en Turquie, ou à plus forte
raison en Afrique, pour les y faire vivre une vie
plus exotique, à moyens égaux, que celle qu'ils
ont chez eux. Je vais résumer mon idée d'une
formule brutale: n'est-ce pas une démarche un
peu 'coloniale'? Ce genre de tourisme n'est-il
pas une exploitation pure et simple des pays en
question?' (250 mots)

5. Version: Traduisez en anglais les lignes
*39–59*.

6. Thème: Traduisez en français le texte suivant. Vous trouverez dans l'interview avec M.
Trigano certaines expressions que vous pourrez utiliser dans votre thème.

JEAN-MARIE: Are you and your husband going away for your holidays this year?
ISABELLE: Yes. To Le Grau du Roi as usual.

4    JEAN-MARIE: What! Don't you find that place too crowded? When we were in the South of France three years ago we were appalled. There were so many people.

ISABELLE: I like it like that.

JEAN-MARIE: Oh! Don't misunderstand me. I've nothing against people — the girls there, 8    wow! — but not when there are so many. That year we managed to get a flat on the sea-front at Palavas. I used to spend my time counting the cars crawling past the house. The traffic-jams were worse than in Paris.

ISABELLE: If there weren't so many people, you wouldn't find the facilities there you want.

12    JEAN-MARIE: Yes, that's my problem. I'm not very active and not very sociable. What I want is somewhere I can get peace and quiet and comfort all at the same time.

ISABELLE: People occasionally find ideal holiday-places like that, but once they're known about, the crowds move in. That's why more and more people are going for holidays in North 16    Africa. Did you know that for 100F a week you can stay in a 4-star hotel in Algiers?

JEAN-MARIE: That would be O.K. if I liked Arabs, but I can't stand them.

ISABELLE: Basically, you're just a misanthropist, aren't you?

JEAN-MARIE: Yes, but not a misogynist. Come 'ere . . .

# *TEXTE DEUX:* Les petits enfants du siècle

*Le personnage principal du roman est une jeune fille (Josyane), l'aînée d'une famille ouvrière habitant une HLM dans la banlieue nord de Paris. En dehors de Josyane et de ses parents, la famille comporte un frère (Patrick), une sœur (Chantal) et des jumeaux. En faisant un jour des commissions pour sa mère l'héroïne rencontre un ouvrier immigrant italien avec qui elle fait sa première expérience sexuelle. Notre extrait dépeint la fin de sa rencontre amoureuse et la scène qui se déroule à son retour au foyer.*

Il m'embrassa. Je dis: «Je ne savais pas que ça existait.»

— Mon Dieu, dit-il, que tu étais bonne! Je le savais. J'en étais sûr d'avance.

On recommença une dernière fois, mais après je n'en pouvais vraiment plus. «Madona, je suis fou», disait Guido. On rentra à toute vitesse . . . Il me laissa un peu avant la Cité. Il me dit une phrase, avec «morire», en souriant tristement, et me fit Tchao, en se retournant sur le scooter, avant de tourner dans son allée.   4

— Alors, qu'est-ce que t'as foutu? Le vermicelle quand est-ce qu'y va cuire? Je le ramenais. On l'avait acheté avec Guido en passant, et trimbalé dans les sacoches.   8

— Je me suis promenée.

— C'est pas le moment de te promener quand je t'attends avec les commissions.

Dans ces cas-là je me tais. Mais aujourd'hui j'encaissais mal.

— Et quand est-ce que c'est le moment? J'ai sans arrêt des trucs à faire! j'arrête pas du   12
matin au soir et tous les autres se les roulent! Y a qu'à donner des commissions à Patrick, lui il a le droit de traîner tant qu'il veut!

Patrick se détourna à peine de la télé — le seul truc capable de le faire rappliquer à la maison — et me jeta:   16

— Moi, c'est pas pareil, moi je suis un homme.

J'éclatai de rire.

— Un homme! tu sais même pas ce que c'est.

C'était vraiment pas le moment de me sortir ça, il tombait bien, tiens!   20

— Morpion!

Les jumeaux levèrent le nez de leur livre de géographie (qu'est-ce qu'une presqu'île? une presqu'île est une terre entourée d'eau de trois côtés) et ricanèrent, ostensiblement.

— Tu veux te faire corriger? me dit Patrick, très chef.   24

— Tra la la, tra la la, dirent les jumeaux.

— Vous les lopes . . .

— Tra la la, tra la la!

28    — La ferme, dit le chef de famille, je peux pas écouter l'émission!

— Tra la la, tra la la, chantonnèrent doucement les jumeaux. Qui c'est qui va encore se les faire dévisser.

— Allez-vous vous taire? dit la mère. Votre père écoute l'émission. Josyane, râpe le

32    gruère.

— Où c'est que t'as été te promener, dit cette punaise de Chantal, flairant un coup, pour ça elle avait de l'intuition.

— Avec une copine.

36    — Comment elle s'appelle?

— Fatima, répondis-je au hasard, de toute façon ils ne la connaissaient pas.

— Belles fréquentations, dit Patrick, moraliste.

— Je t'emmerde microbe.

40    — Ah! merde! dit le père. On peut pas avoir un instant de tranquillité dans cette bon dieu de journée, non?

— Eh bien, Josyane? je t'ai pas dit de râper du gruère?

— Ah! la barbe! Chantal a qu'à le faire. Elle fout jamais rien! moi j'en ai marre de faire la

44    bonne!

C. Rochefort, *Les petits Enfants du siècle*, Grasset, 1961

## A. PREPARATION DU TEXTE

### Notes

*Cité (f) (4):* groupe d'immeubles ou HLM (habitations à loyer modéré) formant une agglomération plus ou moins importante, souvent dans la banlieue d'une ville, et destiné au logement des ouvriers *(cité ouvrière)*.

*'morire' (5):* mot italien signifiant *mourir*.

*foutu (7):* de *foutre*, mot grossier dont le sens est en gros équivalent à celui du verbe *faire*.

*trimbalé (8):* 'trundled about.'

*sacoches (f) (8):* 'saddle-bags (of scooter).'

*j'encaissais mal (11):* 'I wasn't going to take things lying down.'

*Y a qu'à (13):* forme raccourcie de *Il n'y a qu'à . . . = le plus simple serait de . . .* Cp. *Chantal a qu'à le faire (43)*.

*il tombait bien, tiens! (20):* 'Coming when it did that remark was rich!' Avec son Italien Josyane venait de découvrir ce que c'était qu'un vrai homme.

*La ferme (28):* expression vulgaire signifiant 'Taisez-vous'.

*Qui c'est qui va encore se les faire dévisser (29–30):* 'who's going to come in for another clout.'

*gruère (m) (32):* prononciation vulgaire de *gruyère*, un fromage.

*Je t'emmerde (39):* 'Go and get stuffed!' *Merde (40)* ['shit'] avec ses dérivés *emmerder, se démerder* s'emploie très fréquemment en français. La fréquence de son emploi en diminue l'effet. Cp. p. 111.

## Vocabulaire

1. Trouvez le sens des mots et expressions suivants:

*en se retournant sur le scooter (5–6), en passant (8), traîner (14), ricanèrent, ostensiblement (23), très chef (24), râpe (31), de toute façon (37), faire la bonne (43–44).*

2. Les mots et expressions suivants appartiennent tous au langage familier. Trouvez leur sens dans un dictionnaire du français parlé, par exemple dans J. Marks, *Harrap's French–English Dictionary of Slang and Colloquialisms*, London, 1970:

*trucs (12), se les roulent (13), rappliquer (15), Morpion (21), lopes (26), cette punaise de Chantal (33), la barbe (43), j'en ai marre de (43).*

## Commentaire grammatical

### Examples of 'français familier'

**Phonetic** simplification: *cela* is replaced by *ça (1, 20, 33)*, *tu* is abbreviated to *t' (7, 33)*, and *il* becomes *y (7, 13)*.

**Grammar:** the *nous* form is replaced by *on (3, 4, 8)*.

*Ne* is omitted from the negation *(10, 12, 17, 19, 20, 28, 40, 42, 43)*, cp. *1* and *3*.

The past historic does not usually occur in direct speech (see GS 2, §3.3.2, p. 34) and the author has therefore used it only in the narrative linking the dialogue itself. The perfect tense is used within the dialogue.

**Syntax:** the extract consists almost entirely of short simple sentences. There are very few examples of subordinate clauses (e.g. *10*). Very often sentences are juxtaposed without even a coordinating conjunction (*et* or *mais*) e.g. '*Y a qu'à donner des commissions à Patrick, lui il a le droit de traîner tant qu'il veut! (13–14).* Cp. *17, 20, 33–34, 37.*

Questions are rarely formed by inversion of subject and verb (e.g. *31*). Most commonly questions are expressed by rising intonation, e.g. *Tu veux te faire corriger? (24)*, cp. *40–41, 42* **or** by question word plus rising intonation, e.g. *Comment elle s'appelle? (36)* **or** by *est-ce que*, e.g. *qu'est-ce que t'as foutu? (7)*, cp. *7, 12*. But the inversion *est-ce* is sometimes avoided even in this expression, see *29, 33*. See GS 7, §3, pp. 136–138.

**Affective language:** the extract offers a wide range of exclamations and fillers which often occur in conversational French,
e.g. *tiens! (20), Ah! merde! (40), cette bon dieu de journée (40–41), Ah! la barbe! (43).*

## Compréhension du texte

1. Comment comprenez-vous la phrase: *Dans ces cas-là je me tais (11)*? Une simple traduction ne suffira pas.

2. Comment comprenez-vous la phrase: *flairant un coup, pour ça elle avait de l'intuition (33–34)* dans le contexte du passage?

3. Expliquez les mots *Belles fréquentations (38)* lancés par Patrick à Josyane.

# B. EXERCICES DE RENFORCEMENT

## A l'oral

1. Preparez des réponses orales aux questions suivantes:

(a) Comment l'auteur décrit-elle la séparation des nouveaux amants?

(b) Josyane camoufle ses émotions en mentant à sa famille. Donnez des exemples de ses mensonges.

(c) Qu'apprenons-nous du caractère de Josyane dans cet extrait?

(d) Quelle impression nous font les parents?

## *Exercice lexical et grammatical*

2. Récrivez le texte à partir de la ligne 7 en imitant le style et le langage d'une famille de la bourgeoisie parisienne.

# C. EXPLOITATION DU TEXTE

## *A l'oral*

1. Sujets de discussion:

(a) Par quels moyens l'auteur arrive-t-elle à nous faire rire?

(b) Les mensonges sont-ils inévitables en famille?

(c) 'L'incompréhension des classes sociales est ineffaçable, étant fondée dans une différence de langage aussi bien que d'esprit.' Trouvez-vous cette affirmation raisonnable ou imbue de préjugés?

## *A l'écrit*

2. Version: Traduisez en anglais les lignes *22–44*.

3. Identifiez les différents locuteurs de la scène dans l'appartement *(7–44)* et recopiez leurs paroles en les présentant comme le texte d'une pièce de théâtre. Ajoutez des indications scéniques pour montrer les gestes des personnages et à qui ils s'adressent. Vous pouvez prendre pour modèle le texte 1 de ce module.

4. Thème: Traduisez en français:

'What d'you mean by different?' Mavis said.

'I don't know. He's just different. Says funny things. You have to laugh,' Dixie said.

'He's just an ordinary chap,' Humphrey said. 'Nice chap. Ordinary.'

4     But Dixie could see that Humphrey did not mean it. Humphrey had been talking a good deal about Douglas during the past fortnight and how they sat up talking late at Miss Friern's.

'Better fetch him here to tea one night,' said Dixie's stepfather. 'Let's have a look at him.'

8     'He's too high up in the office,' Mavis said.

'He's on research,' Dixie said. 'He's brainy, supposed to be. But he's friendly, I'll say that.'

'He's no snob,' said Humphrey.

12     'He hasn't got nothing to be a snob about,' said Dixie.

'*Anything*, not *nothing*.'

'Anything,' said Dixie, 'to be a snob about. He's no better than us just because he's twenty-three and got a good job. He's the same as what we are.'

(adapté) Muriel Spark, *The Ballad of Peckham Rye*, Penguin, London, 1960.

# GRAMMAR SECTION 11: *Prepositions*

§1.  **Introduction**
§2.  **Prepositions used in Expressions of Place**
§3.  **Prepositions used in Expressions of Time**
§4.  **Prepositions used in Expressions of Manner**
§5.  **Prepositions used in Expressions of Quantity and Proportion**
§6.  **Prepositions used after certain Verbs**
§7.  **English/French Translation Problems**

## §1.  Introduction

**1.1** French prepositions can have several English translations, e.g. *à Paris, à 8 heures, à genoux*, where *à* means 'in/to (Paris)', 'at (8 o'clock)', 'on (one's knees)'.

---

**1.2** Prepositions are often repeated in French where they would probably not be in English, e.g. *à Paris et à Rome* ('in Paris and Rome').

---

**1.3** Prepositional phrases including one or more prepositions are included in this grammar section, e.g. *jusqu'à*.

---

**1.4** Prepositions can be used in a number of different syntactic contexts.

Cp. *un vase de Chine*—preposition linking two nouns.

*le moment d'agir* — preposition linking a noun and a verb.

Uses with infinitives are discussed in GS 9.

# §2. Prepositions used in Expressions of Place

## 2.1 A, en (with names of countries, etc., to express location and destination).

Use *en* before feminine names of countries: *en France, en Ecosse, en Chine, en Amérique du Sud;* and also before masculine names of countries beginning with a vowel: *en Afghanistan.*

Use *au* before masculine names of countries beginning with a consonant: *au Maroc, au Japon, au Portugal, au Moyen Orient.*

Use *aux* before all plural names of countries:

*aux Etats-Unis* (cp. *en Amérique*), *aux Indes* (cp. *en Inde*).

Note that some countries which are islands take *à: à Cuba, à Chypre, à Malte.*

EXERCISE A: Put the appropriate prepositions in the gaps in the following sentences:

(a) _____ Iran       (e) _____ Union Soviétique
(b) _____ Brésil     (f) _____ Canada
(c) _____ Asie       (g) _____ Gibraltar
(d) _____ Norvège    (h) _____ Madagascar

## 2.2 Devant/avant: derrière/arrière

*Devant* is used in expressions of **place**:
as a preposition : *devant la maison*
as an adverb    : *Il s'est placé devant* 'He stationed himself at the front'
as a noun       : *Le devant de la maison* ('The front . . .')

*Avant* is used mainly in expressions of **time**:
as a preposition : *avant six heures*
as an adverb    : *Il est parti avant* ('. . . beforehand')
BUT as a noun it indicates place:

*l'avant*     = the front
*les avants* = the forwards (football).

*Derrière* and *arrière* are both used exclusively in expression of **place**, but whereas *derrière* can function as a preposition (*derrière la maison*), as an adverb (*Il s'est placé derrière*), and as a noun (*Elle est tombée sur son derrière*), *arrière* functions only as a noun:
e.g. *Montez à l'arrière* ('Get in the back (e.g. of the car)')
*les arrières* = the backs (football).

## 2.3 A travers/par

*A travers* usually means 'through' or 'across', in contexts where there is some substance to be got through or difficulties to be got over. *Par* has no such implications:
cp. *Elle a crié à travers la porte* (the door was closed).

*Elle a crié par la porte* (the door was open).

*De travers* ('askew'): *Elle avait mis son châle de travers.*

*En travers de* ('across' 'crossways' 'athwart'): *Il s'est couché en travers du lit.*

## 2.4 Dessus/dessous

*Au-dessus/dessous de* and *par-dessus/dessous* are used as prepositional phrases (i.e. are followed by a noun):
e.g. *Il accrocha le tableau au-dessus du bureau. Ils ont sauté par-dessus la barrière.*

*En dessus/dessous* are used as adverbs (i.e. without a following noun phrase),
e.g. *. . . une table avec, en dessous, un tas d'assiettes* ('. . . underneath . . .')

*dessus/dessous* can also function as nouns,
e.g. *le dessus/dessous* = the top/bottom
    *avoir le dessus/dessous* = . . . advantage/

disadvantage
*les dessous* = underwear.

## 2.5 Jusqu'à/depuis

These terms can mean 'to' and 'from' and are
stronger than *à* or *de*:

*Il nous a suivis depuis Paris jusqu'à Calais.*

# §3. Prepositions used in Expressions of Time

## 3.1 Pour/pendant/depuis

*Pour* is used for **intended** periods of time,
usually future:
*Je suis là pour un an.* ('I intend to stay for a year,
I'm here for a year's stay'.)
*Il était là pour une semaine.* ('He intended to
stay for a week.')

Avoid *pour* with *rester*,
e.g. *Il resta un an à cet endroit.*
    *Il pense rester un mois ou deux.*

*Pendant* is used for **actual** periods of time, past,
future or habitual present,
e.g. *Il était là pendant un an.*
    ('He spent a year there.')

*Depuis* is used for periods of **time up to** a
present or past moment,
e.g. *Il était là depuis un an.*
    ('He had been there for a year.')
See also GS 2, §4, pp. 35–36.

EXERCISE B: Put the appropriate prepositions
(*pour, pendant, depuis,* none) in the gaps in the
following sentences. In some cases, more than
one answer may be possible; if so, give all
possibilities and explain the difference.

(a) Il a travaillé _____ une semaine dans ce
bureau.
(b) Elle a dû rester _____ 3 mois à l'hôpital.
(c) Nous habitions là _____ 10 ans quand notre
fils est né.
(d) Si je viens, ce sera _____ une semaine au
moins.
(e) Quand il a obtenu le poste, il apprenait le
chinois _____ 2 ans.
(f) Oui, il a été notre professeur _____ toute
une année.
(g) Je ne sais pas. Je suis ici _____ trois jours
seulement.

## 3.2 Dans/en

*Dans* is used for a deadline, time after which
something occurs,
e.g. *Je le ferai dans trois jours* (cp. *au bout de*).
    'I'll do it in three days time from now.'

*En* is used for duration, a length of time during
which something occurs,
e.g. *Je le ferai en trois jours.*
    'It will take me three days (at most) to do
it.'

EXERCISE C: Translate into French, using *en* or
*dans* as appropriate:

(a) He said he'd be there in a week.
(b) Yes, she's arriving in 2 hours time.
(c) Well, if it can be done in half an hour, I
might manage.
(d) In a flash, they had all disappeared.
(e) It'll be all over and done within a month.
(f) OK, I'll see to it in a minute.

### 3.3  *Jusque*

Except in expressions like: *jusqu'ici/jusqu'alors/ jusque-là*, *jusque* usually occurs in combination with *à*. With nouns use *jusqu'à* or *jusqu'en*,

e.g. *Jusqu'à samedi/la semaine prochaine.*
     *Jusqu'au moment où . . .*

*Jusqu'en mars/juillet/ce moment/hiver/ automne/etc.*

With verbs use *jusqu'à ce que*+subjunctive, e.g. *Je resterai là jusqu'à ce qu'il vienne.*

---

### 3.4    *Time expressions using different prepositions*

#### *Instant*

*Par instants, il est très maussade:* 'At times . . .'.
*Sors à l'instant!* '. . . at once'.
*A l'instant (même) où elle pensait sortir . . . :* 'At the very moment . . .'.

#### *Jour*

*Il a mis ses comptes à jour:* '. . . up to date'.
*Au jour le jour:* 'Day by day' (with no thought for the morrow).
*D'un jour à l'autre:* 'Any day now'.
*De jour en jour plus fréquent:* 'More and more frequent as days go by'.
*Au petit jour:* 'At first light'.
*De jour et de nuit:* 'By day and night'.
*De nos jours:* 'Nowadays'.
*Il est de jour:* 'He is on duty today', 'It's his day on'.

#### *Moment*

*En ce moment:* 'Now'.
*A ce moment-là:* 'Then' — (future or past).
*Au bon/mauvais moment, au même moment.*
*Par moments:* 'At times'.

#### *Temps*

*En ce temps-là:* 'In those days'.

*Dans le temps:* 'At some time in the past', 'A long while ago'.
*En temps de guerre/paix.*
*A temps:* 'In time', 'At the right time'.
*De mon temps:* 'In my day' (= youth).

#### *Semaine/mois*

*Il vient trois fois par semaine/mois.*
*Il est payé à la semaine/au mois:* 'on a weekly/monthly basis'.

EXERCISE D: Translate into French, using expressions from §3.4 (N.B. the exact expression may not have been given):

(a) They don't make them like that these days.
(b) You're in luck, he's here just now.
(c) Sometimes she seems to understand what I'm saying.
(d) Owls don't come out much in the day time.
(e) He's expecting to be sent to London any day now.
(f) When I was a lad we were polite to our parents.
(g) Some time ago he worked in Paris.
(h) Well, it's been like that from time immemorial.

---

## §4.    Prepositions used in Expressions of Manner

### 4.1  *Façon/manière*

Note that *de* is used where English uses 'in':
*De cette façon/manière,* **de** *telle manière,* **de** *la*

*même façon* ('likewise'), **de** *toute manière/ façon* ('anyway').

## 4.2 Movements

*De* is used where English often uses 'in':
*D'un seul bond, il a atteint la fenêtre.*

*D'un brusque mouvement, elle a ôté son chapeau.*

## 4.3 Manners of walking or travelling

*A* is most common for natural means of movement:
*A pied, à cheval, à quatre pattes* ('on all fours'), *à tâtons* ('feeling your way').

*En* is very common for vehicles: *en voiture, en car, en bus, en train* (but *par chemin de fer*).

Some vehicles, those you sit astride, tend to allow either:
e.g. *A/en vélo, à/en moto.*
Cp. *On voyage **en** avion — On envoie les lettres **par** avion.*

# §5.  Prepositions used in Expressions of Quantity and Proportion

## 5.1 Prices

*A* is normally used. Note also the use of the definite article:
*Elle a acheté des poires **à** 4F le kilo.*
*Est-ce que vous avez du tissu comme ça **à** moins*

*de 25F le mètre?*
*Bien, je prends le menu **à** 35F.* (*le menu* = 'set meal').

## 5.2 Various proportions

There are certain set expressions:
*Un **pour** cent:* 'one per cent'.
*Un **sur** cinq:* 'one out of five'.

*... j'ai déclaré 600.000F au fisc **sur** lesquels* ('out of which') *il m'en prend 300.000F.*

## 5.3 Distances

*Il a une résidence secondaire **à** 50 km. de Paris.*
*Oui, c'est **à** 3 heures de route.* '... three hours'

drive away',
BUT *C'est un trajet de 5 km.*

## 5.4 Measurements

*De* is used in a number of different constructions:

*Cette ligne a 5 cm. **de** long* OR
*Cette ligne est longue **de** 5 cm.*

## 5.5 Comparatives and Superlatives

*De* is again common:
*Il est **de** 3 cm. plus grand que moi* OR *plus grand que moi **de** 3 cm.*
*Celui-ci est **de** 40F plus cher que l'autre.*

See also GS 12, §4.3, p. 226.

For the superlative, English uses **in** where French uses *de*:
*C'est le seul élève **de** la classe à avoir réussi.*
*C'est elle la plus intelligente **de** toute la famille.*

### 5.6   Entre/parmi

*Entre* is usually more precise than *parmi*:
*Asseyez-vous **entre** nous.* 'Sit between us.'
*Asseyez-vous **parmi** nous.* 'Sit with us, in our company.'

*Parmi* is also used in the sense of 'amongst', i.e. a member of a group, whether or not that group is actually present. Here it often means 'one of':
*Il est **parmi** vos ennemis.* (One of them, NOT in their company.)
***Parmi** les linguistes, son nom est réputé.* 'Among linguists, he is well known.'
*Elle n'est qu'une employée **parmi** d'autres.* (One of a whole number.)

EXERCISE E: Insert the correct prepositions and other phrases in the gaps in the following sentences:

(a) Lyon se trouve _____ 2 heures _____ ici.
(b) _____ eux, ils parlent allemand.
(c) Cette robe est _____ 30F plus chère _____ l'autre.
(d) Le jardin a 50 m. _____ long.
(e) J'ai pris une carafe de vin _____ 8F.
(f) La route était bloquée _____ une longueur _____ une centaine de mètres.

# §6.   Prepositions used after certain Verbs

### 6.1   Croire

*Croire* can take a direct object, whether a person or fact is referred to:
*D'accord, je te crois.* 'I believe you' (a person).
*Est-ce qu'il a retiré sa candidature? — Oui, je le crois.* (I believe the fact.)

Both *à* and *en* are used after *croire* with the idea of confidence or faith. Generally *à* is more common for things and ideas and *en* for people:
*Mais si, je crois **à** la possibilité d'une révolution!*
*J'ai toujours cru **en** mon père.*

### 6.2   Penser

*Penser de* is used in the sense of 'have an opinion about something':
*Qu'est-ce que vous pensez **de** lui?*
'What is your opinion of him?'

*Penser à*, by contrast, means 'to have in your thoughts', 'to be preoccupied by':
*Je pense **à** toi, sans cesse, ma chère Marie.*
***A** quoi penses-tu?* 'What are you thinking about?'

### 6.3   Manquer

With a direct object, *manquer* has the sense of 'miss, fail':
*Le tireur a manqué l'objectif.*
*Il s'était rendu compte qu'il avait manqué sa vie:*
'. . . his life was a failure'.

With *de*, the sense is of something 'lacking', 'not enough':
*Je manque **d'**argent.* 'I'm short of money.'
*Nous manquions **de** soldats à ce moment-là.* (There weren't enough.)

With *à*, *manquer* means either 'to be absent from someone' (and therefore 'missed') or 'to fall short', 'to fail in duty':
*Elle lui manque.* 'He misses her.'
*L'expérience lui manque.* 'He hasn't the necessary experience.'
*Elle a manqué **à** ses devoirs.* 'She failed to fulfil her duties.'

EXERCISE F: Translate into French:

(a) I'll always think of you.
(b) Of course he missed his train!
(c) I don't believe a word of it.
(d) What did you think of the play?
(e) Oh, how I miss my Clementine.
(f) She believes in the necessity of changing the law.
(g) They failed to fulfil their obligations.
(h) He hasn't much information, you know.

---

# §7. English/French Translation Problems

When translating from English into French, a number of problems arise in connection with prepositions. First, prepositions are used in English to make expressions called 'phrasal verbs', which are often translated by one word in French:

'put up with': *supporter*
'slow down': *ralentir*
'put out': *sortir (le chat)*
            *éteindre (les flammes).*

Second, French often expresses ideas in a different order from English.
Cp. 'He **ran into** the house'
    and
    *Il **entra** dans la maison **en courant**.*

    'He **jumped across** the stream'
    and
    *Il **traversa** le ruisseau **d'un bond**.*

# *XII* La Lettre

French people use a variety of styles in letters, ranging, as one would expect, from the chatty to the highly formal according to the situation. Writing letters to personal friends in French poses no special problems to learners of the language since the language used here is that of everyday conversation. Problems arise for English speakers as they move across the spectrum of styles towards formal letters destined for complete or near strangers. Formal letters in French have very marked stylistic peculiarities which easily appear pompous, and are written with a care English speakers find fastidious. Moreover, French people seem a good deal more reluctant to abandon this distant style than English speakers, for whom letter-writing is a much more casual business. This module will deal less, therefore, with 'pen-friend' letters than with formal letters to people with whom one's relationship is more distant.

Formal letters are by definition letters whose form is substantially dictated by convention. The overall plan of such letters is carefully structured to present information in the clearest and most diplomatic way. The starting-point of a formal letter is then a **clear plan**. Moreover, formal letters are essentially pieces of written language, not spoken language. They avoid turns of phrase dependent for their meaning on subtle nuances of intonation. They shun words or expressions strongly reminiscent of colloquial usage, or even speech in general. For instance, the verb *dire* ('to say') is usually replaced by such 'written' expressions as *porter à votre connaissance, faire savoir, faire connaître, faire apprendre, faire part de, informer*, etc. By the same token, all symptoms of familiarity are avoided: the use of the *tu*-form (to take an extreme case) is inconceivable in this kind of letter.

In formal letters the principle of **attenuation** is of supreme importance. Imperatives and direct questions are scrupulously avoided. Formulae for 'Please . . .' abound: *Veuillez . . .* and *Je vous prie de . . .* are the most common, but surprisingly, *s'il vous plaît* is rare. *Je vous prie de* is often reinforced by phrases like *avoir l'amabilité de, avoir l'obligeance de, bien vouloir* ('be so kind as to'. Note that the inverted order *vouloir bien* suggests insistence), e.g. *Veuillez trouver ci-joint* ('Please find enclosed')

$$Je\ vous\ prie \left\{ \begin{array}{l} d'avoir\ l'amabilité\ de \\ d'avoir\ l'obligeance\ de \\ de\ bien\ vouloir \end{array} \right\} rectifier\ cette\ erreur$$

('Please be so kind as to make good this error')

Expressions of gratitude are also frequent, the keyword here being *reconnaissant*, e.g. *Nous vous serions reconnaissants de nous faire parvenir . . .*
Observe here that the subject of *faire parvenir* is *vous* and not *nous*.

Allied to the principle of attenuation is the tendency towards **self-effacement**. Statements made on your own initiative and not at the request of your correspondent are frequently prefaced by formulae like *Je me permets de . . .* or *J'ai l'honneur de . . .*
e.g. *Je me permets de vous signaler que . . .*

('I would like to point out to you that . . .')
The phrase *J'ai l'honneur de . . .* is even stranger to non-French ears. It is not pompous at all, but apologises for taking up your correspondent's time with information that you are actually quite pleased to impart,

e.g. *En réponse à votre annonce parue hier dans 'Le Monde', j'ai l'honneur de poser ma candidature au poste de . . .*

Such insistence on formality and set phrases may appear arbitrary and stilted. However, their use is not entirely without purpose — they serve to foster a politeness which rubs off the corners of potentially difficult (because new or distant) relationships. Let us now look at each stage of the letter in turn:

*Introductions p. 212.*
*Openings p. 213.*
*Body of the letter p. 214.*
*Conclusions p. 215.*

## Introductions　(Les 'en-têtes')

| Form of address | Conditions of use, connotations, etc. |
|---|---|
| (1) *Monsieur le Directeur/Professeur/Maire/ l'Attaché Culturel*, etc. <br> *Madame la Directrice/le Professeur/ le Maire*, etc. | The normal formula under conditions requiring formality (business, official, etc.). Very formal. |
| (2) *Messieurs* | Used when addressing a company. |
| (3) *Monsieur/Madame* | Conditions of equality; polite; implies nothing other than slight formality and, perhaps, unfamiliarity. |
| (4) *Cher(e) Monsieur/Madame* | A good deal less formal than 1, 2 and 3; can be used where you are *certain* that no formality is necessary; if in doubt, use 1 or 2. Result of acquaintance or of prolonged exchange of letters. |
| (5) *Bien cher(e) Monsieur/Madame* | As 4, but more familiar. Old-fashioned. |
| (6) *Chers amis* | As 4; when you wish to include the whole family, or the whole of a similar group. |
| (7) *Cher(e) collègue* <br> *Cher(e) collègue et ami(e)* | Normal formula among professional equals. |
| (8) *Mon cher/ma chère collègue* | Rather like 7, except that it usually represents a pretence of parity by a superior grade to an inferior one. |
| (9) *Mon cher*+surname | From a man to a male colleague. Genuine equality. Permits 'tu' form in what follows. (Women would not use this formula.) |
| (10) *(Mon) cher* / *(Ma) chère*+christian name | To a colleague (more informal than 9) or a friend. |

### Notes

1. This list covers the most common occurrences, but, obviously, more informal letters contain a variety of others.

2. The following should be avoided:

(a) *Cher Monsieur X.*
(b) *Chers Monsieur et Madame X.*
(c) *Mon cher Monsieur* (would sound patronising; it is sometimes used in verbal arguments).

3. There exist specialised forms of address for specific categories,
e.g. *Maître* for a lawyer, *Mon père* for a priest, *Ma sœur/mon frère* for a nun/monk.

Note also *Monseigneur* for a bishop. Titled persons **may** be addressed simply as *Monsieur/Madame* following the full title in the address and letter-head.

## *Openings*

While it is impossible to lay down water-tight codes of practice in this, as circumstances will require flexibility, here is a list of the more common possibilities which can be varied slightly to suit particular occasions:

### 1. Official or business correspondence

(a) You ask someone to do something for you as a favour:

*J'ai l'honneur de solliciter de votre bienveillance de [nous répondre avec un minimum de délai]*

(b) You want something badly from a professional superior:

*J'ai l'honneur de solliciter de votre **haute** bienveillance de [nous faire parvenir . . .]*

(c) Thanks for letter or goods or services rendered:

*Je vous remercie de | pour* { *votre lettre en date du 18 courant* / *votre envoi du 18 de ce mois* }

**or:**

*J'ai l'honneur et le plaisir de vous remercier* { *de* / *pour* }

**or:**

*J'ai bien l'honneur de vous remercier* { *de* / *pour* }

**or:**

*Nous avons bien reçu votre communication du 18 janvier*

**or:**

*Votre lettre du 18 courant nous est bien parvenue*

(d) Follow up:

*En réponse/référence | Suite/Comme suite/ Faisant suite* } *à votre lettre du 3 écoulé*

(e) Imparting information:

*J'ai l'honneur | le regret* } *de* { *porter à votre connaissance . . .* / *vous faire savoir . . .* / *vous apprendre . . .* / *attirer votre attention sur le fait que . . .* }

(f) Opening a correspondence:

*Je me permets de vous écrire pour . . .*

**or:**

*Je vous prie de bien vouloir pardonner la liberté que je prends de vous écrire, mais . . .* (very obsequious and old-fashioned).

### 2. Personal correspondence

Obviously this is largely a matter of personal style and preference but here are some suggestions:

*Merci de vos aimables lignes du 6 mars . . .*
*J'ai quelque peu tardé à répondre à votre lettre . . .*
*Quelques mots pour vous remercier de . . .*
*Auriez-vous l'obligeance, cher ami, de . . .*
*Je te remercie de/pour ta lettre . . .*
*Merci pour ta lettre . . .*
*Ta lettre m'a bien réjoui . . .*
*J'ai bien reçu ta lettre du 20 et t'en remercie . . .*

## *Body of the letter*

General advice about writing this part of the letter is obviously hard to give, since much depends on the specific purpose of the letter in question. However, we may reiterate the points made earlier about a **clear plan** and the importance of careful paragraphing. Moreover, springing from the principles of attenuation and self-effacement mentioned above, there is a considerable number of words and phrases which occur more frequently in letters than in everyday conversation. Here are some examples:

| | |
|---|---|
| acknowledge receipt of | : *accuser réception de* |
| and, as well as | : *ainsi que* |
| (you) can, cannot | : *il vous est possible/impossible de, vous êtes en mesure de* |
| if (not in sense of 'whether') | : *au cas où* + conditional |
| note | : *constater* |
| point out | : *signaler* |
| We regret | : *nous sommes au regret de vous informer que . . .* |
| send | : *faire parvenir, adresser, expédier, communiquer* |
| as soon as you can | : *dès que possible, dans les délais les plus courts, dans les plus brefs délais* |

| | |
|---|---|
| tell | : *faire savoir/connaître, informer, porter à la connaissance de . . ., faire part de . . .* |

**Postal terms**

| | |
|---|---|
| enclosed | : *ci-joint, ci-inclus, sous ce même pli* |
| Please find enclosed | : *Veuillez trouver ci-joint* |
| under separate cover | : *sous pli séparé* |
| international reply-coupon | : *coupon-réponse international* |
| packet | : *colis (m)* |
| packing and unpacking | : *emballer (emballage (m)); déballer* |
| When we unpacked it | : *Au déballage* |
| the post | : *le courrier* |
| by return of post | : *par retour du courrier* |
| in the same post | : *par le même courrier* |
| by recorded delivery | : *en recommandé* |
| send, sender | : *expédier, expéditeur* |
| addressee | : *destinataire* |
| stamped addressed envelope | : *enveloppe timbrée à mes/vos nom et adresse* |
| for additional information | : *pour des renseignements plus amples* |
| postage | : *frais (m.pl.) de port* |
| Please forward | : *Prière de faire suivre* |

## *Conclusions*

### 1. Official correspondence

| | |
|---|---|
| *Veuillez . . .* | : an imperative; hence tends to be used 'from above to below'. |
| *Je vous prie de . . .* | : polite, 'below to above' or equality. |

followed by . . .  $\begin{cases} agréer \\ accepter \\ recevoir \\ croire\ à \end{cases}$ (interchangeable)

Next, between commas : repeat the introductory form of address (*Monsieur, Madame la Directrice*, etc.)

followed by either:
*l'expression de mes sentiments*

  *dévoués*                     formal
  *respectueux*
  *distingués*
  *les meilleurs*
  *bien cordiaux*
  *cordialement renouvelés*      normal usage

or:
*l'assurance/hommage de mes salutations cordiales/distinguées* which is slightly more familiar. *Mes hommages* would be more frequent from men to women.

N.B. *l'assurance de ma haute/parfaite considération* is found; it only emanates from superiors, but is not **meant** to sound patronising!

---

### 2. Personal correspondence

The possibilities are endless (some French people favour the jocular insult: 'I wish you all you wish me', etc.), but here are a few common examples:

(*Bien*) $\begin{cases} cordialement \\ amicalement \\ affectueusement \end{cases}$ (*à toi/vous*)

| | |
|---|---|
| (*Meilleures*) *Amitiés* | (Best wishes) |
| *Bien à vous* | (All the best, Yours. Men to men only) |
| *Bien des choses* | (All the best) |
| *Je t'embrasse* $\begin{cases} affectueusement \\ bien\ fort \end{cases}$ | (Lots of love) |
| *Bons baisers* [*aux enfants*] | (Much love) |
| *Grosses bises* | (Love and kisses) |

The last three are used only between people who kiss each other hello and goodbye. Progressively more informal.

**Notes**

1. (*En*) *Espérant recevoir bientôt de tes nouvelles*
   Looking forward to hearing from you (familiar)
2. *Remerciements anticipés:* Thanks in anticipation
3. As the occasion demands, the following will be useful:

   *Je te souhaite un* $\begin{cases} joyeux\ Noël \\ bon\ anniversaire \end{cases}$
           *une bonne (et heureuse) année.*

# SAMPLE LETTERS

## *1.   Formal Letters*

### (a)

OFFICE NATIONAL DES UNIVERSITES                    Paris le 29 août 1975
ET ECOLES FRANÇAISES
96 Boulevard Raspail
4  75272 PARIS CEDEX 06
       ————————                                Monsieur l'Inspecteur
                                               d'Académie
   Tél: 222 50–20                              ACADEMIE DE CLERMONT
8                                              45 avenue des Etats–Unis
   JD/JS                                       63000 CLERMONT-FERRAND

Monsieur l'Inspecteur d'Académie et Cher Collègue,

   Les organismes étrangers et français chargés du programme d'échange d'assistants de
12  langue vivante s'efforcent de rassembler des documents audio-visuels sur le rôle de
l'assistant dans la classe de langue, qui seront utilisés dans les stages de formation des futurs
assistants. L'Office des Universités pour sa part dispose déjà d'un certain nombre
d'enregistrements sonores et vidéo.

16   Dans ce cadre, les Professeurs de l'Université d'Aberdeen G. EDWARDS, du
Département de français, et R. SULLIVAN, du Département d'Education, souhaiteraient
être autorisés, entre le 3 et le 17 décembre, à enregistrer des classes d'assistants écossais
exerçant dans les établissements suivants relevant de votre autorité:

20      C.E.S. Henri BERGSON                    Lycée Pilote
        Rue du 4 septembre                      1 rue Aristide Briand
        63001 CEYRAT                            63100 CHAMALIERES

   Je vous serais très reconnaissant, compte tenu de l'intérêt et de l'utilité de ce travail, de
24  bien vouloir accorder à ces deux collègues les autorisations nécessaires, et donner aux
établissements les instructions utiles pour leur faciliter la tâche.

   Vous remerciant à l'avance, je vous prie d'agréer, Monsieur l'Inspecteur d'Académie et
Cher Collègue, l'expression de ma considération distinguée.

28                                             Le Directeur

                                              J. DUCLOS

20.ᵉ May 1762. aux Délices.

Nonseulement je suis paresseux, Monsieur, mais il
s'est joint à ce vice une maladie qui a passé quelque
temps pour mortelle. je suis encor très faible, je
ne peux avoir l'honneur de vous écrire de ma main.
on a trouvé vos saucissons excellents, pour moi,
j'ai été bien loin d'en pouvoir manger, mais je
vous en remercie, aunom de tout ce qui est aux
Délices.

Que vous êtes sage et heureux, Monsieur d'habiter
dans vos terres, et de ne point voir de près tous les
malheurs de la france. nôtre seule félicité consiste
à chasser des jesuites, et à conserver environ
quatre vingt mille autres moines, qui dévorent le
peu de substance qui nous reste. il est bien ridicule
d'avoir tant de moines, et si peu de matelots. adieu,
Monsieur, un malade ne peut faire de longues lettres, je
regrette toujours que les Délices et ferney soyent si
loin d'angoulème, et je vous regretterai toute ma vie
comptez que vous n'avez point de serviteur plus inviolablement
attaché que V.

Voltaire to the Marquis d'Argence          Institut et Musée Voltaire, Geneva.

INSTITUT FRANÇAIS D'ECOSSE
13 RANDOLPH CRESCENT
EDIMBOURG
EH3 7TT

le 20 novembre 1979

Telephone 031-225 5366
LE DIRECTEUR

no.349/MS/mr

Mademoiselle,

Suite à votre lettre du 12 novembre, je
vous prie de trouver ci-joint une documentation
concernant les bourses du Gouvernement Français
pour l'année 1980-1981, ainsi que des formulaires
de demande.

Je vous serais reconnaissant de bien vouloir
me retourner ceux-ci à votre plus prochaine convenance.

Selon les instructions que j'ai reçues,
il serait souhaitable que j'aie l'occasion d'avoir
un bref entretien avec vous. Vous serait-il possible
de venir jusqu'à l'Institut avant le 15 décembre ?
Si vous n'étiez pas en mesure de le faire, indiquez-le
moi ; je dois en effet me rendre dans le Nord de
l'Ecosse au début du mois prochain et nous pourrions
à cette occasion nous rencontrer dans votre ville.

Restant à votre disposition pour tout renseignement complémentaire, je vous prie d'agréer, Mademoiselle,
l'assurance de mes sentiments les plus distingués.

Miss Carol S. Woodward,
c/o Martin,
4 Graham Street,
DUNDEE DD4 9AD

Pierre ALEXANDRE.

**(b)**

C.E.S. Henri BERGSON                                   Ceyrat, le 17 novembre 1975
Rue du 4 septembre
63001 CEYRAT                                           Le Principal

                                                      au Dr G. EDWARDS                    4
                                                        *Lecturer in French*
                                                        Department of French
                                                        Taylor Building
                                                        Old Aberdeen                        8
                                                        AB9 2UB

Monsieur,

   Dans une lettre datée du 10 novembre vous avez bien voulu me faire savoir que vous aviez
choisi notre établissement pour recueillir des informations sur le rôle des assistants d'anglais    12
dans les établissements scolaires français. Nous vous remercions de votre choix et nous en
réjouissons.

   Nous n'avons reçu à ce jour aucune information des services de l'inspection académique
mais nous vous accueillerons bien volontiers aux dates que vous nous proposez, à savoir         16
entre le 4 et 9 décembre prochain.

   Mes collègues et moi-même espérons très vivement pouvoir collaborer utilement à votre
recherche. Dans l'attente de votre visite, je vous prie de bien vouloir agréer, Monsieur,
l'expression de mes sentiments les meilleurs.                                                   20

LE PRINCIPAL

---

**Commentary**

(i) Arrangement on the page: the sender's address figures on the left hand side and the recipient's on the **right,** not the other way round as in this country; the place and date of origin of the letter occur in the top right of the page.

(ii) Date: the number preceded by *le* is a cardinal not an ordinal number, except in the case of '1er'.

(iii) Address: the postal code appears **before** the name of the town (which is capitalised).

---

## 2.   *An Informal Letter*

                                                      Valence 13 déc. 75

Chère C, Cher G.

   Je commence à me demander si vous n'avez pas d'ennuis . . . mais peut-être êtes-vous tout
à fait accaparés par votre installation, et par la vie sociale à Aberdeen — maintenant que      4
vous êtes sur place! J'espère que vous avez reçu ma lettre, envoyée à peu près à la rentrée, et
juste avant votre déménagement . . . Depuis, je pensais que vous alliez m'envoyer votre
nouvelle adresse . . . que j'ai oublié de prendre en partant — Enfin je me décide à vous
adresser ce mot à l'Université en espérant qu'on le fera suivre, si vos vacances de Noël ont     8
commencé.

Comment s'est passé le déménagement? l'emménagement? et le séjour de G à Paris (. . .)? J'attends un mot de vous très bientôt, qui me dira si cette lettre vous est arrivée . . . et me donnera de vos nouvelles. Je vous souhaite pour très bientôt maintenant un bon Noël (que vous passerez où?) et quelques jours de bon repos.

12

Je vous embrasse tous deux très amicalement. Amitiés des jumelles.

*Hélène*

### Commentary

Note the absence of most of the conventional formulae — address abbreviated, immediate *entree en matière*, familiar conclusion. Observe how the season's greetings are used to round off the ending of the letter.

The following letter-writing expressions used here may prove useful:
*adresser* ('send, address');
*mot* ('brief letter');
*fera suivre* ('will forward');
*me donnera de vos nouvelles* ('will tell me your news').

### Bibliographical note

There are numerous books on letter-writing in French. Two recent publications are:
R. Lichet *Ecrire à Tout le Monde*, Paris, Hachette, 1971.
L. Chaffurin *Le Parfait Secrétaire*, Paris, Larousse, 1968.

A quotation from this latter work will demonstrate how comprehensive it is:

'Pour écrire au pape, on emploie du papier à grand format, on se sert comme en-tête de la formule *Très Saint Père*, on écrit à la troisième personne en désignant le pape par les mots *Votre Sainteté* et l'on termine par les lignes suivantes sans en changer la disposition:
*Prosterné aux pieds de Votre Sainteté et implorant*
*la faveur de sa bénédiction apostolique,*
*J'ai l'honneur d'être,*
*Très Saint Père,*
*avec la plus profonde vénération*
*de votre Sainteté,*
*le très humble et très obéissant serviteur et fils.'*
(pp. 15–16)

# EXERCICES PRATIQUES

1. Mettez-vous à la place du Dr Edwards de l'Université d'Aberdeen qui désire visiter certaines écoles françaises pour étudier l'emploi qu'elles font de leurs assistants d'anglais. Imaginez la lettre (200 mots) du Dr Edwards qui a provoqué la réponse du principal du C. E. S. Henri Bergson à Ceyrat datée du 17 novembre 1975 (sample letter (b)). Demandez la permission de visiter son établissement en l'informant de vos démarches auprès de l'Inspecteur d'Académie de Clermont.
Modèle à suivre:

INTRODUCTION:

– formule d'introduction: demande d'aide; identité de l'expéditeur; objet de son travail.

1. – la visite en France (dates approximatives); les raisons de la visite; demande de permission (dates précises).

2. – démarches auprès de l'Office national et de l'Inspecteur; l'Inspecteur se mettra en rapport avec le Principal.

CONCLUSION:

  – espoir de recevoir sa collaboration; formule de conclusion.

2. Thème: Traduisez en français:

C.E.S. Henri Bergson
Rue du 4 septembre
63001 CEYRAT

(Pour les termes relevant de l'éducation voir Module *V*.)

Department of French,
The University,
ABERDEEN.                                              4

7th January, 1976.

Dear Headmaster,                                       8

I should like to thank you for the help you gave Mr Sullivan and myself in December during our visit to Ceyrat to study the work of our English Assistants in France. May I ask you to thank your staff on our behalf for their co-operation, and especially Mlle Layat and Mme Duluc for their kind hospitality. The recordings of classes and interviews will be of    12
great use in our training course for Assistants.

I should also like to ask if you would be able to help us again next year. It would be very useful for us to be able to appoint 2 or 3 students who will have followed our course to posts in schools that we know, so that we can compare the work of a 'trained' Assistant with that of    16
one of this year's Assistants. Would you and your colleagues be prepared in principle to accept an Assistant of our choice in 1976/77? This would depend also of course on the Office National's agreement. I should be grateful if you could consult your colleagues and let us know your decision so that we can proceed with our plans as soon as possible.    20

Thank you again for the kind welcome you gave us at Ceyrat. I look forward to visiting the school again next year.

Yours sincerely,

G. Edwards                                             24
Lecturer in French

3. Répondez à Hélène (lettre n° 2) en lui expliquant les raisons de votre silence, et en vous excusant. Racontez-lui votre vie (imaginaire) depuis sa visite de l'été dernier et vos projets pour les vacances de Noël.

4. Une librairie parisienne vous a envoyé l'édition cartonnée d'un livre que vous aviez commandé en édition brochée. En plus, le livre vous est parvenu en mauvais état. Exprimez votre mécontentement dans une lettre au libraire, lui expliquant votre refus de verser plus que le prix de l'édition brochée (150–200 mots).

5. Vous voyez l'offre d'emploi suivante dans un journal:

  On cherche personnel intérimaire pour bureau centre Paris mois d'août; expérience de dactylographie; connaissances en anglais souhaitées. Horaire souple. Rémunération intéressante.

Ecrivez une lettre pour poser votre candidature et demander les détails supplémentaires qui vous paraissent indispensables (200 mots).

# GRAMMAR SECTION 12: *Comparison*

§1. **Comparative and Superlative Forms**
§2. **Distinction between Adjective and Adverb; Translation of Better/Best**
§3. **Comparative Sentences: *plus/moins ... que ...***
§4. **Comparatives of Quantity and Numerals: *plus de* or *plus que?***
§5. **Double (or correlated) Comparatives**

## §1. Comparative and Superlative Forms

The comparative form of adjectives and adverbs ('quicker': *un train plus rapide*; 'more quickly': *il avance plus rapidement*) must be distinguished from the superlative ('the quickest (of all)': *le train le plus rapide (de tous)*; 'the most quickly': *il avance le plus rapidement*).

---

**1.1** The indefinite article indicates a comparative,
e.g. *J'aimerais **une** plus petite voiture:* 'a smaller car',

but the definite article produces a superlative,
e.g. *C'est **la** plus petite voiture d'Europe:* 'the smallest car in Europe'.

The possessive adjective (*mon, son*, etc.) also produces the superlative,
e.g. *mes meilleurs amis:* 'my best friends'.

---

**1.2** In superlatives where the adjective follows the noun, the definite article is placed before the adjective even though there is already a determiner before the noun:
*Jean est **l'**étudiant **le** plus intelligent:* 'the most intelligent student'.
*Voilà **ses** idées **les** plus connues et **les** plus répandues:* 'his best known ideas'.
Note how the article is repeated before each additional adjective.

---

**1.3** However, the definite article is omitted after *de* in the following superlative constructions:
*C'est ce que nous avons **de** plus élégant:* 'It's the smartest thing we have'.
*Tout ce qu'il y a **de** meilleur dans le ballet:* 'All that's best in ballet'.

**1.4** The complement of the superlative ('the most . . . *in* . . .') is introduced by *de*:
*Un des mots les plus difficiles **de** la langue française:* 'One of the most difficult words in the French language';
*Le plus grand avion **du** monde:* 'The biggest plane in the world'. (See p. 168.)

The use of a superlative may involve using the subjunctive,
e.g. *C'est le plus beau livre qu'il **ait** écrit* (see GS 4, §3.6, p. 73).

---

### 1.5 Some irregular forms

**1.5.1** *Plus mauvais* is more common than *pire* which generally means 'morally worse',
e.g. *Tes notes sont encore plus mauvaises.*
    *Son frère est **pire** que lui.*

Of the corresponding adverbial forms, *plus mal* is the normal comparative form,
e.g. *J'ai été plus mal reçu que jamais,*
and *pis* is used now only in fixed expressions,
e.g. *La situation économique va **de mal en pis.** **Tant pis!***

The superlative form *le pis* is nowadays used only as a noun, in set expressions,
e.g. *En mettant tout **au pis**, tu risques un an de prison:* 'At the very worst you risk a year in jail'.

**1.5.2** Comparative and superlative forms of *petit*:
*(le) moindre* belongs to careful style and generally has a moral rather than physical sense, meaning less (least) in importance,
e.g. *S'il s'était accusé lui-même, sa responsabi-lité serait **moindre**;*
    *Il obéit à mes **moindres** désirs,*
whereas *(le) plus petit* means less (least) in size,
e.g. *Les pains vont être plus petits.*
    *De ces trois voitures la mienne est la plus petite.*

EXERCISE A: Translate into French:

(a) They are my oldest friends.
(b) The smartest dress in the shop.
(c) Of the three she was the most careful and accurate.
(d) His behaviour gets worse.
(e) Your memory is even worse.
(f) He hasn't the slightest chance of succeeding.
(g) This is the smallest of his paintings.
(h) Piaf was the most famous of them all.
(i) What is most heartening is that my latest book has become one of my best known works.
(j) It's quicker by bus.

---

## §2. Translation of Better/Best; Distinction between Adjective and Adverb

### 2.1 Adjective: (le) meilleur

**2.1.1.** Where the word 'better/best' appears next to a noun, it is easily identified as an adjective,
e.g. 'We have hopes of a better world': *Nous avons l'espoir d'un monde meilleur.*
    'I send you my best wishes': *Je vous présente mes meilleurs vœux.*

**2.1.2.** Where 'better/best' follows a verb, it will be an adjective only if this verb is of the type: 'to be', 'to seem', 'to become', i.e. a verb which takes a complement describing the subject of the verb,
e.g. 'The meal is better than (it was) yesterday': *Le repas est meilleur qu'hier.*

'This offer seems the best of all': *Cette offre paraît la meilleure de toutes.*
In these examples 'better/best' still qualifies nouns (the subjects 'meal' and 'offer') and so is translated by the adjective form *(le) meilleur*, the usual rules for agreement applying.

## 2.2 Adverb: (le) mieux

**2.2.1** Where 'better/best' qualifies a verb other than the type mentioned above, it will be translated by the adverbial form *(le) mieux*,
e.g. 'The clock goes better than it used to': *L'horloge fonctionne mieux qu'autrefois.*
'This is the way of life which suits me best':

*C'est cette façon de vivre qui me convient le mieux.*

**2.2.2** Several set phrases also include *mieux*,
e.g. *Il va mieux, sa température a baissé.*
*Tant mieux! Cp. Tant pis!*

## 2.3 Nouns: le meilleur/le mieux

A noun may be formed from the adjectival and adverbial forms,
e.g. *Ils sont unis pour le meilleur et pour le pire.*
*Il lui a consacré le meilleur de sa vie.*

*Tout va pour le mieux.*
*Il a toujours fait de son mieux.*
*Faute de mieux, nous allons pique-niquer ici.*

## 2.4 Superlative

Unlike English, French does not differentiate in form between **the better** of two entities and **the best** of three or more. 'The better' and 'the best' are both translated with *le* or *la*,
e.g. 'Of these two pens, which is the better, in your opinion': *De ces deux stylos, lequel est le meilleur à ton avis?*
'Of these ten students, who writes best?': *De ces dix étudiants, qui écrit le mieux?*

EXERCISE B: Insert the appropriate form to express 'better/best':

(a) La voiture roule _____ qu'auparavant.
(b) Cette voiture est _____ que l'autre.
(c) Tu te sens _____ aujourd'hui?
(d) Oui, ma santé est bien _____ maintenant.
(e) Je suis en _____ santé.
(f) Les choses prennent une _____ tournure.
(g) Un petit clic vaut _____ qu'un grand choc.
(h) Cette information est puisée aux _____ sources.
(i) C'est ce chapeau-ci que j'aime le _____.
(j) Son fils cadet est le _____ doué.
(k) Je vous prie d'agréer, Monsieur, l'expression de mes sentiments les _____.

# §3. Comparative Sentences: *plus/moins . . . que . . .*

**3.1** One of the commonest forms of comparative sentence uses *plus/moins . . . que . . .*,
e.g. *Georges est **plus** grand **que** François.*
*Tu cours **plus** vite **que** moi.*

*Pierrette est **moins** courageuse **que** prudente.*
*Raymond parle **moins** souvent **qu'il** n'en avait l'habitude.*

## *3.2 The use of 'ne'*

**3.2.1** When the complement (what follows *que*) of a comparative sentence is a clause (i.e. has a verb), *ne* may have to be used,
e.g. *Jacques est plus fort qu'il ne pensait.*
*Il paraît plus âgé qu'il ne l'est.*

The *ne* does not imply a negative. There is usually no *ne* in the *que* clause if the main clause is negative or interrogative,
e.g. *Il ne paraît pas plus âgé qu'il l'est*, etc., nor in sentences containing *aussi . . . que. . . .*

**3.2.2** Word order: where the subject of the *que* clause is a noun (not a pronoun as in §3.2.1), the subject and verb are often inverted,
e.g. *Marcel est plus riche que ne pensent ses électeurs.*

EXERCISE C: Translate into French:

(a) Alice is as good looking as I had imagined.
(b) It's later than you think, Raymond.
(c) Gisèle is much more interesting than her cousin.
(d) They came less quickly than they had promised.
(e) Valéry plays the accordion better than he used to.
(f) Jacques owes much more money than he says.
(g) Simone smokes more cigarettes than she ought.

# §4. Comparatives of Quantity and Numerals: *plus de* or *plus que*?

These create difficulty for the English learner of French because of confusion between *de* and *que* as equivalents of 'than'.

## *4.1 Translation of 'more/less + noun + than'*

*Plus de* and *moins de* are used as expressions of quantity. *De* is used with all adverbs of quantity and not just with the comparative adverbs:
*Il est venu **peu de** touristes cette année.* 'Few tourists came this year.'
*Il est venu **moins de** touristes cette année.* 'Fewer tourists came this year.'
*J'ai vu passer **beaucoup d'avions**.* 'I saw a lot of planes fly past.'
*J'ai vu passer **plus d'avions**.* 'I saw more planes fly past.'

When the point of comparison is explicitly stated we find the construction *plus/moins de . . . que . . .*:
*Il est venu **moins de** touristes cette année **que** l'année dernière.*
*J'ai vu passer **plus d'avions** hier **qu'**aujourd'hui.*

When *que* is followed by a noun rather than an adverbial phrase *de* is repeated,
e.g. *Il a **plus d'argent que de** bon sens.*

## *4.2 Translation of 'more/less than + noun or pronoun'*

*Plus/Moins de* makes a statement in numerical terms about the number or amount of an entity,
e.g. *Il a **moins de** dix francs.*
***Plus de** 200.000 touristes sont venus.*
*Il a passé **plus de** la moitié de sa vie ici.*

*Plus/Moins que* makes a true comparison between two entities which differ in size, importance, etc:
*Il paya **plus que** le prix d'une voiture.*
(i.e. the price he paid was higher than the price of a car)

*Elle a vu **plus que** lui.*
(i.e. the things she saw were more numerous than the things he saw).
***Plus que** la personne de Malherbe, c'était le génie du peuple français qui se donnait à lui-même les nouvelles règles.* (W. von Wartburg)

EXERCISE D: Explain the difference in meaning between the sentences making up the following pairs:

(a) Barbe-Bleue mange plus de deux enfants.
Barbe-Bleue mange plus que deux enfants.
(b) Sa femme lui a coûté plus de dix vaches.
Sa femme lui a coûté plus que dix vaches.
(c) Tartarin, en une journée, tua plus de dix chasseurs professionnels.
Tartarin, en une journée, tua plus que dix chasseurs professionnels.

## 4.3 Measures of difference

The measure of difference existing between one entity and another, or between an entity and an external standard is expressed by *de*, in two different constructions:

(a) *Il est mon aîné **de** trois ans. Son frère est **de** trois centimètres plus grand que lui. Cet immeuble est plus élevé **de** quelques étages.*
(b) *Il a trois ans **de** plus que moi. Son frère a trois centimètres **de** plus que lui. Cet immeuble a quelques étages **de** plus (que celui-là).*

The idea of progressively increasing or decreasing difference ('more and more'/'less and less') is expressed by **de plus en plus/de moins en moins**:
*La foule devenait **de** plus **en** plus nombreuse.*
*Cette édition devient **de** moins **en** moins utile.*

## 4.4 Comparison involving numerical proportion: '. . . times as . . . as . . .'

Comparisons such as 'twice as big as'/'three times as often' etc. may be expressed by: Numeral+*fois* with *plus/moins*+adjective/adverb+*que* . . .:
*Mon jardin est deux fois plus grand que le vôtre.*
*Votre jardin est deux fois moins grand que le mien.*
*J'ai gagné trois fois plus souvent que toi.*

EXERCISE E: Translate into French:

(a) I hope to spend more than two years here.
(b) Don't go out with less than 10 francs on you.

(c) Don't be absent for more than half a day.
(d) We need more coal.
(e) As far as pocket money is concerned, she has more than me.
(f) She buys more flowers than her neighbours.
(g) She buys more sweets than flowers.
(h) He has fewer friends than I thought.
(i) He is 3 kilos heavier than his brother.
(j) She is only three days older than her cousin.
(k) This letter is three grammes too heavy.
(l) He earns three times as much as his wife.

# §5. Double (or correlated) Comparatives

## 5.1 Plus . . . plus . . .: 'the more . . . the more . . .'

Another kind of comparative, expressing a proportional relationship between two actions or entities, is expressed as follows:

***Plus** je lis, **plus** je m'instruis:* 'The more I read, the more I learn.'

Variations on this structure are possible by introducing the clauses by different adverbs such as: *moins, mieux, autant*, as well as *plus:*
**Mieux** *il s'habille,* **plus** *il déplaît.*
**Autant** *Jean-Jacques est entreprenant,* **autant** *Jean-Louis est timide.*
**Plus** *il fait froid,* **moins** *le charbon arrive, car les canaux sont gelés.*

Note the word order in French: apart from the fact that the comparative adverb (*plus* etc.) heads each half of the comparison, the normal word order of the simple sentence prevails: comparative adverb + subject + verb (+ complement). There is no definite article accompanying the adverb, unlike the English '**the** more . . . **the** more . . .', nor is there any *que* associated with the comparative adverb.

---

## 5.2  D'autant plus/moins que

A similar proportional relationship to that described in §5.1 may be expressed by subordinating one clause to another with different combinations of *d'autant mieux/moins/plus . . . que . . . plus/davantage/mieux/moins:*
*Il gagne* **d'autant plus** *d'argent* **qu'il travaille moins:**
'The less he works the more money he earns.'

Note the reversal of the order of the respective clauses in this construction as compared to the previous one (§5.1):
*Vous vous faites* **d'autant plus** *mal aux yeux* **que** *la pièce est* **moins** *éclairée,* as compared to **Moins** *la pièce est éclairée,* **plus** *vous vous faites mal aux yeux.*

Sometimes a comparative figures only in the half of the sentence containing *d'autant plus/moins/mieux:*
*Il était* **d'autant plus** *triste* **que** *son fils n'était pas là:* 'He was all the sadder for his son not being there.'

EXERCISE F: Translate into French:

(a) The more money I earn, the more I spend.
(b) The more I see her, the less I like her.
(c) The more I drink, the less well I drive.
(d) The less I eat, the better I drive.
(e) Translate sentences (b) to (d) using *d'autant . . . que.*

# KEY TO GRAMMAR SECTION EXERCISES

## GRAMMAR SECTION 1

A. (a) lui  (b) elle  (c) toi *or* moi  (d) vous  (e) elle
(f) moi.

B. (a) c'est  (b) il est  (c) c'est  (d) il est  (e) c'est
*or* elle est  (f) c'est  (g) il est  (h) c'est, il est.

C. (a) (ii), (i)  (b) (i), (i), (ii)  (c) (iii), (i)  (d) (ii),
(i)  (e) (iii), (ii).

(a) Pourquoi lui a-t-elle donné (*or* décerné) le prix?
Il ne le mérite pas.
(b) Où l'avez-vous trouvé? Elle me l'a donné.
(c) Si tu le regardes de près, tu le comprendras
mieux.

(d) Ils ne voulaient pas nous montrer la maison mais
ils l'ont montrée à Tom.
(e) Nous les avons cherchés. Dites-le-leur.

D. (a) Tu devrais le lui donner.
(b) Elle l'a fait construire mais elle ne lui permet pas
de la voir.
(c) Puisque Pierre le lui a offert, elle devrait lui en
parler.
(d) Est-ce que M. et Mme Taupet préfèrent l'y
envoyer?
(e) Je pourrais le leur envoyer.
(f) Donnez-le-lui et n'en parlez plus.

## GRAMMAR SECTION 2

A. se déshabilla, se glissa, continua, entendait,
commençaient, résonnèrent, allait.

Irrespective of the duration of the actual events, the
four past historics mark successive stages in the
narrative, each one a complete entity; *continua*
describes the next thing he did after getting into bed;
*entendait*, on the other hand, describes an ongoing
event: what **was happening** while he lay thinking. The
same is true of *commençaient*. Finally, *résonnèrent*
marks a punctual event which is part of the **ongoing
activity** described by *allait*.

B. (a) Il put rencontrer sa sœur lors de son séjour à
Londres.
(b) Quand on vit son visage, on sut que la nouvelle
était mauvaise.
(c) Il déclara qu'il était communiste et qu'il ne
craignait pas de le dire.

(d) Marie-Louise voulut les convaincre mais personne ne l'écoutait.
(e) Jean reconnut/avoua qu'il avait tort.
(f) Il dit qu'il espérait qu'on ne la punirait pas.
(g) Nous savions déjà ce que Thérèse voulait nous
dire.

C. Tout était noir aux alentours. La rue était
déserte. Wallas ouvrit tranquillement la porte. Une
fois entré, il la repoussa avec précaution. Il était
inutile d'attirer, en faisant du bruit, l'attention d'un
promeneur éventuel attardé sur le boulevard. Pour
éviter le crissement des graviers, Wallas marcha sur
le gazon. Il contourna la maison sur la droite. Dans la
nuit, on distinguait juste l'allée plus claire entre les
deux plates-bandes. Un volet de bois protégeait à
présent les vitres de la petite porte. Dans la serrure,
la clef joua avec facilité.

D. (a) dormait
(b) conduis
(c) avait obtenu
(d) avait neigé
(e) m'a expliqué.

E. (a) Il est malade depuis trois jours.

(b) Il sortait avec Julie depuis six mois.
(c) Je n'ai pas vu Doris depuis son arrivée.
(d) Depuis qu'il a tué deux souris, mon chat est très fier de lui.
(e) J'étais dans mon bain depuis cinq minutes seulement quand on sonna à la porte.

---

# GRAMMAR SECTION 3

A. (a) Un cadeau a été offert à M. Sauvat par ses employés.
(b) Le criminel fut arrêté par un détective.
(c) La nouvelle lui a été annoncée par sa femme.
(d) Aucun luxe ne fut permis au prisonnier.
(e) On a demandé sa carte à l'étudiant.

B. était, étaient, fut, fut.

C. (a) Ce livre est publié (édité) par (chez) Gallimard.
(b) On parle français au Canada.
(c) Il a failli se faire écraser./Il a failli être écrasé.
(d) Le théâtre a été fermé par la police.
(e) J'en attends la réouverture.
   OR: J'attends qu'on le rouvre.
        J'attends qu'il se rouvre.

---

# GRAMMAR SECTION 4

A. (a) verb (b) verb (c) conjunction
(d) conjunction (e) verb.

B. (a) marchiez, *signal*: souhaiter que
(b) ailles, *signal*: vouloir que
(c) comprennes, *signal*: falloir que
(d) écoute, *signal*: être temps que
(e) ayons, *signal*: croire que (*neg.*)
(f) soit, *signal*: être sûr que (*interrog.*).

C. (a) Je vous écris à la hâte afin que vous sachiez cette nouvelle . . .
(b) Quoique nous n'ayons rien fait pour eux jusqu'ici, ils ont voté pour nous.
(c) A moins que les ouvriers ne changent d'avis, il parlera demain au patron.
(d) Pierre l'attendait toujours . . . jusqu'à ce qu'elle vînt.
(e) Pourvu qu'il n'y ait pas d'autres candidats, vous aurez certainement le poste.

---

# GRAMMAR SECTION 5

A. (a) — (b) — (c) une (d) — (e) un
(f) — (g) — (h) l' (i) d' (j) des.

B. (a) Il fut saisi d'un désir de vengeance.
(b) Le désir de la (*or less likely* Le désir de) vengeance lui a empoisonné l'esprit.
(c) Les jeunes ne s'intéressent plus au sport.
(d) Les chirurgiens ont dû amputer les jambes à trois personnes.

(e) Les yeux lui faisaient mal OR Il avait mal aux yeux.
(f) La véritable satisfaction ne vient qu'aux travailleurs.
(g) Elle s'est cassé le bras.
(h) Il montra son doigt à sa mère.

C. (a) du (b) le, le (c) de (d) des (e) une
(f) de la (g) la (h) de la *or* la.

## GRAMMAR SECTION 6

A. (a) qui  (b) que  (c) que  (d) qui
(e) que  (f) qui.

B. (a) ce qui  (b) qui  (c) qu'  (d) Ce que  (e) ce
que  (f) ce qui  (g) ce qu'  (h) ce qui  (i) ce
que  (j) ce qui.

C. (a) Le directeur, à un collègue DUQUEL j'ai parlé,
va nous envoyer les détails.
(b) L'article DONT le titre est 'La Normandie de nos
jours' me paraît un peu long.
(c) Les clés DONT j'ai constamment besoin ont été
laissées sur la porte.
(d) Le général, pour le frère DUQUEL ma femme
travaille, a refusé de parler aux journalistes.
(e) Elle a vendu sa voiture DONT elle venait de
changer les pneus.
(f) L'étudiant, avec la mère DUQUEL ma femme joue
au tennis, a raté ses examens.

D. (a) C'était un jeune diplomate avec $\begin{cases} \text{QUI} \\ \text{LEQUEL} \end{cases}$
elle était allée plusieurs fois au Bois de
Boulogne.
(b) C'est une villa au bord de la mer OÙ nous
espérons passer un mois.
(c) Ma voisine est une femme d'un certain âge DONT
la vie n'est pas régulière.
(d) C'est un journal où paraissent grand nombre de
petites annonces au moyen DESQUELLES j'ai
trouvé mon studio.
(e) Ils habitent un appartement au 20e étage où l'on
ne s'ennuie jamais.

(f) Le marteau DONT elle s'est emparée se trouvait
sur la table.

E. (a) Qui est-ce que  (b) Qu'est-ce qui
(c) Que/Qui  (d) Que  (e) Qui/Qui est-ce qui
(f) Qu'est-ce que.

F. (a) Le jeune Devèze lui demanda ce qu'elle
pensait de l'amour.
(b) Il se demanda qui pourrait l'aider.
(c) Elle demanda ce qui se passerait alors.
(d) Il voulait savoir ce qu'elle (*or* il *etc.*) voulait dire
par là.
(e) Elle me demanda qui je connaissais parmi ces
gens.
(f) Il demanda qui lui semblait le mieux adapté à ce
genre de travail.

G. (a) QUI était cette dame avec $\begin{cases} \text{QUI} \\ \text{LAQUELLE} \end{cases}$ je vous
ai vu hier soir?
(b) L'homme DONT vous parliez est mort, CE QUI est
dommage.
(c) LEQUEL des outils $\begin{cases} \text{DONT vous vous servez} \\ \text{QUE vous utilisez} \end{cases}$ souvent pouvez-vous me prêter?
(d) Je sais CE QUE je veux—une boîte $\begin{cases} \text{OÙ} \\ \text{dans LAQUELLE} \end{cases}$
(je pourrais) mettre mon maquillage.
(e) QUI EST-CE QUI vous a demandé QUEL livre je lisais?
(f) QU'EST-CE QU'elle a laissé tomber?
(g) Ils veulent identifier la voiture à côté de LAQUELLE
vous vous êtes garé.
(h) QU'importe?
(i) A QUOI pensez-vous?
(j) Je voulais savoir CE A QUOI il pensait.

## GRAMMAR SECTION 7

A. (a) J'ai ouvert le placard où se trouvaient les
gâteaux et les bonbons.
(b) Aussi les étudiants sont-ils rentrés chez eux.
(c) Peut-être viendra-t-il demain.
(d) Sans doute les écologistes ont-ils raison.
(e) Quelle que soit la vérité en l'affaire, je dois dire
non.
(f) En vain la population du village a-t-elle lutté
contre la construction de la nouvelle autoroute.

B. **These are possible solutions, but by NO means the
ONLY possible ones.**
(a) En rade depuis deux mois, une centaine de
bateaux attendent que leurs 500.000 tonnes de

marchandises soient déchargées dans les principaux ports iraniens.
(b) De six heures du matin à neuf heures du soir, des
hauts-parleurs installés dans toutes les rues
hurlent des slogans à longueur de journée, et
déversent les flots de la nouvelle musique
populaire.
(c) Les débats ont fait apparaître une divergence de
vues si considérable qu'on a promis aux délégués
de ne rien divulguer à la presse avant la fin de la
Conférence.
(d) Plus des trois quarts du pétrole vénézuélien
sortent de ces rives desséchées.
(e) Sous la pression des pays arabes au cours des
années 60, la France a misé à fond sur le pétrole.

C. (a) Quelle surprise on a eue!
(b) Comme nous avons été surpris!
(c) Qu'elle est belle, la forêt!/Quelle belle forêt!
(d) Qu'ils sont grands, ses arbres!/Comme elle a de grands arbres!
(e) Comme c'est vilain!

D. (a) A qui le chargé d'affaires a-t-il porté . . .?
A qui est-ce que le chargé d'affaires a porté . . .?
(b) Qui regarde-t-elle?
Qui est-ce qu'elle regarde?
(c) Où cela s'apprend-il?
Où est-ce que cela s'apprend?
(d) Quand Giraudoux a-t-il publié la plupart . . .?
Quand est-ce que Giraudoux a publié . . .?
(e) De qui dépendent ces gens?

De qui est-ce que ces gens dépendent?
(f) Par qui avez-vous appris la nouvelle?
Par qui est-ce que vous avez appris la nouvelle?

E. (a) On risquait de détruire l'un des équilibres naturels et fragiles.
(b) Un contrôle qui repose sur une coopération étroite et intelligente.
(c) Les institutions politiques libérales ne fonctionnent que dans les pays . . .
(d) Il se sentait mordu d'un vague désir de fuite.
(e) Elle le fixait de ses yeux étonnamment petits.
(f) La vaste maison jaune au portique grec lui revenait à l'esprit.
(g) . . . au terme d'un long voyage.
(h) Les douze premiers hommes . . .
(i) L'an dernier nous avons eu trois jours de vacances de plus.

# GRAMMAR SECTION 8

A. C'était la veille du grand départ. Bientôt, Jean-Claude allait faire sa valise car il allait partir le lendemain à l'aube. Le lendemain soir, il serait à Naples. Il aurait passé 12 h. dans le train et dès qu'il aurait mangé, il irait se coucher à l'hôtel. On lui avait dit que, de sa fenêtre, il pourrait voir la mer aussitôt qu'il ferait jour.
'He would have spent 12 hours in the train and as soon as he had eaten, he would go to bed in the hotel. He had been told that, from his window, he could see the sea as soon as it was light.'

B. Il nous a indiqué qu'il le ferait quand il en aurait l'occasion: il aurait peut-être terminé son travail avant jeudi mais en aucun cas il ne l'interromprait. Il avait l'intention de réussir brillamment ses études et Henri ne l'en empêcherait pas. Il lui faudrait de la patience.

C. (a) Aurais-je la grippe?
(b) En ce moment, elle sera en train de danser avec mon meilleur ami.
(c) Tu auras tourné à gauche là où il fallait continuer tout droit.
(d) Serait-ce possible? Auraient-ils eu l'audace d'aller confronter le chef?

D. Selon un porte-parole, les pourparlers n'auraient pas abouti. Les représentants syndicaux et le patronat auraient passé trois heures à huis clos mais n'auraient pas pu se mettre d'accord sur un seul point. Les négociations seraient au bord de la rupture et l'un des représentants serait sorti en claquant la porte.

E. (a) Si on publie ce livre il en résultera un scandale.

| publiait . . . | résulterait . . . |
| avait publié . . . | aurait résulté . . . |

(b) Si nous nous trompons de chemin, nous nous perdrons dans la brousse.

| trompions . . . | perdrions . . . |
| étions trompés . . . | serions perdus . . . |

(c) Si cet homme arrive au pouvoir, je prendrai le maquis.

| arrivait . . . | prendrais . . . |
| était arrivé . . . | aurais pris . . . |

F. (a) Vous ne devriez pas faire ça!
(b) Je n'aurais jamais dû quitter la maison.
(c) Jean-Pierre aurait dû faire publier son livre.
(d) Cela pourrait avoir beaucoup de succès.
(e) Dès la publication, le roman devait connaître beaucoup de succès.
(f) Il a dû retourner chercher son parapluie.
(g) On dit à Paul qu'il ne pouvait pas partir.
(h) De telles choses peuvent arriver.
(i) Tu aurais pu me le dire!
(j) En principe, il doit être président du comité.

## GRAMMAR SECTION 9

A. (a) avoir marché   (b) être sortie   (c) avoir lu
(d) l'avoir regardée   (e) avoir démoli   (f) être tombés.

B. (a) Cette maison est à vendre.
(b) Il est impossible de les arrêter.
(c) Ils auront à se dépêcher.
(d) Elle pourrait vous mentir.
(e) Il va bientôt pleuvoir.
(f) Elle s'est fait écraser par une voiture.
(g) Je l'entends bouger.
(h) Ils ont nié y avoir été.
(i) Nous espérons avoir d'autres nouvelles demain.
(j) Il ne reste plus qu'à tout fermer à clé.
(k) Ils ont persisté à bavarder.
(l) Je l'ai aidé à déménager.
(m) Cette vie l'a habitué à vivre sans manger.
(n) Elle m'a appris à danser beaucoup mieux.

(o) On venait de le libérer de prison.
(p) Ils ont accepté de $\begin{cases} \text{venir avec nous.} \\ \text{nous accompagner.} \end{cases}$
(q) Je rêve d'acheter une petite maison à la campagne.
(r) Il suffira de lui envoyer un petit mot.
(s) Je l'ai félicité d'avoir battu son adversaire.
(t) Ils nous ont suppliés de changer d'avis.
(u) Je me souviens de l'avoir laissé quelque part.
    (Je me rappelle l'avoir laissé quelque part.)
(v) Elle nous a défendu d'en reparler.
(w) Il se plaît à voyager.
(x) J'ai fini par payer pour nous tous.

C. (a) d'   (b) —   (c) —   (d) de   (e) à   (f) à
(g) à   (h) de   (i) de   (j) à   (k) de   (l) —
(m) —   (n) à

## GRAMMAR SECTION 10

A. (a) Sans doute le Président a-t-il compris . . .
(b) Peut-être un tel dialogue commencera-t-il . . .
(c) Ces arguments-là, il faut les abandonner . . .
(d) Ces nouvelles aspirations, la politique doit les refléter . . .
(e) Démasqués, une cinquantaine d'espions ont été expulsés . . .
(f) Le principe (de tout cela/de l'affaire), on le connaît.
(g) Incarcéré depuis le 31 octobre, Jean Dol a été . . .

B. (a) Moi, je crois . . .
(b) Lui pense très différemment, je crois.
(c) Ses enfants, eux, n'ont pas perdu . . .
(d) Votre politique, elle, reflète . . .
(e) D'autres commentaires, eux, l'attribuent . . .
(f) Lui, on ne peut pas lui en vouloir/On ne peut pas lui en vouloir, à lui . . .
(g) Ses parents, eux, ne partagent . . .

C. (a) C'est à Lyon qu'il a tenu . . .
(b) C'est dans un bistro des Halles qu'il emmène son fils Henri un soir.
(c) C'est en Alsace qu'il est . . .
(d) C'est lui-même qui établit . . .
(e) C'est pour vous demander ce rendez-vous que je vous ai écrit.
(f) C'est une escale de 4 heures que le secrétaire d'Etat fera . . .
(g) C'est avec une certaine stupeur que les carabiniers ont . . .
    OR: Ce n'est pas sans une certaine stupeur, que les carabiniers . . .
(h) C'est moins de la construction de l'Europe qu'ils se préoccupent que de leurs rapports . . .

D. (a) Ce qui est plus complexe, ce sont les tendances . . .

(b) Ce qui est très compétitif, ce sont les prix auxquels sont vendus les produits . . .

(c) Ce qui coûte moins cher, et (qui) est beaucoup plus sûr que l'avion en hiver, avec tous ces risques de brouillard, c'est le train.

(d) Ce que personne ne prévoyait, c'était une issue . . .

(e) Ce qui les préoccupe, c'est moins la construction . . . que . . .
OR: Ce dont ils se préoccupent moins que de leurs rapports . . . c'est la construction . . .

E. (a) Quant aux déjeuners de travail . . ., ils se sont . . .

(b) En ce qui concerne le jeune José Luis . . ., on continue à ignorer où il se trouve.

(c) Quant aux conversations entre le ministre . . . et ses interlocuteurs, on *en* ignore la teneur.

(d) En ce qui concerne une telle information, il est bien trop tôt pour *en* faire état.

(e) Quant aux parents, il leur a fallu beaucoup de courage pour . . .

*Note the addition of EN in several instances to recall an element, in pronoun form.*

---

# GRAMMAR SECTION 11

A. (a) en (b) au (c) en (d) en (e) en (f) au (g) à (h) à.

B. (a) pendant (b) — (pendant *is also possible*) (c) depuis (d) pour (e) depuis (f) pendant (g) $\begin{cases} \text{pour (am here).} \\ \text{depuis (have been here).} \end{cases}$

C. (a) Il a dit qu'il serait là dans une semaine.
(b) Oui, elle arrive dans deux heures.
(c) Eh bien, si cela peut se faire en une demi-heure, je pourrais peut-être y arriver.
(d) En un instant, ils avaient tous disparu.
(e) Ce sera fini
(f) $\begin{cases} \text{en un mois (}in\ the\ space\ of\ a\ month\text{).} \\ \text{dans un mois (}in\ a\ month\ from\ now\text{).} \end{cases}$
D'accord, je vais m'en occuper dans un instant.

D. (a) Ils n'en font plus comme ça de nos jours.
(b) Tu tombes bien, il est là en ce moment.
(c) Par moments, elle semble comprendre ce que je dis.

(d) Les hiboux ne sortent pas très souvent de jour.
(e) Il s'attend à être envoyé à Londres d'un jour à l'autre.
(f) De mon temps nous étions polis envers nos parents.
(g) Il a travaillé à Paris dans le temps.
(h) Enfin, cela a été de tout temps comme ça.

E. (a) à, d' (b) entre (c) de, que (d) de (e) à (f) sur, d'.

F. (a) Je penserai toujours à toi.
(b) Bien sûr qu'il a manqué son train!
(c) Je n'en crois pas un (seul) mot.
(d) Qu'est-ce que vous avez pensé de la pièce?
(e) Ah/Oh, comme ma Clémentine me manque.
(f) Elle croit à la nécessité de changer la loi.
(g) Ils ont manqué à leurs obligations.
(h) Il n'a pas beaucoup de renseignements, tu sais.

---

# GRAMMAR SECTION 12

A. (a) Ce sont mes plus vieux amis.
(b) La plus belle robe (La robe la plus élégante) du magasin.
(c) Elle était la plus soigneuse et la plus précise des trois.
(d) Sa conduite devient pire.
(e) Ta mémoire est encore plus mauvaise (qu'autrefois).
(f) Il n'a pas la moindre chance de réussir.
(g) C'est le plus petit de ses tableaux.

(h) Piaf était la plus célèbre de tous/toutes.
(i) Ce qu'il y a de plus encourageant c'est que mon dernier livre (mon livre le plus récent) soit devenu l'une de mes œuvres les plus connues.
(j) C'est plus rapide en autobus.

B. (a) mieux (b) meilleure (c) mieux (d) meilleure (e) meilleure (f) meilleure (g) mieux (h) meilleures (i) mieux (j) mieux or plus (k) meilleurs.

C. (a) Alice est aussi belle que je l'avais imaginé(e).
(b) Il est plus tard que vous ne pensez, Raymond.
(c) Gisèle est bien plus intéressante que (ne l'est) sa cousine.
(d) Ils sont venus moins vite/tôt qu'ils ne l'avaient promis.
(e) Valéry joue mieux de l'accordéon qu'(il ne le faisait) autrefois.
(f) Jacques doit bien plus d'argent qu'il ne (le) dit.
(g) Simone fume plus de cigarettes qu'elle ne (le) devrait.

D. (a) He eats children/He has a bigger appetite than they do.
(b) He bought his wife for the price of more than ten cows/He spent more money on his wife (e.g. in presents or parking tickets?) than the amount required to buy ten cows.
(c) He killed ten (and more) hunters/He bagged more game on his own than ten other hunters did.

E. (a) J'espère passer plus de deux ans ici.
(b) Ne sortez pas avec moins de dix francs en poche.
(c) Ne vous absentez pas/Ne soyez pas absent pendant plus d'une demi-journée.

(d) On a besoin d'/Il faut encore du charbon.
(e) Quant à l'argent de poche, elle en a plus que moi.
(f) Elle achète plus de fleurs que ses voisins.
(g) Elle achète plus de bonbons que de fleurs.
(h) Il a moins d'amis que je ne pensais.
(i) Il est de trois kilos plus lourd que/Il pèse trois kilos de plus que son frère.
(j) Ella n'a que trois jours de plus que son cousin/Elle est plus âgée que son cousin, mais de trois jours seulement.
(k) Cette lettre pèse trois grammes de trop.
(l) Il gagne trois fois plus que sa femme.

F. (a) Plus je gagne, plus je dépense/Plus je gagne d'argent, plus j'en dépense.
(b) Plus je la vois, moins je l'aime.
(c) Plus je bois, moins je conduis bien.
(d) Moins je mange, mieux je conduis.
(e) Je l'aime d'autant moins que je la vois plus souvent.
(f) Je conduis d'autant plus mal que je bois davantage.
(g) Je conduis d'autant mieux que je mange moins.

# GLOSSARY OF GRAMMATICAL TERMS

**Accord, accorder**: agreement, agree (of adjectives, verbs etc.).

*Adjective*: adjectives usually qualify the sense of a noun, e.g. *le bon/jeune/grand homme*. They may be attributive, i.e. when placed next to their noun, e.g. *le jeune homme*, or they may be predicative, i.e. when they figure after a verb like *être, devenir* etc., e.g. *Cet homme est jeune*.

Most adjectives have comparative, e.g. *un homme plus jeune*, and superlative forms, e.g. *le plus jeune homme*.

Also included in the category 'adjective' are:

Interrogatives : *Quel homme?*
Possessives : *Notre homme.*
Demonstratives : *Cet homme.*

*Adverb*: most adverbs specify or modify the sense of a verb, e.g. *Il marche vite/lentement*. Some may qualify the sense of an adjective, e.g. *Il est très/entièrement heureux*. Others qualify a whole sentence, e.g. *Cependant, je ne suis pas d'accord*. The category also includes Interrogative adverbs: *Comment, Pourquoi*, etc.

Like adjectives, adverbs have comparative (*Il vient plus souvent*) and superlative forms (*Il vient le plus souvent*). A phrase which performs the same function in a sentence as an adverb is an 'adverbial phrase', e.g. *Il travaille avec soin*.

*Affirmative*: an affirmative sentence asserts that something is the case, e.g. *Je viens*. Its opposite, a negative sentence, asserts that something is not the case, e.g. *Je ne viens pas*.

*Antecedent*: see Relative.

*Apposition*: two nouns are in apposition to one another when they are juxtaposed and when the second noun is an amplification or explanation of the first, e.g. *Son père, pilote de guerre, mourut très jeune*.

*Auxiliary verbs*: are used to form certain tenses and verb phrases. The most common are *avoir* and *être* used in the formation of the compound tenses (q.v.), e.g. *Je l'ai vu, Il était parti*. Devoir, pouvoir and *falloir* (and sometimes *vouloir, savoir, valoir*) are often described as 'modal auxiliaries', e.g. *Je dois partir*. Other verbs commonly described as auxiliaries are: *aller* in *Je vais partir; faire* in *Je l'ai fait venir*.

*Clause* (**proposition** f.): a clause is a sentence or part of a sentence containing a 'finite' part of a verb, i.e. a verb with a subject, e.g. *Il va à Paris*, or an imperative, e.g. *Va-t'en!* The 'non-finite' parts of a verb, i.e. the infinitive, e.g. *aller*, and the participles, e.g. *allé, allant*, do not make a group of words into a clause.

The MAIN CLAUSE (*la principale*) can stand alone without any word to introduce it, e.g. *Il va à l'école*. Two main clauses can be linked by a CO-ORDINATING conjunction (e.g. *et, mais* etc.) to make a co-ordinated sentence, e.g. *Il va à l'école et cela lui plaît*.

SUBORDINATE CLAUSES (*les subordonnées*) are introduced either by a subordinating conjunction, e.g. *Bien qu'il aille à l'ecole,/il ne sait pas lire,*
    (subordinate)        (main)
or by a relative pronoun,
e.g. *C'est notre fils/qui va à l'école.*
    (main)      (subordinate)

A sentence consisting only of a main clause is a SIMPLE sentence. If a subordinate clause is added it becomes a COMPLEX sentence.

*Comparative*: see Adjective, Adverb.

*Complement*: a word or phrase which completes the sense of a verb or noun,
   e.g. *J'ai vu un homme chauve.*
      *Il a été tué par Pierre.*
      *C'est mon professeur de français.*
See also Object, Predicate.

*Complex*: see Clause, Inversion.

*Compound*: see Tense.

*Concessive*: conjunctions like *bien que* and *quoique* are called 'concessive' because they allow the speaker to concede one point and then go on to make another different one. They introduce 'concessive clauses'.

*Conjunctions*: are used to join together phrases or clauses. There are co-ordinating and subordinating conjunctions. See Clause. They may also be classified according to meaning,
  e.g. *pour que, afin que* (conjunctions of purpose),
  *avant que, après que* (conjunctions of time).

*Co-ordination*: see Clause.

*Dative (of interest)*: see Object.

*Declarative, Interrogative, Imperative*: these terms refer to three different types of sentence,
  e.g. *Il vient* — declarative (statement)
  *Vient-il?* — interrogative (question)
  *Viens!* -- imperative (order)
Each of these sentences may be affirmative or negative (q.v.).

*Demonstrative*: this term is connected with 'to demonstrate' = 'to show, point out'. In French there are demonstrative adjectives, e.g. **Ce** *garçon,* **Cet** *homme,* **Cette** *femme,* etc. and demonstrative pronouns, e.g. *cela, celui, celle, ce* (in **ce** *qui . . .,* *c'est mon père*).

*Derivation*: this term indicates relationships between the forms of words in the vocabulary, e.g. *renom* and *renommée* are derived from *nom* by addition of prefixes or suffixes to a root (q.v.). *Chant* is derived from *chanter* by removing the verbal suffix *–er*.

*Determiners*: serve to make the sense of a noun more precise. The main types are:
  Articles (definite, indefinite, partitive).
  Possessive adjectives, e.g. *mon, ton.*
  Demonstrative adjectives, e.g. *ce, cette.*
  Numerals, e.g. *deux, cent.*
  Other quantity words, e.g. *certains, aucun.*

*Direct Object*: see Object.

**Discours indirect**: see Indirect Speech.

*Elision*: omission of a sound (or letter) when two words are run together,
  e.g. *que + il = qu'il.*

*Expletive **ne***: *ne* is said to be 'expletive' or redundant in such expressions as:
  *Je crains qu'il **ne** vienne.*
  *Il est plus grand que je **ne** pensais.*
In such cases it does not have any negative force and *pas* is not used.

*Finite verb*: see Clause.

*Gerund*: see Participle.

*Imperative*: see Declarative, Mood.

*Impersonal verbs*: are used only with the 3rd person singular *il.* This *il* is impersonal because it refers to no specific person or thing but merely provides the verb with a grammatical subject, e.g. *Il pleut, Il faut, Il s'agit de.*

*Indefinite pronouns*: are *on, chacun* and *tout* which refer to indeterminate persons or things.

*Indicative*: see Mood.

*Indirect Object*: see Object.

*Indirect speech* (**discours** m. **indirect**): speech is described as indirect when it is reported in a clause introduced by *que* instead of being quoted *verbatim*, e.g.
  Direct   *'Je suis le commissaire Maigret'*
  Indirect *Il a dit qu'il était le commissaire Maigret.*
Free indirect style (**style indirect libre**) is indirect speech not introduced by items like *Il a dit que, Il répondit que.*

*Interrogative*: see Declarative.

*Intransitive*: see Transitive.

*Invariable*: an invariable form is one that does not change through the addition of endings, e.g. in French, adverbs are invariable so adjectives used as adverbs themselves become invariable: *Il y avait* **quelque** *deux cents spectateurs.*

*Inversion*: in French the normal place for the subject is before the verb. We have 'simple inversion' whenever the subject appears after the verb, e.g. *Vient-il?* We have 'complex inversion' when a noun subject appears before the verb and a corresponding pronoun after, e.g. *Votre patron vient-il?*

**Locution** (f.): set expression, set phrase.

*Main*: see Clause.

*Modal*: see Auxiliary verbs.

*Mood* (**mode** m.): French verbs have three moods: indicative (*Tu vas*), imperative (*Va!*) and subjunctive (*que tu ailles*). A fourth is sometimes added to the list, namely the conditional (*Tu irais*).

*Negative*: see Affirmative.

*Number* (**nombre** m.): has a grammatical sense involving the singular/plural distinction, e.g. *une femme/des femmes.* It also has a numerical sense involving the numerals. There are two types of numerals: cardinal numbers, e.g. *un, deux, trois* etc. and ordinal numbers, e.g. *premier, deuxième, troisième*, etc.

*Object, direct or indirect*: In the sentence *J'ai donné le livre à Pierre*, *le livre* is the direct object and (*à*) *Pierre* the indirect object. In French an indirect object noun can usually be identified for being preceded by *à* (as here). Some of the personal pronouns have separate forms for direct and indirect objects: *le, la, l', les* — direct object, *lui, leur*, — indirect object. *Me, te, se, nous, vous*, however, serve both functions.

The expression 'dative' is sometimes used of the indirect object forms. The expression 'dative of interest' applies to such cases as *Le pied **lui** a manqué* and *Il s'est lavé les mains*.

*Parts of speech* (**parties** f. **du discours**): the traditional categories into which words are commonly placed — nouns, verbs, pronouns, adjectives, adverbs, articles, prepositions, conjunctions, interjections.

*Participle* (**participe** m.): French has two sorts of participle — the past participle, e.g. *chanté, voulu, parti*, and the present participle, e.g. *chantant, voulant, partant*. When the present participle is preceded by the preposition *en* it is called the gerund (**gérondif** m.), e.g. *en chantant*.

**Passé composé** (m.): perfect tense, e.g. *J'ai chanté*.

**Passé simple** (m.): past historic, e.g. *Je chantai*.

*Person*: there are three persons (singular and plural) in French verb conjugations and in personal pronouns:

1st *Je — Nous*
2nd *Tu — Vous*
3rd *Il — Ils* etc.

**Phrase** (f.): sentence.

*Possessive*: the possessive adjectives are *mon, ton, son*, etc. and the possessive pronouns are *le mien, le tien, le sien*, etc.

*Predicate*: this term is often used to designate a particular type of 'complement' (q.v.), i.e. the complement of the verb *être*. In *Il est roi*, the word *roi* is a noun predicate.

*Prepositions*: are so called because they are pre-posed to (placed before) nouns, pronouns or infinitives, e.g. **pour** *ma femme*, **vers** *lui, commencer **à** parler*. A prepositional phrase is one which consists of a preposition+noun, e.g. *Le monsieur **à la barbe blanche***.

*Pronominal*: see Reflexive.

*Pronouns*: stand for or instead of nouns. In 'Peter went up to Mary and kissed her', 'her' is a pronoun standing for 'Mary'. There are five kinds of pronoun in French:

(i) Personal, e.g. *je, me, tu, te*, etc.
(ii) Possessive, e.g. *le mien, le tien*, etc.
(iii) Demonstrative, e.g. *ceci, cela, celui*, etc.
(iv) Relative, e.g. *qui, que, dont*, etc.
(v) Interrogative, e.g. *Qui?, Que?, Lequel?* etc.

**Proposition** f.: clause (q.v.).

**Radical** m.: root (q.v.).

*Reflexive*: the personal pronouns *me, te, se* etc. are said to be reflexive when they refer to the same person as the subject of their verb. Verbs which are normally constructed with reflexive pronouns, e.g. *s'asseoir, se taire*, are said to be reflexive or pronominal verbs.

*Relative*: the relative pronouns *qui, que, dont*, etc. are used to link up or relate a noun or pronoun to a descriptive clause, e.g. *La femme **que** Jean a épousée*. . . . The clause introduced by a relative pronoun (*que*) is a relative clause, and the previous noun or pronoun (*la femme*) is the antecedent.

*Root and stem* (**radical** m.): though sometimes distinguished, both of these terms are used to describe the part of a word to which endings are attached, e.g. *port–* is a root to which endings can be added to form *porter, portons, portaient*, etc.

*Sequence of tenses* (**concordance** f. **des temps**): this is a principle whereby the occurrence of a verb in a particular tense in the earlier part of a sentence restricts the choice of tenses for verbs occurring later,

e.g. *Si j'**étais** intelligent je ne **serais** pas ici*.

*Simple*: see Clause, Inversion, Tense.

**Style indirect** m.: indirect speech (q.v.).

*Style and register*: in dictionaries words are labelled to show what level of language they belong to, e.g. *vulg.* for 'vulgaire', *lit.* for 'littéraire', *fam.* for 'familier'. These are distinctions of style and register.

*Subjunctive*: see Mood.

*Subordinate*: see Clause.

**Substantif** m.: noun.

*Synonyms*: are words which are interchangeable without change of meaning in particular contexts, e.g. *liberté/indépendance* in *Les jeunes ont soif de liberté/indépendance*.

*Syntax*: is concerned with the rules governing the stringing together of words into phrases, clauses and sentences.

**Temps** m.: tense.

*Tense*: French has two sorts of tenses — simple tenses (present, imperfect, past historic (*passé simple*), future, conditional) and compound tenses (perfect (*passé composé*), pluperfect (*plus-que-parfait*), past anterior, future perfect, past conditional). See GS 2 and 8.

**Terminaison** f.: ending. See Root.

*Transitive*: certain verbs are transitive and can take an object, e.g. *voir* in *Je vois Pierre*; certain verbs are intransitive and cannot take an object, e.g. *tomber* in *Il est tombé*. Many verbs can be both transitive and intransitive, e.g. *descendre* in *J'ai descendu les meubles du premier étage* (transitive), *Elle est descendue* (intransitive).

*Voice*: is the term used to denote the distinction between active and passive. In French the direct object of an active sentence, e.g. *Paul frappa* **Pierre**, may become the subject of a passive sentence: **Pierre** *fut frappé par Paul.*

# INDEX

This index refers mainly to grammatical points, but also includes reference to the subjects of texts and to *dossiers* on various topics. For discussion of the main types of exercises available see the Introduction, pp. vii–x. For further explanation of grammatical terms, see the Glossary, pp. 235–238.

— Points discussed in the body of each module are printed in normal type, thus: 62.
— Points practised in exercises (except in Grammar Sections) are printed in italics, thus: *137*.
— Points discussed and/or practised in Grammar Sections are printed in bold type, thus: **83**.

## A

A: **15–16**, 22, **108**, 158, **165–169**, 195, **203–209**;
  (*jusqu'*) *à ce que*: **108**;
  adjective + *à* + infinitive: **15–16**, 158;
  + country: 195, **204**;
  + infinitive: 22, 162, **167**;
  + personal pronoun: **18**.
Abbreviations: *116*, 122, 124, 126; see also Initials.
Abstract, see Noun.
Accusatives, see Object.
Active, see Passive.
Adjective and adjectival phrase: *23*, **186–187**
  cp. adverb: 22, *58*, **223–224**;
  (no) article with: 16, 48, **91**, **93**;
  *bien* with: 162;
  indefinite: 78, 142;
  cp. noun: *11*, 48, **93**, *147*, **224**;
  cp. participle: 53,
  word order: 7, 10, **15–16**, 111, 115, **138–139**, 142, 171, **186–190**.
Adverb and adverbial clause/phrase: *58*, **93**, 151, **186**;
  cp. adjective: 22, *58*, **223–224**;

*bien* with: 162–163;
  time expressions: **205–206**;
  word order: 63, *65*, 99, 115, **135–136**, 186, **223–224**.
Affective (language), see Style.
Advertising/Advertisements: 113–133.
Affirmative (imperative): 18
*Afin que*: **72**.
Agent: **52**, **55**.
Agreement: of adjectives/adverbs: 22, *58*, **223–224**;
  of nouns: 48;
  of participles: 6, **17**, **19**, *49*, **53**, **166–167**;
  *quel*: **111**;
  of verbs: 99.
Allegation, conditional used for: 152.
*Aller* (auxiliary): 146, **151**, 157, **166**; see also Modals.
Antecedent, see Relative.
'Any', French equivalents for: 85, 87.
Apposition, see Articles, Noun.
*Après*: + past infinitive: **166**;
  + *que*: 35, **72**, 151.
*Arrière*: *58*, **204**.
Articles: 80, 87, **91–96**, 142, 162, *196–197*;